D0801169

CATHERINE DE MÉDICIS

Mère de trois rois de France et de la reine Margot

HUGH ROSS WILLIAMSON

CATHERINE DE MÉDICIS

Mère de trois rois de France et de la reine Margot

Pygmalion
Gérard Watelet
Paris

traduit de l'anglais par Brigitte Chabrol

Sur simple demande aux *Éditions Pygmalion/Gérard Watelet*
70, avenue de Breteuil, 75007 Paris
vous recevrez gratuitement notre catalogue qui vous tiendra au courant de nos dernières publications.

ISBN 2-85704-434-8

CHAPITRE PREMIER

La petite duchesse

Catherine naît à Florence le 13 avril 1519 dans le grand palais familial de la via Larga ; trois jours plus tard, veille du dimanche des Rameaux, elle est baptisée dans la petite chapelle du premier étage sous le nom de Caterina Maria Romola de Medici. Aux murs, peints il y a quelque cinquante ans par l'élève de Fra Angelico, Benozzo Gozzoli, sur la célèbre fresque du *Voyage des Mages,* ses ancêtres assistent impassibles à l'entrée dans l'histoire de leur dernière descendante.

Son arrière-grand-père Laurent le Magnifique, le plus jeune des Rois Mages, monte un grand cheval blanc ; derrière, en tête de cortège, Pierre le Goutteux, le père de Laurent, puis Cosme l'Ancien son grand-père, le Père de la Patrie, fondateur de la puissante Maison Médicis.

Ailleurs dans le palais, s'éteignent les parents de l'enfant : son père Laurent, duc d'Urbino, d'une phtisie galopante, de la syphilis ou d'un ancien coup d'arquebuse, on ne sait ; sa mère, Madeleine de La Tour d'Auvergne, dont la propre mère est une Bourbon-Vendôme, d'une fièvre puerpérale. Ils ont respectivement vingt-sept et dix-huit ans.

La « petite duchesse » n'a pas un mois ; elle se retrouve orpheline, seule parmi les vastes trésors d'un palais laissé aux mains des serviteurs. Berceau entre deux cercueils... Arioste le poète, au nom de la cité, médite et chante : « Une seule branche reverdit avec un peu de feuillage, je demeure incertaine entre la crainte et l'espérance : l'hiver la préservera-t-il, ou la laissera-t-il mourir ? »...

Le cardinal Jules de Médicis, son oncle, arrive aussitôt de Rome pour prendre en main la destinée de la précieuse enfant, sur l'ordre du pape Léon X — Jean de Médicis. Ils sont cousins : le pape est le second fils du Magnifique et le cardinal Jules son neveu, mais leurs deux années de différence — quarante-trois et quarante et un ans à la naissance de leur nièce —, et une enfance commune dans la maison du grand Laurent les ont liés comme deux frères.

Jules, le véritable chef de famille, ambitionne de lui redonner son ancienne splendeur d'avant l'exil de 1494 ; déjà, il a réalisé une partie de son plan avec l'élection de son cousin Jean au trône pontifical en 1512, cousin qui n'a jamais été ordonné prêtre et qui l'a aussitôt nommé cardinal malgré sa situation illégitime.

Le cardinal Jules a le génie de l'organisation ; malheureusement la grandeur d'âme et la générosité des Médicis lui font totalement défaut. Ses apparences affables dissimulent un cœur froid et un manque de scrupules tendus vers un seul but : détruire la République de Florence, la remplacer par une monarchie toscane et mettre à sa tête un membre de sa puissante famille, lui-même de préférence, car Jules de Médicis est terriblement ambitieux.

Ses projets exigeant une alliance avec la France, il a provoqué le mariage des parents de la petite Catherine, somptueusement célébré à Amboise et parrainé par François Ier. Or, ils viennent de mourir, et le cardinal se hâte vers Florence, dans l'espoir que l'enfant née de ce mariage pourra un jour servir ses rêves de grandeur.

Pendant cinq mois, et malgré la difficulté d'une telle entreprise, il administre à la satisfaction générale la République de Florence. Les Florentins aiment la démocratie jusqu'à la folie et attachent une grande importance à ce que l'on dise d'eux qu'ils forment la plus libre des républiques. Le Gouvernement réunit les représentants des guildes sous l'autorité du « gonfalonier » ; élus pour deux mois, ils siègent et vivent ensemble au palais de la Seigneurie qui donne son nom à l'Assemblée. Trois étrangers à la ville de Florence ont en main le pouvoir judiciaire et rendent compte de leur administration à la fin de l'année. Lorsque le gonfalonier élève l'étendard de la cité, le « gonfalon », tous les citoyens doivent se réunir ; lorsqu'il fait sonner la grosse cloche de la tour du palais seigneurial, la « Vacca », la population mâle se rassemble sur la place publique : la « voix du peuple » doit alors se prononcer.

Gros marchands et prêteurs à intérêts, les Médicis — dont on dit qu'à l'origine ils étaient apothicaires — se sont bien adaptés à leur cité. Peu favorables à l'aristocratie, on les sent plus à l'aise avec les artisans, les petits commerçants et ce menu peuple dont ils ont fait partie et auquel les rattachent encore leur bienveillance, leur modestie et leur générosité.

Ils ont toujours fait preuve dans leurs charges officielles de conscience et d'habileté, mais, depuis les débuts, leur principale préoccupation demeure la bonne marche de leurs propres affaires, et lorsque au milieu du xve siècle, les Médicis entrent avec Cosme dans la grande lumière de l'Histoire, ils possèdent des banques dans seize capitales d'Europe dont Paris, Londres, Bruges et Rome. Le florin d'or sert d'étalon à l'ensemble de l'Occident dont ils sont apparemment la plus riche famille ; bientôt, leurs énormes moyens et le goût prononcé de leur démocratique cité pour la corruption en feront les maîtres incontestés.

Mais leur simplicité ne les abandonne toujours pas et, à l'époque où la France et l'Angleterre reconnaissent en la personne du Magnifique l'arbitre de toute la politique italienne, on le voit converser avec tout un chacun comme avec un ami : de leur mentalité de marchands soucieux de plaire, ils ont gardé une bonhomie de bon aloi et les Florentins y sont sensibles.

Leur amour de l'art et des spectacles enfin est immense, comme chez tous les esprits de ce siècle qui se veulent éclairés. Le monde en cela doit beaucoup aux Médicis, car les artistes dont ils s'entourent se nomment Masaccio, Fra Angelico, Filippo Lippi, Ghirlandaio, Botticelli, Léonard de Vinci, Michel-Ange, Raphaël, Donatello, Verrochio, Brunelleschi et Bramante. Des fêtes et des divertissements, ils ont un sens remarquable : « Un prince qui veut qu'on vante sa libéralité ne regarde à aucune sorte de dépenses », peut-on lire alors dans un petit traité offert au père de Catherine cinq ans avant sa naissance, avec la dédicace suivante : « Il faut être prince pour bien connaître la nature et le caractère du peuple, et plébéien pour bien connaître les princes. »

Ce petit ouvrage, c'est *Le Prince ;* son auteur, Nicolas Machiavel, plusieurs années secrétaire de la Seigneurie, a connu trois générations de Médicis, et son portrait d'un prince susceptible de sortir l'Italie du chaos leur doit beaucoup.

« Le point est de bien jouer son rôle et de savoir à propos feindre et dissimuler. Et les hommes sont si simples et si faibles que celui qui veut tromper trouve aisément des dupes... Un prince doit s'efforcer de se faire une réputation de bonté, de clémence, de piété, de loyauté et de justice ; il doit d'ailleurs avoir toutes ces bonnes qualités, mais rester assez maître de soi pour en déployer de contraires, lorsque cela est expédient. Je pose en fait qu'un prince, et surtout un prince nouveau, ne peut exercer impunément toutes les vertus de l'homme moyen, parce que l'intérêt de sa conservation l'oblige souvent à violer les lois de l'humanité, de la charité, de la loyauté et de la religion... En un mot il doit savoir persévérer dans le bien, lorsqu'il n'y trouve aucun inconvénient, et s'en détourner lorsque les circonstances l'exigent. »

Un demi-siècle plus tard, *Le Prince* circule dans l'Europe entière et un adjectif nouveau est entré avec lui dans le vocabulaire. Il va devenir la bible de Catherine, mais on ignore pour l'instant à quel point, parfaitement et tout au long de sa vie, il lui conviendra, comme s'il avait été composé pour elle.

Le cardinal Jules emmène à Rome l'enfant de cinq mois. Le pape prend dans ses bras la petite fille « vivante et bien portante », verse une larme émue, cite de façon conventionnelle : « *Recens fert aerumnas Danaum* », et la confie à sa tante Clarice Strozzi. Clarice est la sœur de Laurent et, aux yeux du pape, si elle avait été l'homme à la place de son frère, sa famille s'en serait mieux portée ; en lui confiant la dernière des Médicis, il remédie à la malencontreuse erreur de la nature.

Léon X meurt moins de deux ans après ; pour lui succéder, le cardinal Jules met en œuvre toute la diplomatie et le sens de la corruption dont il est capable, mais en vain. A l'étonnement de toute l'Europe, un pieux Flamand, ancien précepteur de l'empereur Charles V, monte sur le trône pontifical sous le nom d'Adrien VI. Inconsolable, le cardinal se retire à Florence dans les affaires familiales ; vingt mois après Adrien VI est, croit-on, empoisonné, et après une session orageuse de sept semaines, Jules de Médicis devient pape le 19 novembre 1523, sous le nom de Clément VII.

Son premier soin est de conclure avec le roi de France un accord secret, mais au début de 1525 François Ier est vaincu à Pavie, puis emprisonné : le pape rompt son alliance et se tourne vers le jeune empereur vainqueur Charles V.

Très vite le désordre gagne l'Italie entière et, sous la menace des vingt-cinq mille mercenaires de l'armée impériale, Clarice et sa nièce ne sont plus en sûreté à Rome ; elles partent à Florence, l'une au palais Strozzi, l'autre au palais Médicis où se trouvent le cardinal Passerini, gouverneur impopulaire de la cité, et deux jeunes Médicis de seize et dix-huit ans, Hippolyte et Alexandre.

Hippolyte est arrière-petit-fils du Magnifique, mais bâtard ; Catherine et lui ne tarderont pas à s'aimer tendrement. Alexandre lui est présenté comme son demi-frère, le fils de son père et d'une esclave noire ; mais chacun sait que ce jeune homme déplaisant dénué de charme et d'intelligence, aux traits négroïdes prononcés — on l'appelle le « Maure » —, est le bâtard du pape Jules qui le couvre de son affection et de sa protection.

En mai 1527, Rome est assiégée et pillée. A Florence, la petite fille de huit ans écoute les récits terrifiants qui en parviennent jusqu'au palais Médicis : les fureurs, les atrocités sont bien pires, dit-on, que tout ce que l'on a jamais raconté sur les Barbares des premiers siècles. Jamais elle ne les oubliera.

Espagnols, Allemands et reîtres de l'armée de Charles Quint se déchaînent sur Rome. Tous sont luthériens et leur fanatisme religieux ne connaît aucune limite : le vandale von Frundsberg conduit la horde, une chaîne d'or autour du cou pour étrangler le pape qui a excommunié leur maître Martin Luther. Ils sont entrés au Vatican, chuchote-t-on, avec un âne couvert d'une chape, puis ont ordonné à un prêtre de l'encenser et de lui offrir une hostie consacrée ; le prêtre a refusé, ils l'ont mis en pièces. Catherine entend ces horreurs, elles se gravent dans sa mémoire et n'en sortiront pas. Toute sa vie, confrontée avec les protestants français, elle ne redoutera qu'une intervention : celle des pilleurs allemands, et n'aura qu'une volonté : éviter la guerre civile. Dans la « Duchessina » de Florence se dessine déjà le visage de la reine mère de France.

Après le sac de Rome, elle a de plus en plus peur. Lorsqu'on apprend à Florence que le pape est prisonnier au château Saint-Ange, une émeute éclate contre le cardinal Passerini, symbole de l'autorité des Médicis. La Seigneurie se prononce en faveur du rétablissement de la république et offre aux enfants de ses « tyrans », Catherine, Alexandre et Hippolyte, de rester dans la cité à titre de simples citoyens, sans payer d'impôts pendant cinq ans.

Les jeunes gens hésitent : faut-il accepter ou fuir pendant qu'il en est encore temps ? Catherine écoute sagement ; dans la via Larga la rumeur monte, la foule est sur le point d'envahir le palais. C'est alors que Clarice Strozzi intervient violemment : au cardinal Passerini elle reproche sa responsabilité dans l'extrémité où tous se trouvent réduits, à Alexandre sa naissance illégitime et sa conduite scandaleuse, au pape Jules « qui mérite bien son emprisonnement », de n'être qu'un faux pape ; à tous elle reproche de s'être fait détester des Florentins, contrairement à ses ancêtres, Médicis authentiques, qui n'étaient vis-à-vis de leur peuple que bienveillance et générosité. « Quittez une maison sur laquelle vous n'avez aucun droit, conclut-elle, un peuple et une cité qui ne vous aiment pas. Dans ces moments difficiles, c'est de moi seule que dépend l'honneur de la famille. »

Le cardinal, Alexandre et Hippolyte obéissent en tremblant et s'enfuient par une porte de service au moment où la foule pénètre dans le palais et commence le saccage. Les représentants du peuple ordonnent à Clarice et à Catherine de rester dans la cité, dans l'espoir de pouvoir utiliser la petite fille contre le pape Clément VII.

Pour plus de sûreté, elle est alors confiée aux dominicaines de Santa Lucia, mais doit les quitter rapidement, car une épidémie de peste sévit à Florence et l'on compte déjà quatorze mille morts. La nuit du 7 décembre 1527, on lui fait gagner en cachette, de l'autre côté de la cité, le couvent bénédictin des Murate que la peste n'a pas encore touché et dont les religieuses accueillent avec une grande affection « cette petite créature de huit ans et huit mois dont les charmantes manières savent lui attirer toutes les amitiés ».

Deux jours plus tard Clément VII s'échappe du château Saint-Ange : déguisé en mendiant avec une fausse barbe et un chapeau en guenilles, un panier au bras et une besace vide sur l'épaule, il passe les grilles sans difficulté et arrive au milieu de la nuit en charrette dans sa résidence d'Orvieto.

Il ne pense qu'à se venger, et l'idée que Florence puisse de nouveau se soulever et envoyer sa famille en exil lui déplaît plus que tous les malheurs de Rome. Il signe avec Charles Quint un nouvel accord secret : il le couronnera empereur et roi des Lombards, il mariera Alexandre à sa fille illégitime et les fera duc et duchesse de Florence lorsque la cité rebelle sera de nouveau aux mains des Médicis et la république abolie. A ces fins, il loue les services des mêmes bandits qui ont accompli l'horrible sac de Rome et l'ont lui-même fait prisonnier ; en échange, il leur offre trente mille florins et le pillage de sa ville natale.

Pendant les onze mois du siège mené par le prince d'Orange, les religieuses des Murate entourent Catherine de paix, d'affection et de tendresse, et veillent avec soin à son éducation. Longtemps elle se souviendra des jours sereins vécus derrière les hauts murs de l'aristocratique couvent à l'abri des convulsions de la cité, et du grand jardin au bord de l'Arno. Quelque cinquante ans plus tard, elle écrit à l'abbesse pour faire sur ses propriétés de Toscane un don important au couvent : « L'enthousiasme infaillible avec lequel vous servez Dieu, l'intégrité et la pureté de la vie que j'ai dans mon enfance maintes fois observées dans votre couvent — où peut-être certaines de celles qui m'ont connue petite fille sont encore en vie — me poussent à vous témoigner ma gratitude pour les saintes prières que vous ne cessez d'offrir pour l'âme du roi mon mari et pour moi-même. »

Ailleurs, elle évoque en vers le paysage de son enfance où elle a été si heureuse :

« Montagnes majestueuses dont les sommets
pareils à ceux des Alpes
Sont aux vents barrière et protection !
Heureuses vallées au travers desquelles
de flots en flots,
L'Arno, royalement, trace son chemin... »

Les mois passent, les Florentins continuent de refuser le retour des Médicis, les troupes de l'empereur se pressent sous les murs de la cité où l'atmosphère devient haineuse : les citoyens de Florence accusent Catherine de comploter, un membre de la Seigneurie propose de la suspendre aux murs dans un panier pour servir de cible à l'ennemi, un autre de la mettre dans une maison publique. Les religieuses des Murate, qui appartiennent aux meilleures familles de Florence, sont soupçonnées d'être favorables aux Médicis : n'envoient-elles pas à leurs familles des corbeilles remplies de petits pains ronds ayant la forme exacte des six palets figurant sur les armoiries des tyrans ? C'est une trahison, et la Seigneurie ordonne à l'enfant de quitter les Murate.

Le 19 juillet 1530, au milieu de la nuit, trois sénateurs du gouvernement de la cité frappent violemment aux portes du couvent : ils réclament « la fille Catherine de Médicis ». Devant la terreur de la Duchessina, les religieuses obtiennent une nuit de sursis qu'elles passent en prière, pendant qu'elle-même, sans perdre son sang-froid, se fait tondre et revêtir d'une robe de l'ordre. « Oseront-ils encore m'emmener ? Lorsqu'ils reviendront demain, on les accusera de vouloir arracher une religieuse à son cloître. »

Le lendemain les sénateurs reviennent avec un cheval, mais ni leurs menaces ni leurs raisons ne touchent Catherine. « Elle refusa avec une étonnante fermeté, raconte l'une des religieuses, déclarant qu'elle appartenait au couvent et refusait de le quitter par la force. »

Enfin, elle doit obéir et partir. Sous bonne escorte, elle est de nouveau conduite dans le très républicain couvent de Santa Lucia dont les bénédictines, sous l'influence de Savonarole, sont devenues hostiles aux Médicis : elle ne court plus aucun risque.

Ruinée, épuisée, Florence se rend un mois plus tard. Catherine est libre de retrouver ses chers Murate. Au printemps, elle est rappelée à Rome par son oncle le pape : Alexandre a obtenu le gouvernement de la cité dont il a pris le titre de duc.

CHAPITRE II

La mariée

Le 12 octobre 1530, Catherine est accueillie à Rome dans la grande maison de sa tante Lucrèce Salviati, sœur de Léon X, où elle retrouve le bel Hippolyte. Clément VII vient de lui offrir le chapeau de cardinal pour l'écarter de Florence où sévit Alexandre.

Suriano, ambassadeur de Venise, nous a laissé l'un des rares portraits que l'on ait d'elle à cette époque : « La duchesse est dans sa treizième année ; elle est très vive, montre un caractère affable et des manières distinguées. Elle est petite de stature et maigre ; ses traits ne sont pas fins, et elle a les yeux saillants, comme la plupart des Médicis. » Le cardinal Hippolyte de Médicis, ajoute-t-il, est jaloux du duc Alexandre, car le pape l'a injustement placé à la tête du gouvernement de Florence qui lui revenait ; le bruit court qu'il a l'intention de se démettre de ses fonctions ecclésiastiques et d'épouser la Duchessina. Il est dans les meilleurs termes avec elle, qui l'aime aussi tendrement, et n'a confiance qu'en lui pour toutes choses.

« Je l'ai vue deux fois à cheval, rapporte l'ambassadeur milanais, mais pas suffisamment pour en parler longuement. Elle semble grande pour son âge, d'agréable apparence, sans le moindre fard, un peu lourde peut-être et blanche de peau. L'ensemble est d'une fillette qui ne sera pas femme avant un an et demi, je crois. On dit qu'elle a des sentiments élevés, et, pour son âge, beaucoup d'esprit et d'intelligence. »

A peine Catherine est-elle arrivée à Rome que François Ier envoie au pape le duc d'Albany, oncle et tuteur de la Duchessina, pour négocier son mariage avec son second fils Henri, duc d'Orléans. Clément VII hésite, pèse et repèse les avantages d'une telle alliance ; puis donne son accord : il a besoin du roi de France contre Charles Quint. Les engagements pris vis-à-vis du premier dans le secret du contrat de mariage démentent tout ce qu'il a déjà pu promettre au second, mais intrigues et dissimulations sont devenues chez lui monnaie courante.

Les 130 000 écus d'or représentant la dote de Catherine semblent bien modestes à François Ier, mais se trouvent compensés par la promesse du Saint-Père de donner « à sa dite nièce, et par conséquent à son futur époux » Pise, Livourne, Reggio et Modène. « Promettre aussi de donner aide et secours au futur époux, pour lui aider à recouvrer l'Etat et duché de Milan, et la seigneurie de Gênes. Donnera aussi Parme et Plaisance... »

François Ier n'a pas abandonné ses anciens rêves italiens : le contrat est signé au printemps 1531 ; un an après, le pape renvoie Catherine à Florence où elle se préparera à partir en France. Clarice Strozzi est morte, Alexandre occupe le palais Médicis, Maria Salviati, la fille de Lucrèce, vit loin de la cité : elle retrouve avec bonheur les religieuses des Murate. A cette même époque, Alexandre lève un impôt de 35 000 *scudi* auprès des Florentins, officiellement destinés aux fortifications de leur ville ; ils seront entièrement dépensés en cadeaux pour sa demi-sœur : équipages, broderies, bijoux, vêtements, tentures d'or et de velours, housses pour les chevaux.

Le 1er septembre 1533, accompagnée de sa tante Maria Salviati, de sa cousine Catherine Cibo et d'un cortège considérable, Catherine quitte Florence pour Spezia où l'attendent le duc d'Albany et une flotte de vingt-sept navires. Pour elle, une galère royale dont la chambre d'apparat, du grand mât au gouvernail, est bâchée de pourpre et tapissée de damas cramoisi semé de lis d'or. Trois cents rameurs, en satin damassé rouge et or, sont attachés par des chaînes d'argent aux flancs du vaisseau.

A Nice, son cortège retrouve celui du pape qui s'est embarqué de son côté à Livourne en compagnie d'Hippolyte, rappelé de Turquie pour la circonstance ; de là, ils naviguent sur différents vaisseaux, comme le veut l'étiquette, jusqu'à Marseille où, le 11 octobre, ils font une entrée solennelle dans le port. Depuis deux mois, la ville se prépare au mariage princier sous la haute autorité du maréchal de France Anne de Montmorency ; une grande partie de la cour de France est déjà là, dans les belles demeures mises à sa disposition par la cité. Le roi, la reine, le dauphin et les deux jeunes princes Henri d'Orléans et Charles d'Angoulême sont dans le petit village provençal d'Aubagne, à une poste de Marseille.

A quatorze ans et demi, Henri d'Orléans est à peine plus âgé que sa fiancée. C'est un jeune homme robuste et non dénué d'attraits, mais sombre, morose et d'une excessive timidité. La prison de Madrid où son frère et lui ont dû servir d'otages après la défaite de Pavie lui a laissé un souvenir inoubliable. On raconte qu'à la fin de leur captivité, alors que le connétable de Castille les priait de pardonner les quelques mauvais traitements qu'on avait pu leur faire subir, Henri, pour toute réponse, avait « lâché un vent ». Il en a gardé une haine et une rancune tenaces pour son père qui ne cache pas sa tendresse pour son fils aîné. L'hostilité n'a cessé de grandir entre le gai, le spirituel, le séduisant François Ier et ce fils maussade et silencieux, rongé de jalousie envers son frère, gêné par la trop brillante présence royale et qui cache son anxiété derrière des yeux mornes à moitié clos.

Le 12 octobre, la galère pontificale traverse le port et Clément VII fait une entrée triomphale dans la cité au son des cloches et des canons, Henri à sa droite, Charles d'Angoulême à sa gauche. Sur un cheval blanc enrêné de soie blanche, le Saint-Sacrement les précède et la foule massée le long du parcours s'agenouille sur leur passage.

Le lendemain le roi et le dauphin entrent à leur tour dans la cité, suivis d'un cortège splendide, puis la reine, les princesses et leurs dames d'honneur, sur six chars entourés de trente jeunes filles sur des chevaux superbement harnachés. La dernière, Catherine fait son entrée dans la ville sur un cheval caparaçonné d'or et de cramoisi, suivie de Maria Salviati, de ses douze dames d'honneur et de son carrosse de velours noir dont les chevaux portent deux pages.

Le 28 octobre, dans la cathédrale, le pape bénit le mariage de Catherine de Médicis et d'Henri d'Orléans ; François, tout de satin blanc brodé de fleurs de lis d'or, la conduit par la main jusqu'à la demeure royale où a lieu le souper. Catherine est vêtue de brocart et d'un corsage de velours violet bordé d'hermine, semé de perles et de diamants. Ses bijoux, partie de la dot du pape d'une valeur de 27 000 *scudi* d'or, font l'objet de toutes les conversations : ceinture d'or ornée de huit gros rubis balais et d'un diamant, parure de diamants, rubis, émeraudes, perles et pierres précieuses à profusion, et particulièrement sept magnifiques perles en pendentif, « les plus grosses et les plus belles qu'on eût jamais vues ». Catherine les donnera plus tard à sa belle-fille Marie Stuart, Elisabeth d'Angleterre s'en emparera, et elles sont aujourd'hui dans le trésor de la couronne anglaise. Le fiancé et son père ont ajouté une plaque de saphir et un diamant dos-d'âne.

Le plus beau cadeau est offert au roi de France par Clément VII : une cassette en cristal de roche représentant vingt-quatre scènes de la vie du Christ incrustées d'argent, contenant un ciboire d'émail fin serti de rubis. Elle est l'œuvre du célèbre tailleur de pierres précieuses Valerio Vicentino et a coûté une somme fabuleuse. François Ier offre au pape une tapisserie des Flandres tissée d'or et d'argent représentant la Sainte Cène.

« Marseille à cette occasion s'honora de la plus fastueuse assemblée jamais réunie en Europe, comprenant la cour entière de Rome et la cour entière de France, les hommes et les femmes », mentionne un chroniqueur. Entre son mari et le dauphin, Catherine préside une longue table de cardinaux ; le pape occupe la place d'honneur d'une seconde table au côté du roi : la troisième, très brillante, est entourée des dames de la cour chaperonnées par la Grande Sénéchale de Normandie, Diane de Poitiers.

Catherine sort à peine de son passé, et déjà la voici confrontée avec les acteurs principaux de sa vie future : non loin d'elle deux jeunes cardinaux, Charles de Guise et Odet de Coligny, Anne de Montmorency, ami intime du roi, des courtisans... Mais les femmes, particulièrement, retiennent l'attention de la nouvelle duchesse d'Orléans : elle sait de quelle importance elles sont revêtues à la cour de France, et de quelle habileté elle devra témoigner pour trouver sa place parmi elles.

La reine de France est douce et effacée ; sœur de l'empereur Charles Quint, elle est la seconde femme de François Ier qu'elle a dû épouser après la défaite de Pavie. Elle aime son mari, mais lui-même est profondément attaché à la blonde Anne d'Heilly, duchesse d'Etampes, « la plus belle des savantes et la plus savante des belles », sa maîtresse et gouvernante des jeunes princesses. Choisie pour le roi par sa mère et sa sœur, elle a sur lui un grand pouvoir, celui de sa beauté et de son esprit, l'une et l'autre fort grands. L'avis de François est toujours le sien, et, si celui-ci a décidé d'aimer Catherine, elle l'aimera aussi.

La sœur du roi, Marguerite, reine de Navarre par son mariage avec Henri d'Albret, possède sur son frère une très grande influence. La « Marguerite des Marguerites, la Marguerite des princesses » est une personnalité éminente dont la réputation en matière d'art, de belles-lettres et de religion a gagné l'Italie. On connaît ses idées avancées, sa haute intelligence et sa passion pour son frère, de deux ans plus jeune, auquel un jour elle a écrit : « J'étais vôtre avant que vous ne soyez né. Vous êtes pour moi plus qu'un père, une mère et un mari ; auprès de vous, mon mari ni mon enfant ne comptent plus », et cet aveu explique bien des choses à la cour. Elle lui ressemble : même long nez et même regard en biais sous de lourdes paupières. Dès son arrivée, elle aussi a ouvert les bras à Catherine, symbole de la civilisation italienne tant admirée.

Tout autre est à trente et un ans Diane de Poitiers, la splendide veuve de Louis de Brézé, Grand Sénéchal de Normandie. Froide, ambitieuse et intelligente, elle a mené après la mort de son mari une vie très digne, jusqu'au jour où François Ier, inquiet du caractère taciturne de son fils Henri, « qui ne fait rien d'autre que d'émettre des bruits et dont personne ne peut venir à bout », lui confie la tâche de le civiliser. Il espère ainsi « le délivrer du sentiment d'humiliation qu'il a connu en Espagne ».

Diane de Poitiers a dix-sept ans de plus que le prince, mais elle accepte ce rôle de compagne. Tout en le conseillant et en le corrigeant, elle lui donne l'affection dont, enfant, il a tant manqué, et, peu à peu, joue dans sa vie un rôle irremplaçable. Leurs relations se tranformeront assez vite en un amour qui durera vingt-deux ans ; en attendant, Diane déjà dirige tout dans le cœur et les affaires d'Henri, et, lorsqu'il deviendra roi, ce n'est pas Catherine de Médicis, mais Diane de Poitiers, reine sans couronne, qui fera et défera toute la politique française.

Mais de cela, au souper de mariage, personne ce soir ne devine rien. Catherine ne sait pas encore à quel point elle souffrira, sauf Diane peut-être, qui cache ses pensées derrière son mystérieux sourire.

Désireux de voir rapidement consolidée la position de sa nièce, Clément VII a demandé la consommation immédiate du mariage. La reine Eléonore et ses suivantes emmènent dans leur chambre les deux jeunes époux auxquels le pape vient rendre visite dès le lendemain matin. Dans son intérêt, il voudrait tout de suite un héritier, mais, déçu, il quitte la cour à la fin du mois de novembre, non sans avoir donné à Catherine ce conseil, avec sa bénédiction : « Une femme d'esprit sait toujours avoir des enfants. » Pendant dix ans, elle n'en aura pas.

Spectacle en l'honneur de l'entrée d'Henri II et de Catherine de Médicis à Rouen en 1550.

CHAPITRE III

Duchesse d'Orléans

« Monsieur d'Orléans est marié à Madame Catherine de Médicis, rapporte l'ambassadeur vénitien, et cela déplaît à toute la nation. On y a le sentiment que le pape Clément a manqué à sa parole envers le roi... »

Certes, il y a manqué : non seulement rien ne laisse prévoir qu'il veuille bien donner à la France les cités promises, mais on apprend bientôt que les bijoux offerts à Catherine étant la propriété du Saint-Siège et non la sienne, il n'a pas le droit d'en disposer. Son ambassadeur en France, Philippe Strozzi, veuf de Clarice, déploie toute sa subtilité à tenter de dégager le Vatican des promesses inconsidérées du pape : la dot n'est pas entièrement payée, la France ne l'ignore pas, et déjà François Ier a fait remarquer qu'il avait pris « la fille comme toute nue ».

Moins d'un an après le mariage, Clément VII meurt et la foule peut enfin se venger de cet homme détesté : elle profane son tombeau plusieurs nuits de suite, et seul un fond de respect pour le cardinal Hippolyte l'empêche de traîner son corps à travers la ville. L'inscription funéraire : « A CLÉMENT VII, PONTIFEX MAXIMUS, DONT SEULE LA CLÉMENCE SURPASSA L'INVINCIBLE VALEUR » est retrouvée un matin, mystérieusement falsifiée : « A L'INCLÉMENT, PONTIFEX MINIMUS, DONT SEULE L'AVARICE SURPASSA LA DOUTEUSE VALEUR ».

Catherine s'installe à la cour de France où son beau-père, loin de lui exprimer sa déception, lui montre une grande bienveillance. Entourée de cabales hostiles dont la moindre n'est pas celle de Diane de Poitiers, méprisée par la noblesse et par la nation entière qui ressent comme une mésalliance l'entrée dans la Maison de France d'une bourgeoise italienne sans quartiers de noblesse, elle vit discrètement à l'ombre de la famille royale. Une seule amitié : celle de François Ier qui, depuis leur première rencontre à Marseille, lui trouve plus d'esprit et d'éducation que les dames de sa cour, moins de cette méchanceté, aussi, dont elles rivalisent à son égard.

« Elle était de fort bonne compagnie et gaie humeur, rapporte Brantôme, aimant tous honnêtes exercices comme la danse, où elle avait très belle grâce et majesté. Elle aimait la chasse bien fort aussi. » Séduit par sa gentillesse, le roi de France l'accueille dans sa célèbre « petite bande » composée des plus jolies et des plus spirituelles dames de la cour ; ensemble ils vont de château en château, restant rarement plus de quinze jours dans un même lieu. Ces déplacements perpétuels sont l'occasion de chasses, de fêtes et de divertissements intellectuels plus ou moins audacieux destinés à distraire un souverain avant tout sensible au charme de la présence féminine.

Malgré la bienveillance du roi et de sa maîtresse, Catherine est seule et sa stérilité, qui pèse lourd aux yeux du royaume, la rend inquiète et chagrine. Son oncle Strozzi a été rappelé à Rome et son affection lui manque, malgré l'arrivée de trois de ses fils à la tête d'une compagnie d'arquebusiers. Elle est heureuse de retrouver ses compagnons d'enfance, mais autour d'elle, on murmure que la France se laisse envahir par les Italiens, qu'ils prennent trop de place dans l'administration du pays. Le seul qu'elle aimerait voir à ses côtés, Hippolyte, a été empoisonné en juin 1535 par Alexandre, déjà surnommé le tyran de Florence.

Parmi ceux dont elle aime à s'entourer, on remarque le banquier Antonio Gondi et sa femme, dame d'honneur de Catherine et future gouvernante de ses enfants, dont le fils aîné sera le cardinal de Retz, maréchal de France ; Birago, autre banquier, jeune frère du duc de Mantoue et futur chancelier de Birague ; son ancien prétendant Ludovico di Gonzaga dont les descendants seront ducs de Nevers. Déjà le processus qui aboutira à la crise de son règne et la définira aux yeux de l'Histoire s'annonce dans ces premières et malheureuses années de mariage : tous ces noms auront à se prononcer sur le massacre de la Saint-Barthélemy, auxquels viendra s'ajouter celui du duc de Guise, de mère italienne. Parmi eux, un seul Français : Gaspard de Tavannes. « Les catholiques comme les huguenots sont offensés au-delà de toute mesure, rapportera alors l'ambassadeur extraordinaire de Venise, moins par le fait lui-même que par le procédé. Ils regardent cette façon d'agir, par pouvoir absolu et sans aucune légalité, comme d'un tyran, et ils l'imputent à cette Italienne, Florentine et Médicis, la reine mère, qui a le sang imprégné de tyrannie. Elle est détestée au plus haut degré, et à cause d'elle la nation italienne entière. »

Deux Italiens parmi tous sont parés aux yeux de Catherine de toutes les vertus : l'astrologue Cosimo Ruggieri et son frère Lorenzo. « De curieux antécédents justifiaient l'empire que Ruggieri conserva sur sa maîtresse jusqu'au dernier moment. Un des plus savants hommes du XVIe siècle fut certes le médecin de Laurent de Médicis, père de Catherine. Ce médecin fut appelé Ruggiero le Vieux (Roger l'Ancien chez les auteurs français qui se sont occupés d'alchimie), pour le distinguer de ses deux fils : de Laurent Ruggiero, nommé le Grand par les auteurs de cabalistiques, et de Cosme Ruggiero, l'astrologue de Catherine, également nommé Roger par plusieurs historiens français. L'usage a prévalu de les nommer Ruggieri, comme d'appeler Catherine Médicis au lieu de Medici. Ruggieri le Vieux donc était si considéré dans la Maison de Médicis que les deux ducs Cosme et Laurent furent les parrains de ses deux enfants. Il dressa de concert avec le fameux mathématicien Bazile le thème de nativité de Catherine en sa qualité de mathématicien, d'astrologue et de médecin de la Maison, trois qualités qui se confondaient souvent. »

Ainsi est présenté par Balzac, dans son étude sur Catherine de Médicis, l'étrange personnage qui aura sans doute sur elle la plus grande influence. Catherine est superstitieuse comme le sont les Italiens de la Renaissance. Depuis sa petite enfance elle croit profondément en l'astrologie, science toute-puissante représentée par les trois Mages, les protecteurs de sa famille, ses protecteurs, et dont la fête de l'Epiphanie est sa propre fête. Parmi ses plus anciennes représentations du monde figurent dans sa mémoire, aux murs de la chapelle du palais Médicis, la fresque du *Voyage des Mages,* et à Santa Maria Novella, peinte par Botticelli, *L'Adoration des Rois :* eux les premiers ont suivi l'étoile jusqu'à Bethléem. L'astrologie, pour elle, est étroitement liée à la religion.

Cosme Ruggieri interroge les astres, prépare et vend des philtres, — des poisons, insinueront les ennemis de Catherine —, lit dans les miroirs, bat les tarots... Très vite elle ne prendra plus une décision, n'écoutera plus un conseiller ni ne s'engagera dans une politique sans lui demander son avis. En ces toutes premières années de mariage il s'obstine à lui prédire l'apparemment impossible : elle sera reine de France, et mère de dix enfants. « *Astra declinant, non necessitant* », ne cesse-t-il de lui répéter, alors qu'elle s'interroge avec inquiétude sur son destin.

Tout ce qui est en son pouvoir pour guérir sa stérilité, elle n'hésite pas à le faire : médecins, médications, conseils, expériences diverses se succèdent en vain. Catherine, dans sa crainte d'être répudiée, va jusqu'aux pratiques de sorcellerie. De nombreuses mauvaises langues évoquent son hérédité syphilitique ; nul n'a la courtoisie de suggérer qu'éventuellement son mari pourrait être responsable.

Trois années passent. Le 12 août 1536 à Valence, le prince François, frère aîné d'Henri d'Orléans et dauphin de France, meurt d'une pleurésie : il a bu un verre d'eau glacée après un exercice physique très violent. Sur sa demande, c'est le comte de Montecucculi, son échanson italien, qui lui a apporté le verre fatal.

Le roi, qui idolâtrait son fils, ressent un chagrin affreux : il accuse Montecucculi d'avoir empoisonné le dauphin et le fait emprisonner pour cause d'espionnage au service de Charles Quint, puis juger. Le 6 septembre, la cour en déplacement à Lyon peut lire sur tous les murs : « Est condamné à être écartelé par des chevaux le comte Sébastien de Montecucculi pour avoir tenté d'empoisonner le roi et avoir empoisonné le fils aîné du roi avec de la poudre d'arsenic déposée par ses soins dans un vase d'argile rouge en la maison de Plat à Lyon. »

La nouvelle se répand dans tout le royaume. Or, Montecucculi était italien, et, par la mort du dauphin, le mari de Catherine devient héritier du trône... Il n'en faut pas plus à la foule pour penser que « la Florentine » n'est pas entièrement étrangère à l'événement. Désormais, d'une façon ou d'une autre, elle sera tenue pour responsable des maux que connaîtra la France.

CHAPITRE IV

Dauphine

Il y a une raison à l'accusation lancée par la France contre Charles Quint d'avoir tenté d'empoisonner le roi : elle est de nouveau en guerre avec l'Allemagne. Nouveau Charlemagne, l'empereur rêve d'étendre sa gloire sur l'Europe entière, il veut la Provence et le pays d'Arles, et à l'instant où meurt le dauphin, cinquante mille Allemands et Espagnols entrent en France par le Piémont, s'emparent de Nice et marchent sur Lyon.

Anne de Montmorency, Grand Maréchal de France et gouverneur du Languedoc, s'établit en Avignon à la jonction du Rhône et de la Durance avec trente mille hommes, presque tous mercenaires suisses. Cet homme austère et d'une rare intransigeance imagine une tactique peu connue de ses contemporains et qui le fait passer pour fou : il ordonne la destruction de tout ce qui peut aider l'ennemi à vivre sur le sol provençal : villages, fermes, vignes, oliveraies... Pas un moulin ni un fournil ne restent debout, meules de foin et piles de bois sont incendiées, les barriques de vin défoncées, les puits souillés.

Obstiné, sûr de lui, Anne de Montmorency assiste au saccage de la plus douce des provinces de France ; retranché dans un camp dont on dit qu'il semble abriter plutôt une cité modèle qu'une garnison de soldats, il attend que l'ennemi se décourage. Les événements lui donnent raison : l'armée de l'empereur trouve une région dévastée, et pour toute nourriture des figues et des raisins verts, car les convois n'arrivent plus, paysans et soldats affamés les interceptant au passage. Mourant de faim, diminuée par la dysenterie et par un assaut manqué contre Marseille, elle doit repasser le Var et retraiter.

De cette époque date l'amitié qui unira jusqu'à leur mort Anne de Montmorency et le nouveau dauphin. Envoyé par François Ier auprès du maréchal, Henri soutient contre tous les avis contraires l'ancien compagnon d'armes et de prison de son père. Ignorant les sollicitations pressantes des jeunes nobles déçus par cette guerre immobile, il fait preuve jusqu'à la fin de la campagne d'un jugement et d'une assurance peu ordinaires chez cet adolescent plein de complexes : à tous il recommande obéissance, confiance et discipline envers le Grand Maître qui lui en saura gré.

Catherine y gagne aussi un nouvel et puissant ami : « mon compère », lui écrit-elle pendant la campagne de Provence en lui réclamant des nouvelles, des lettres moins cérémonieuses, et de bien veiller sur Henri, « car j'ai appris qu'il était tombé dernièrement et n'avait pas été loin de se faire du mal ». Elle signe ses lettres au connétable : « Votre bonne cousine et commère Catherine », ou bien : « Votre humble et bonne amie. »

La Provence sauvée, Anne de Montmorency est nommé connétable de France et, pendant trois ans, règne sur le pays en favori du roi. Puis il se compromet dans les querelles qui opposent la duchesse d'Etampes, maîtresse du roi, à Diane de Poitiers, maîtresse du dauphin. François Ier l'exile.

C'est aux environs de ces années 1537 ou 1538 que les relations changent entre Diane de Poitiers et Henri de France. Leur liaison durera jusqu'à la mort de ce dernier et, de toutes les amours royales, elle n'est comparable qu'à celle de Louis XIV et de Mme de Maintenon, malgré le caractère secret et finalement peu attirant de la Sénéchale. Diane est dure, ambitieuse, peu scrupuleuse, et soucieuse avant tout de maintenir auprès d'Henri une position qui va vite devenir dominatrice. Peut-être n'est-elle pas fort intelligente, mais elle possède une culture et une conversation élégantes qui, si elles manquent de profondeur, sauront charmer le prince. Peut-être n'est-elle pas très belle, mais elle a un corps admirable, une peau célèbre qu'elle n'entretient qu'à l'eau froide, un port à la fois souple et majestueux auquel ne sont pas étrangères les nombreuses heures qu'elle passe à cheval et au grand air.

D'elle, on possède un portrait par Jean Clouet, un émail du Limousin où l'on remarque une bouche maussade dans un visage un peu lourd, une peinture idéalisée du Primatice qui peut-être ne la vit jamais, le bronze de Benvenuto Cellini en Artémis et ces innombrables Dianes, nymphes, déesses, chasseresses qui sortiront des mains des artistes de la cour mais dont on ne sait si elles représentent ou non la favorite. « Honnête », aurait dit Henri lui-même en parlant du visage de sa bien-aimée.

Diane a d'ailleurs des ennemis, et tel satiriste lui consacre des lignes peu aimables, déplorant de voir le jeune prince en extase « devant un visage fané plein de rides, une tête qui grisonne, des yeux ternes et quelquefois rouges ».

Quelle que soit la raison du pouvoir de Diane sur Henri, il est absolu et reconnu de tous, et l'autorise à tout diriger selon son entendement. Dans un poème de jeunesse, son amant lui a écrit :

> « De fosse creuse ou de tour bien murée
> N'a point besoin de ma foi la forteresse
> Dont je vous fis dame, reine et maîtresse,
> Pour ce qu'elle est d'éternelle durée. »

Sa « dame, reine et maîtresse » elle est, et entend le rester.

Si Henri n'aime que Diane, Catherine n'aime qu'Henri, au point d'accepter cette situation humiliante qui lui paraît d'abord intolérable puis à laquelle elle se résigne : son mari est complètement dominé par Diane et passe avec elle le tiers de son temps. « La reine ne pouvait souffrir, dès le commencement de son règne, un tel amour et une telle faveur de la part du roi pour la duchesse ; mais, depuis, sur les prières instantes du roi, elle s'est résignée, et elle supporte avec patience. La reine fréquente même continuellement la duchesse, qui, de son côté, lui rend les meilleurs offices dans l'esprit du roi, et c'est elle qui l'exhorte à aller dormir avec la reine », rapporte l'ambassadeur vénitien.

Vaincue, Catherine accepte, mais elle est atrocement jalouse et souffre le martyre : « Jamais femme qui aimait son mari ne put aimer sa maîtresse », écrira-t-elle plus tard à sa fille Margot ; et ailleurs : « Je faisais bon visage à Mme de Valentinois, mais c'était pour le roi... »

1539-1542 : elle a entre vingt et vingt-trois ans, toujours pas d'enfant, n'ignore pas que Diane pousse Henri au divorce et craint d'être renvoyée en Italie. Marguerite de Navarre s'efforce de la rassurer. « Mon frère ne vous répudiera pas, écrit-elle de Navarre, comme le prétendent les mauvaises langues. Dieu vous accordera une descendance royale lorsque vous aurez atteint l'âge auquel les femmes de la Maison de Médicis sont accoutumées d'avoir leurs enfants. Le roi et moi nous réjouirons avec vous, malgré ces misérables rumeurs. »

Au roi, Catherine confie son chagrin de ne pas assurer la succession au trône et lui propose, pour le bien de la France, de se retirer dans un couvent ou de prendre une charge à la cour ; ainsi pourra-t-il donner à son fils une autre femme. « Ma fille, dit le roi, n'en doutez pas, Dieu a voulu que vous soyez ma belle-fille et l'épouse du dauphin ; je ne désire pas qu'il en soit autrement. Peut-être lui plaira-t-il d'accorder bientôt la grâce que vous et moi désirons plus que tout au monde. »

Une malformation d'Henri est cause de cette stérilité. « Il n'y a rien de plus connu en médecine chirurgicale, commente Balzac, que le défaut de conformation de Henri II, expliqué d'ailleurs par la plaisanterie des dames de la cour, qui pouvaient le faire abbé de Saint-Victor dans un temps où la langue française avait les mêmes privilèges que la langue latine. Dès que le prince se fut soumis à l'opération, Catherine eut onze grossesses et dix enfants. »

En janvier 1544 elle met au monde à Fontainebleau son premier enfant : un fils, François. La fidèle Marguerite de Navarre l'accueille avec lyrisme :

> « Un fils ! Un fils ! ô nom dont sur tous noms
> Très obligés à Dieu nous nous tenons !
> O fils heureux ! joye d'un jeune père !
> Souverain bien de la contente mère !
> Heureuse foy, qui, après longue attente,
> Leur a donné le fruit de leur prétente ! »

Très attachée à François Ier, Catherine va se lier tout naturellement aux divers membres de son parti qui compte, outre sa maîtresse et sa sœur lorsqu'elle n'est pas en Navarre, le connétable Anne de Montmorency et deux de ses neveux, le cardinal Odet et son jeune frère Gaspard de Coligny, qui a six semaines de plus qu'elle. En face, le clan de Diane de Poitiers, de ses admirateurs, du dauphin qui porte comme un défi les couleurs noire et blanche de sa maîtresse, et plus particulièrement de la famille des Guises, branche cadette de la Maison de Lorraine et dont le titre de duc n'a pas encore quinze ans. L'un a épousé

Le connétable Anne de Montmorency.

Les trois frères Coligny.

la fille de Diane et sera duc d'Aumale, François de Guise sera l'homme de guerre le plus habile d'Europe et Charles, archevêque de Reims, futur cardinal de Lorraine, aura dans les années à venir l'influence capitale que l'on sait.

La rivalité entre ces deux clans sera l'une des constantes des guerres de religion, et si la duchesse d'Etampes, pour humilier Diane de Poitiers, se plaît à dire qu'elle est née le jour où l'autre se mariait, les Guises et les Montmorency se font à un autre niveau une guerre redoutable. Les Guises vont modeler l'histoire de France et pendant des années, les relations de leur puissante Maison avec Catherine seront l'une des clés de la politique internationale.

Une fois encore, les visages que l'on entrevoit autour de la dauphine laissent présager l'avenir en éclairant certains paradoxes. Certes, le cardinal Charles de Lorraine qui sera l'une des intelligences les plus brillantes de la cour, aurait pu être pour Catherine un excellent conseiller ; mais jamais elle ne lui pardonnera d'avoir le premier, dans l'insouciance de ses dix-sept ans, parlé de divorce à son propos. De même Gaspard de Coligny, qu'elle fera assassiner quelque trente ans plus tard après de longues hésitations : il est l'ami de ses premières années en France, un de ses plus anciens partisans que pour l'instant elle recommande chaleureusement, ainsi que son frère Odet, à son cousin, le fils de Maria Salviati à Florence : « Parce que ce sont des gentilshommes que je tiens en très haute estime, je leur ai demandé de vous rendre visite et de vous donner toutes les nouvelles qui me concernent. Je vous assure que vous me donnerez un très grand plaisir en leur montrant toute la faveur que vous pourrez, et que je vous en serai aussi reconnaissante que si c'était à moi que vous la témoigniez. »

Apparemment, seule une certaine tension au cours de ces premières années marque les rapports entre les partisans des deux courants, catholique et protestant, qui déjà se partagent la cour, sans que rien encore ne laisse deviner de quel fanatisme ils seront touchés. Le protestantisme n'y est qu'une mode littéraire, soutenue par la duchesse d'Etampes et encouragée par Marguerite de Navarre, qui correspond avec Erasme et invite son jeune protégé Jean Calvin à travailler chez elle en Navarre à son *Institution chrétienne*. Sur le conseil de Marguerite aussi, le poète Clément Marot, son secrétaire après avoir été le « bien-aimé varlet de chambre » de François Ier, traduit trente psaumes de David. Les vers de Marot ont un succès tel à la cour que, du roi au dernier courtisan, chacun fredonne son passage favori sur un air de danse ; Catherine a le sien qui ne présente pas d'originalité particulière mais semble bien convenir à sa situation :

« Vers l'Eternel, des opprimés le Père,
Je m'en irai Lui montrant l'impropère
Que l'on me fait... »

Après la guerre, l'empereur Charles Quint vient en France. Parmi ses cadeaux figure un exemplaire royal gravé et relié des *Psaumes* de Marot : François Ier est loin de se douter que son « gentil poète » s'engage sur la voie de l'hérésie, et une partie de la France avec lui. Lorsque après avoir manifesté à Rome leur folie destructrice, puis en Angleterre où ils sévissent encore, les luthériens mutilent à Paris une statue de la Vierge et de l'Enfant, le roi de France en personne, tête nue, conduit dans les rues de la capitale une procession expiatoire. Il est absolument sincère, de même lorsque, à Notre-Dame, en présence de la cour, du Parlement et des ambassades, il s'engage solennellement à étouffer l'hérésie.

Diane de Poitiers, le dauphin et les princes lorrains appartiennent au plus strict parti catholique ; Marguerite de Navarre, son frère et la duchesse d'Etampes ne voient dans les nouvelles doctrines que l'occasion de libres propos et échanges théologiques. Malheureusement, Catherine fait partie des intimes de son beau-père, non de ceux de son mari, et l'on ne manquera pas de l'accuser de sympathie envers le protestantisme.

Rien n'est plus faux. Certes, elle trouve une consolation certaine à lire les *Psaumes* de Marot ; son esprit critique l'empêche de considérer le pape avec l'admiration aveugle d'un prêtre provincial, et presque autant que la reine de Navarre elle aime remuer les idées nouvelles. Mais jamais elle ne sympathisera avec aucune forme de protestantisme malgré les insinuations de ses ennemis. Déjà, ils se plaisent à confondre ses amitiés de jeune femme avec ses penchants religieux ; plus tard, lorsque, face à l'armée protestante rebelle, elle tentera de négocier, ils verront dans ces tentatives de paix les preuves de sa duplicité avec les huguenots. Ainsi ira grandissante sa réputation de machiavélisme.

François Ier cependant parcourt la France « comme un semeur » et sous ses pas, en Ile-de-France et dans la douce lumière des bords de Loire, les châteaux sortent de terre. Cette passion de l'architecture, il la partage avec Catherine qui se révèle dans ce domaine, comme en celui de la musique et des lettres, une authentique Italienne et une Médicis. Ensemble ils préparent des plans, projettent des embellissements, choisissent des artistes. Déjà, le Louvre a été aménagé et, de prison-forteresse, transformé en « logis de plaisance pour soi y loger » ; dans le bois de Boulogne le château de Madrid, « à aucun autre pareil », a été élevé par le Florentin Della Robbia sur ordre du roi à son retour de prison, pour prouver aux Français que le nom de la capitale espagnole peut n'être pas honni.

Mais la fierté de François Ier reste Chambord en Touraine, « le cœur du jardin de France », commencé en 1519 et que vingt ans après l'architecte tourangeau Pierre Trinqueau tente en vain d'achever pour l'arrivée de l'empereur. C'est un palais hardi, gigantesque, avec son foisonnement de lucarnes, de clochetons et de lanternes et ses trois cent soixante-cinq cheminées décorées. Il est la création de ce roi bâtisseur, une expression de lui-même, la quintessence de toute la Renaissance française.

Chambord est français, mais pour décorer l'autre maison de son cœur, Fontainebleau, François Ier se tourne vers l'Italie ; à partir d'un ancien pavillon de chasse, dans une « âpre solitude », il élabore le palais magnifique que l'on connaît, où travailleront Le Rosso, Della Robbia, Andrea del Sarto, le Primatice et bien d'autres. Benvenuto Cellini a trente ans, le roi vieillissant le trouve « un homme selon mon propre cœur » et lui donne un logement dans la Petite Tour de Nesle à Paris où il lui rend visite avec Marguerite de Navarre, la duchesse d'Etampes et Catherine. Les premiers, les royaux amateurs connaîtront le grand Jupiter d'argent qui ouvre pour la galerie du château la série des Olympes.

Ce Jupiter est le chef-d'œuvre du sculpteur, mais François Ier connaît enfin l'une des grandes joies de sa vie, et la commande suivante de Benvenuto Cellini est tout autre : elle se compose de « quelques poupées rouges, un berceau, un jeu de tournoi et une cuisine de poupée en argent ».

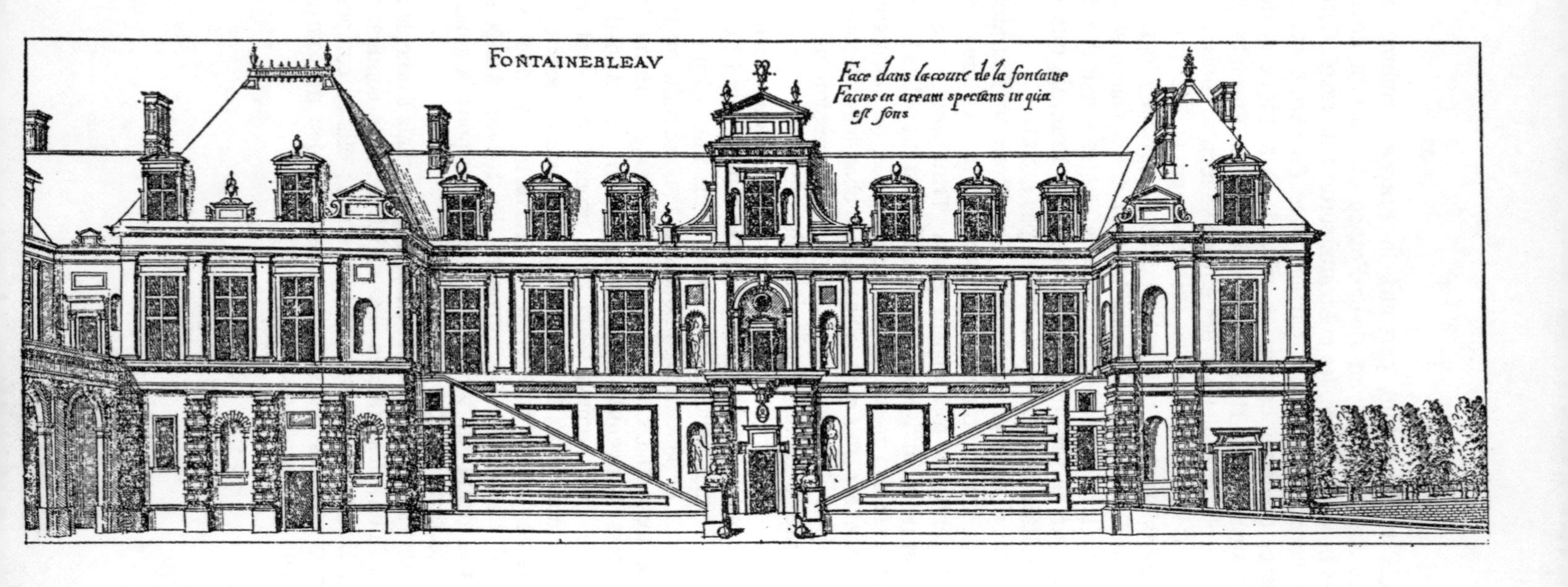
FONTAINEBLEAU
Face dans la court de la fontaine
Facies in aream spectans in qua
est fons

CHAPITRE V

La mère

Loin de diminuer l'influence de Diane, les maternités successives de Catherine lui donnent une nouvelle importance : c'est à elle que dès leur arrivée au monde le dauphin confie la charge entière de ses enfants, et elle règne en maîtresse sur leurs appartements, leur éducation et le personnel qui leur est attaché, dont elle règle jusqu'aux moindres appointements. « Pour les bons, louables et agréables services » qu'elle sait rendre à cet égard, elle reçoit elle-même un salaire considérable.

François Ier connaîtra un autre de ses petits-enfants après François : Elisabeth, née en avril 1545. Une autre fille, Claude, naît en novembre 1547, six mois après sa mort et l'accession au trône du dauphin sous le nom de Henri II.

Quelque temps avant la mort du vieux roi, survient la disgrâce du connétable de Montmorency ; il rend trop ouvertement à la duchesse d'Etampes la haine que celle-ci lui porte, et le roi lui demande tristement de se retirer : « Je ne trouve en vous qu'un défaut, qui est de ne pas aimer ceux que j'aime. »

La cérémonie de fiançailles de la fille de Marguerite de Navarre est l'occasion, entre eux, d'une rupture définitive. Jeanne est une enfant de douze ans essentiellement têtue, et encore fière de son dernier exploit : sur une broderie de sa mère représentant la célébration de la messe, elle a remplacé un à un tous les visages des prêtres par des têtes de renards...

Le jour de ses fiançailles, son oncle le roi lui offre le bras pour la conduire à l'autel ; mais Jeanne, épuisée par le poids de la couronne, de la robe, de l'hermine et des bijoux, affecte de ne pouvoir avancer. François Ier ordonne alors au connétable de Montmorency de la porter ; il n'ose désobéir, mais cette tâche servile équivaut pour lui à une disgrâce publique : « C'est fait désormais de ma faveur. Adieu lui dis ! » Il quitte la cour pour n'y reparaître qu'au règne suivant, rappelé par Henri II.

Avec le départ de son « compère », Catherine perd un

allié de poids. Mais, peu après la naissance de sa fille Claude, elle en trouve un autre en la personne de Gaspard de Saulx, sieur de Tavannes, officier dévot, cynique et laid, qui, dès son retour des guerres d'Italie, sait plaire à la jeune reine en lui offrant de couper le nez de Diane. Elle ne peut que refuser, mais désormais il sera son conseiller, son ami et défenseur très fidèle.

Le roi s'affaiblit, et, devant la puissance grandissante de Diane, s'inquiète pour l'avenir de son royaume. Sur son lit de mort, il donne à Catherine et à Henri un solennel avertissement contre les Guises, protégés de la favorite : « Méfiez-vous de la Maison de Guise ! Ils dépouilleront vos enfants jusqu'à leurs gilets et vos pauvres sujets jusqu'à leurs chemises. » Mais Henri ne veut pas à cause de Diane, Catherine ne peut pas, à cause de son mari, entendre l'avertissement de François Ier.

Lorsqu'en avril 1547 tous deux deviennent roi et reine de France, Diane nommée par son amant duchesse de Valentinois est plus influente que jamais et le pouvoir des Guises, malgré le retour à la cour du connétable, en plein essor. L'année suivante, qui connaît au mois d'août les fiançailles de la jeune reine d'Ecosse Marie Stuart avec le dauphin François — ils ont sept semaines de différence — marque l'apogée de leur faveur.

La mère de cette petite fille de six ans est Marie de Guise, sœur aînée du duc et du cardinal, laissée régente par la mort de son mari, le roi Jacques V d'Ecosse, six semaines après la naissance de l'enfant. Catherine elle-même est alliée à sa belle-fille par le père de son oncle, le duc d'Albany, jeune frère du roi Jacques III, mais elle ne se fait pas d'illusions quant à l'influence que sauront prendre sur Marie ses ambitieux oncles de Guise.

Celle-ci partage la vie des enfants royaux mais, étant déjà « reine couronnée » elle a sur eux le droit à toutes les préséances. Elle vit dans l'appartement d'Elisabeth, et son compagnon de jeu favori est son futur mari : « Le dauphin aime Sa Majesté la petite reine d'Ecosse, rapporte un ambassadeur. C'est une très jolie petite fille. Quelquefois ils se mettent les bras autour du cou et s'en vont dans un coin pour que personne ne puisse entendre leurs petits secrets. »

Jean d'Humières, gentilhomme picard, chevalier de l'ordre de Saint-Michel et ancien lieutenant général en Saxe et Piémont, a été nommé gouverneur de la Maison des Enfants de France peu avant la mort de François Ier. Dès qu'elle doit quitter ses enfants, Catherine lui écrit ainsi qu'à sa femme de nombreuses lettres pleines de recommandations inquiètes sur leur santé : ne pas oublier de donner à la petite Claude — elle a le dos tordu et une tuberculose de la hanche — « du pain grillé trempé dans de l'eau plutôt que n'importe quoi d'autre, c'est meilleur pour elle que la bouillie ». Une autre fois, il faut déménager les enfants du château au pavillon où ils seront mieux, étant plus loin de l'eau. Ailleurs, elle commande au tailleur des petites filles du connétable une robe pour Elisabeth et recommande à Mme d'Humières de « veiller à ce qu'elle soit parfaitement coupée » ; en même temps et « sur sa demande raisonnable », elle accorde au dauphin François qui, à quatre ans, ne veut plus être habillé comme une fille, l'autorisation de porter des culottes.

Catherine ne se contente pas de veiller de loin à tout ce qui touche ses enfants : dès qu'elle s'éloigne de la capitale elle demande qu'on lui en envoie des portraits, en recommandant à l'artiste de les peindre sous un angle différent de celui dont il a l'habitude « de façon à voir comment ils semblent, vus de ce côté ».

Le professeur de grec au Collège de France est nommé précepteur du dauphin et les trois fillettes sont confiées au brillant humaniste et traducteur de Plutarque, Jean Amyot, que Marguerite de Navarre a sauvé de la misère au fond d'une mansarde parisienne. Catherine surveille personnellement leur éducation, et certains textes dictés à la jeune reine d'Ecosse pour les traduire en latin prouvent l'importance qu'elle attache à la psychologie autant qu'à la grammaire : « La véritable grandeur et excellence d'un prince ne consiste pas en honneurs, or, argent et autres luxes, mais en prudence, sagesse et connaissance ; et plus un prince désire être différent de ses sujets dans son mode de vie, plus éloigné il se trouvera des sottes pensées des gens vulgaires. »

L'année 1548 où arrive en France la petite Marie Stuart, Catherine donne naissance à son second fils : Louis, duc d'Orléans ; l'enfant, chétif, meurt en 1550, quatre mois après la naissance d'un troisième garçon nommé Charles-Maximilien, en hommage à l'empereur qui vient de rendre visite au roi de

France. C'est le futur Charles IX dont le nom est indissolublement lié au massacre de la Saint-Barthélemy.

Lorsque survient une nouvelle naissance à Fontainebleau, en septembre 1551, la situation internationale a changé : une guerre se prépare de nouveau entre la France et Charles Quint, Henri II a signé à Chambord un traité d'alliance avec l'Angleterre et c'est en toute amitié pour son nouvel allié, le petit roi Edouard VI, qu'il nomme son fils Edouard-Alexandre. Mais l'accord anglo-français est de courte durée et, lors de la confirmation de l'enfant, son nom est changé en celui de Henri ; c'est le futur Henri III qui va devenir la grande passion de la vie de Catherine. Il est le plus robuste de ses enfants, le seul en parfaite santé ; c'est à elle qu'il ressemble plus qu'à son père, il a son teint, ses mains magnifiques : elle retrouve en lui le sang des Médicis. Elle aura pour lui un amour dévorant, exclusif.

Au printemps 1552 le roi et le connétable conduisent l'armée française sur le Rhin pour occuper Metz, Toul et Verdun, les trois évêchés allemands de langue française indépendants qui forment une partie de la Lorraine. Catherine, qui a été nommée régente, tombe malade à Joinville — fief des Guises —, d'une très forte attaque de rougeole, alors nommée « fièvre pourpre » à cause des taches rouges qu'elle provoque sur tout le corps en même temps que le gonflement de la langue. Pendant quelque temps sa vie est en danger et le roi interrompt sa marche jusqu'à sa guérison complète. Diane, plus inquiète encore, ne quitte pas le chevet de la reine dans la crainte de la voir mourir, et que « le roi épouse une autre femme et ne devienne indifférent à son égard » ; elle est une garde-malade parfaite, et chacun loue son dévouement.

Une fois Catherine rétablie, le roi part pour Metz et elle pour Châlons où sont basées les provisions de l'armée ; elle se lance énergiquement dans sa nouvelle tâche et garde un œil vigilant sur les moindres détails : « Je vous prie, mon compère, de m'avertir particulièrement de ce que j'aurai à faire, en tout et partout », écrit-elle au connétable, et ailleurs : « Mon compère, je n'ai pas perdu de temps en m'instruisant sur la charge et les devoirs d'un commissaire aux Provisions dans laquelle, si chacun fait ce qu'il doit et ce qu'il a promis, je vous assure que je serai bientôt passée maître car d'heure en heure je n'étudie rien d'autre. »

Naïveté surprenante chez une Médicis, et dont elle revient vite ! Le 10 juin elle écrit à son mari : « Nous avons signé hier un accord pour vingt mille pains par jour. En même temps je vous assure que tous ceux qui sont récemment arrivés de votre camp disent avoir rencontré un grand nombre de charrettes transportant du pain, de la farine et du vin — non seulement des hommes qui sont à votre service mais aussi des marchands volontaires. » — « Ma mie, répond le roi, vous m'écrivez que la provision de vivres se continue par-delà, mais je vous avise que jusqu'ici nous ne nous sommes aucunement sentis de secours qui soient venus de votre côté. » Nul ne sait ce que sont devenues les provisions, et Catherine commente : « J'ai trouvé très étrange, mon compère, que, de tous les chevaux et chariots qui transportaient des provisions, pas un seul ne soit arrivé au camp. Et je ne peux imaginer où celles-ci ont été emportées. Et pour l'explication de cet accident vous devez voir, mon compère, qu'il est plus facile de la trouver au camp qu'ici même. Néanmoins, pour suivre vos conseils, je donnerai des ordres que désormais les provisions soient transportées par les soins de ceux qui en seront responsables et qui devront les remettre aux commissaires aux Provisions qui sont en votre compagnie, et auxquels ils demanderont un reçu. »

Lorsqu'elle apprend que le roi, qui partage les fatigues de la campagne et couche dans les tranchées avec ses soldats, est malade et se repose à Sedan, elle quitte Châlons et le rejoint pour le soigner. Puis Henri mouille symboliquement ses chevaux dans le Rhin et rentre à Paris.

Un autre enfant est engendré à la fin de la guerre qui naît en mai 1553 à Saint-Germain-en-Laye : Marguerite, ainsi nommée en souvenir de la grande Marguerite morte quatre ans auparavant, « Margot », qui deviendra aussi reine de Navarre par son mariage avec Henri, fils de Jeanne, et l'aîné des petits-fils de la sœur de François Ier. Mais si ces deux Marguerite portent un même amour aux arts et à l'érudition sous toutes ses formes, la nièce ressemblera peu à sa grand-tante ; elle empoisonnera l'existence de sa mère qui avoue à la fin de sa vie : « Je pense qu'à travers cette créature et tous les chagrins qu'elle me donne, Dieu entend me punir de mes péchés. Elle est pour moi une malédiction en ce monde. » « Elle m'a mise au monde, écrit Margot de son côté, et maintenant elle veut m'en chasser. »

Toute sa vie, Margot sera le centre d'intrigues et de complots inimaginables où reviendront toujours sa nymphomanie et son amour incestueux pour son frère aîné Henri ; lorsque cette extravagante tendresse se sera transformée en une haine non moins folle, elle se tournera vers son jeune frère Hercule, pour l'utiliser contre Henri comme un pion dans le jeu de ses passions.

Hercule est le dernier qui survivra des enfants de Catherine. Il naît dix mois après Marguerite à Fontainebleau, en mars 1554. Aucun prénom ne pouvait plus mal convenir à cette petite chose malvenue, bossue et dotée d'un nez camus, qui, après la mort de son frère aîné, prendra son nom de François.

De la dernière grossesse de Catherine en 1556 — elle a alors trente-sept ans — naissent deux jumelles, Victoire et Jeanne, dont l'une meurt à la naissance et l'autre sept semaines plus tard.

En douze ans, Catherine a mis au monde dix enfants dont sept vivent encore. Dans le fait de les attendre et de les mettre au monde, elle trouve un peu de bonheur et de consolation contre l'indifférence, pour ne pas dire le mépris, dont elle se sent entourée. Elle comprend que tout ce qu'on lui demande, ce sont des enfants destinés au trône de France, et qu'elle n'est pas la véritable reine. Mais, en même temps, elle se prépare un moyen d'exercer, directement et indirectement, l'*affetto potentissimo* remarqué chez elle par un observateur italien. Car Catherine sera une passionnée du pouvoir et de la politique : *affetto di signoreggiare.* Ses trois fils aînés seront tour à tour rois de France ; Henri III sera en outre roi de Pologne et le plus jeune, prétendant de la reine Elisabeth d'Angleterre, premier duc de Brabant. De ses trois filles, Elisabeth épousera le roi d'Espagne, Claude le duc de Lorraine et Margot le roi de Navarre. Sa petite-fille Christine de Lorraine enfin, dont elle assumera toute l'éducation, épousera le grand-duc de Toscane et régnera à Florence au palais Médicis. A force de ténacité, elle arrivera à étendre le réseau de sa politique sur une partie de l'Europe.

Sous le règne de son mari Henri II, la seigneurie de Chaumont-sur-Loire est attribuée à Catherine comme résidence personnelle. Sous l'apparence d'une sombre et triste forteresse, elle est la moins séduisante des maisons royales. Elle aurait beaucoup désiré habiter le charmant château de Chenonceaux, en lisière de la forêt d'Amboise, qui a servi de rendez-vous de chasse à François Ier. Souvent elle s'est promenée à cheval en compagnie de son beau-père autour de l'ancien moulin alimenté par les eaux du Cher, que celui-ci a acquis des fils de l'ancien propriétaire, Thomas Bohier, et elle espérait en devenir la châtelaine à la mort du roi. Mais c'est à Diane que Henri le donne.

Force lui est donc, pendant que la maîtresse royale transforme les ruines de Chenonceaux en un délicieux petit palais jeté sur six arches en travers de la rivière, de se contenter de Chaumont. Elle y ajoute une tour du haut de laquelle, en compagnie de Ruggieri, elle observe les étoiles ; au sommet elle fait installer un laboratoire où elle compose des mélanges (telle la décoction de crème et de sang de pigeon pour le teint), qu'elle ne se lasse pas de recommander à sa famille et à ses correspondants. Cette prédilection pour tout ce qui relève de l'alchimie ne la quittera jamais, et, lorsqu'elle révélera à la petite reine d'Ecosse que les palets héraldiques des Médicis sont d'authentiques pilules d'apothicaire, Diane de Poitiers et la cour trouveront dans cette anecdote un beau sujet de raillerie ...

CHAPITRE VI

Reine de France

Catherine est bientôt récompensée de sa patience. En août 1557, Allemands, Espagnols et Hollandais avancent sur Paris conduits par Philippe II d'Espagne, fils de Charles Quint qui a abdiqué en sa faveur et finit ses jours dans un monastère. Le connétable et son neveu Coligny les attendent à Saint-Quentin, l'un des principaux remparts de Paris avec ses murs en ruine défendus par un vaste marais ; le roi s'est établi à Compiègne, à une cinquantaine de kilomètres en arrière du camp retranché de l'armée française, en compagnie de Catherine qu'il renvoie à Paris le 9 août pour réclamer des subsides.

Le lendemain a lieu la bataille de Saint-Quentin : l'armée française est anéantie ; tués, blessés, fuyards et prisonniers parmi lesquels le connétable, Coligny et le maréchal de Saint-André. Les étendards et toutes les pièces d'artillerie, sauf deux, sont aux mains de l'ennemi ; en souvenir de cette victoire qui a lieu le jour de la Saint-Laurent, Philippe fait élever le grand palais de l'Escorial, dont la forme de gril rappelle l'instrument de martyre du saint.

La nouvelle éclate à Paris comme un coup de tonnerre ; beaucoup, croyant déjà l'ennemi dans les murs, font leurs paquets et s'enfuient vers Orléans, Bourges ou plus loin.

Catherine n'hésite pas : elle se rend au Parlement où, raconte l'ambassadeur vénitien, « elle s'exprima avec tant d'éloquence et d'émotion qu'elle toucha tous les cœurs ». Elle persuade les bourgeois de Paris d'octroyer un supplément de 300 000 francs et de 60 000 hommes dans le mois à venir pour permettre de continuer la résistance. Eux se souviennent que la « femme italienne » a du sang français dans les veines, donc représente la voix de la France : devant ses supplications pathétiques ils accordent hommes et argent. « Le Parlement entier versa des larmes d'émotion. Dans la cité entière on ne parla de rien d'autre avec plus de satisfaction. »

Voici la France retournée : le roi change complètement d'attitude envers sa femme, ce n'est plus à Diane mais à Catherine que, désormais, il rend visite chaque soir pour discuter des affaires de l'Etat. Sur une médaille de cette époque, le portrait de la reine par François Clouet accompagne celui de Henri II, ce qui jamais ne s'est vu. Elle-même retrouve quelque assurance : elle regarde la duchesse de Valentinois avec un œil neuf et la cour s'étonne de l'entendre répondre audacieusement à la favorite qui lui demande ce qu'elle lit : « Je lis les histoires de ce royaume et j'y trouve que, de temps en temps, à toutes les époques, les putains ont dirigé les affaires des rois »...

La guerre touche à sa fin. Au début de l'année 1558 le duc de Guise a brillamment repris Calais, dernière possession anglaise en France, et Catherine y fait aux côtés d'Henri une entrée triomphale. De retour avec lui à Fontainebleau, elle écrit au connétable encore prisonnier en Espagne : « Le roi et mes enfants se portent tous très bien et, après Pâques, nous quitterons ces lieux pour assister au mariage du dauphin et de la reine d'Ecosse à Paris, à quoi j'espère qu'il plaira à Dieu que vous puissiez assister. Je puis vous assurer que vous y êtes fort attendu. »

Un an après, en avril 1559, le traité de Cateau-Cambrésis, dont les négociations ont été menées par le connétable de Montmorency, marque la fin de la guerre. Philippe d'Espagne et Henri II se devaient de signer cette paix de toute urgence pour des raisons financières, mais ce n'était pas tout, comme le remarque justement sir John Neale dans son important ouvrage sur *Le Siècle de Catherine de Médicis :* « Henri voulait la paix à un point tel qu'il était prêt à accepter à peu près n'importe quoi. L'argent n'était pas l'unique raison : il avait un désir impérieux de s'attaquer à un problème intérieur qui avait pris beaucoup d'ampleur dans les dernières années, celui de l'hérésie. »

Les deux rois n'ignorent pas que l'hérésie est synonyme de subversion et que, là où l'unité religieuse est brisée, toute rébellion devient possible. Or, l'hérésie les menace l'un comme l'autre, et l'une des clauses du traité de Cateau-Cambrésis stipule que « les deux princes, poussés par le même zèle et la même sincère détermination à employer toutes leurs forces pour la défense de la sainte Eglise catholique, lutteront pour restaurer sa paix et son unité ». Entre eux, la réconciliation se fait contre l'hérésie menaçante.

Le duc d'Albe, conseiller de Philippe d'Espagne, et le connétable s'engagent à s'entraider dans la voie de la « réforme et du châtiment en matière de religion, où chaque jour, dans les deux royaumes, les émissaires de Genève font le plus grand mal ».

Cependant, la théocratique république de Genève rêve de s'étendre au monde entier, comme Moscou dans les années où la puissance soviétique rêvait d'une révolution communiste mondiale, pour reprendre la comparaison de sir John Neale. Jean Calvin a dédié à François Ier son traité de l'*Institution de la religion chrétienne* commencé chez Marguerite de Navarre, et si le roi n'a pas caché son admiration pour l'élégant latiniste, il a hautement désapprouvé le principe d'une Eglise réformée dont les fondements s'opposeraient à ceux de l'Eglise catholique. Genève, sous les directives personnelles de Calvin, met en pratique les lois et les droits de cette nouvelle religion qui, peu à peu, gagnent l'Europe entière.

Le génie de Calvin a été d'élaborer la doctrine d'une « élite » dégagée de toute responsabilité personnelle : avant sa naissance, l'homme est prédestiné par Dieu au salut ou à la damnation, sans qu'aucune forme de vertu ou de péché pratiquée pendant sa vie y puisse rien changer, ce qui revient à dire qu'il vit sans pouvoir choisir. Par ailleurs s'il a un « vif sentiment » d'être destiné au salut, sans doute l'est-il ; auquel cas il doit agir selon la morale, non parce que sa conduite influence son destin, mais en agissant de la sorte il prouve clairement qu'il est bien l'un des élus. Tel est l'heureux équilibre trouvé par Calvin entre la tendance au libertinage contenue dans sa doctrine et une sorte de rigueur basée sur l'orgueil.

Tout en n'ignorant pas que Dieu seul les connaît véritablement, l'ensemble des calvinistes n'hésite pas à se situer parmi les élus qui forment un corps parfaitement organisé. A leur tête sont les pasteurs, responsables des « prêches » et revêtus d'une grande importance à cause de l'autorité que possède la Bible dans la perspective calviniste ; considérée comme un organe de propagande divine, elle est interprétée par chaque prêcheur selon ses goûts ou les besoins politiques de sa secte.

Les églises locales sont soigneusement hiérarchisées ; autour des pasteurs, les anciens sont responsables de la police et de la discipline et les diacres de l'organisation sociale. Ces deux dernières catégories, minutieusement choisies, tiennent donc entre leurs mains le contrôle des églises.

Pasteur et anciens réunis en comité forment un consistoire ; plusieurs consistoires voisins forment un colloque au-dessus duquel se trouve le synode provincial qui couvre un important territoire géographique. Le synode national couronne l'ensemble et réunit toutes les églises calvinistes d'un pays en une seule unité dirigée par Genève. Consistoire, colloque et synode, chacun à son niveau, exercent un contrôle rigoureux sur la vie des membres de la nouvelle Eglise.

Le premier synode national français a lieu à Paris un mois après la proclamation de la paix, en mai 1559 ; apparemment discret, puisqu'il n'est le fait que de soixante-douze personnes secrètement réunies dans une maison privée, c'est un événement d'une importance incalculable dont les implications vont dominer la politique et la vie du royaume pendant les trente ans où Catherine le dirigera.

L'extension rapide du calvinisme en France est due en partie aux structures de l'Eglise catholique dans le pays. Le Concordat signé par François Ier avec le pape dès les premières années de son règne lui donne en effet le droit de nommer les évêques et les abbés, d'où il résulte que ces derniers sont choisis pour des motifs tout à fait autres que spirituels, et le plus souvent politiques. La moitié des bénéfices de l'Eglise sont remis à la Cour, le reste servant à lui assurer la protection des influents personnages locaux. Ces dons sont considérés comme des revenus et la prêtrise, loin de correspondre à une vocation évangélique, n'est plus qu'un moyen parmi d'autres pour obtenir des bénéfices. Pas un membre sur dix du bas clergé ne sait lire et cette ignorance, liée à la médiocrité spirituelle générale, a créé une situation telle, observe un contemporain, qu'en Bretagne, il n'y a pas une paroisse sur cinquante qui possède son propre recteur, tandis qu'à Bordeaux, certains adultes n'ont jamais assisté à la messe ni même entendu parler de la foi.

La croyance nouvelle — spécifiquement française dans ses origines — qu'est le calvinisme, diffère totalement sur le plan théologique du luthéranisme allemand qui s'est manifesté dans le sac de Rome, sauf sur un point : pour détruire le catholicisme il faut détruire la messe et tout ce qui s'y rattache. « J'affirme, a dit Luther, que la prostitution, le meurtre, le vol et l'adultère sont moins pernicieux que l'abominable messe papiste. Lorsque la messe sera supprimée, nous aurons supprimé la papauté. C'est sur la messe comme sur un roc que repose la papauté. Tout s'écroulera en même temps que cette messe. »

Et maintenant, dans les rues de Paris, les huguenots (nom donné pour des raisons obscures aux protestants français) posent des placards contre le pape « et toute sa vermine de cardinaux, évêques, moines et prêtres, ces diseurs de messes, aussi bien que ceux qui y consentent, faux prophètes, imposteurs exécrables, apostats, loups, faux bergers, idolâtres, séducteurs, menteurs, blasphémateurs infâmes, meurtriers d'âmes, dénonciateurs de Jésus-Christ, traîtres, brigands, voleurs de l'honneur de Dieu plus détestables que tous les démons »...

Ce langage est plus facile à comprendre que les subtilités théologiques, et il ne faut pas longtemps pour que surgisse de partout une canaille fanatique : « Il est facile d'être huguenot en ce moment ; il suffit de voler les églises, de calomnier le pape, de distribuer les hosties aux chiens, de graisser ses bottes avec les saintes huiles et de traîner dans la boue l'image de la Sainte Vierge. »

Le roi lutte comme il peut contre l'hérésie en créant un peu partout des tribunaux spéciaux, mais la persécution ne fait que la renforcer et, en 1559, on estime à deux mille au moins en France le nombre des différentes églises protestantes ; réseau secret, parfaitement discipliné, plus vigoureux dans des centres de négoce international comme Lyon proche de Genève, ou en Bretagne et en Normandie, à cause des liens commerciaux unissant ces provinces avec l'Angleterre et les Pays-Bas protestants, enfin dans le Languedoc, à cause de la proximité de la Navarre.

Henri II, qui pendant les dernières années de sa vie se consacre entièrement à l'extermination des hérétiques, définit clairement son attitude en déclarant que « dès qu'il aura mis ses affaires en ordre, il fera couler dans les rues le sang de cette canaille ». Dès la signature du traité de Cateau-Cambrésis, il convoque une mercuriale qui, trois ou quatre fois par an, réunit les fonctionnaires et les membres du Parlement.

La mercuriale du 20 juin 1559 se propose d'étudier la demande des huguenots, approuvée le mois précédent par leur synode national, d'être autorisés à faire leurs prêches en public. Le roi ouvre la séance, assisté des hauts dignitaires de l'Eglise et de l'Etat qui, à tour de rôle, donnent leur avis. « Des cent vingt présidents et conseillers présents, rapporte à sa souveraine l'ambassadeur anglais, quatorze conseillers et un président seulement se sont déclarés contre une politique de stricte répression. » Peut-être y a-t-il là exagération diplomatique, mais l'ensemble des voix s'est certainement exprimé avec franchise car le roi réplique sèchement : « Je vois qu'il y a ici des bons et des méchants. Nous protégerons les bons et ferons une fin aux méchants. » Ces mots semblent annoncer l'imminence des mesures contre l'hérésie ; Henri II ignore qu'il vient d'ouvrir la voie à quarante ans de luttes religieuses et de tueries.

Le cœur et les pensées de la France sont alors tournés vers le mariage royal destiné à cimenter le traité de Cateau-Cambrésis : Elisabeth de France épouse à quatorze ans Philippe II d'Espagne dont la femme Marie, reine d'Angleterre, est morte sept mois auparavant, le mot Calais écrit en travers du cœur. Philippe est tombé amoureux du portrait d'Elisabeth par François Clouet ; c'est une jeune beauté aux yeux magnifiques et à la peau olive dont les cheveux noirs semblent, selon le mot de Brantôme, être « une ombre à son teint ». Lors de leur première rencontre elle l'a regardé avec tant d'insistance que, conscient de ses trente-trois ans, il lui a demandé si elle essayait de lui trouver des cheveux blancs. Sans doute trouvera-t-elle ce qu'elle cherchait car un amour profond les unira.

Le roi d'Espagne ne se rend pas en personne à Paris pour la cérémonie : des raisons d'ordre divers l'obligent à envoyer à sa place le duc d'Albe, au grand regret du roi de France qui aime exhiber ses prouesses physiques et a préparé un grand tournoi dans le cadre des fêtes du mariage pour séduire le roi d'Espagne.

Les lices sont dressées rue Saint-Antoine, près de l'ancien palais des Tournelles, entre la Bastille et la Seine. C'est là que le vendredi 30 juin 1559 a lieu le « tournoi des reines », dernier divertissement avant le départ d'Elisabeth pour Tolède. Catherine préside entourée de sa fille, la nouvelle reine d'Espagne, et de Marie, reine d'Ecosse. Henri est en train de jouter dans son armure noire et argent aux couleurs de Diane, mais c'est à sa femme qu'il envoie un message à la fin du tournoi : il veut « encore essayer un coup pour l'amour d'elle ».

Catherine sent son cœur se glacer : Ruggieri a prédit il y a dix ans que Henri serait mortellement blessé à quarante ans dans un duel, et la semaine précédente il a renouvelé sa prédiction devant Henri qui a souri en citant un mot de César sur la mort. Il n'a prêté aucune attention aux divers prétextes invoqués par sa femme pour lui faire abandonner le tournoi et maintenant qu'il est prêt à recommencer, son soulagement fait place à une inquiétude mortelle.

Une tension étrange règne sur l'assistance. Lorsque le roi, à cheval, entre en lice, quelqu'un crie : « Sire ! N'y allez pas ! » On le saisit, on l'interroge, sans que l'auteur de ces inexplicables paroles puisse justifier son impulsion. Et lorsque le roi annonce son intention de continuer : « Sire, vous avez suffisamment prouvé votre adresse, supplie le maréchal de Vieilleville, maître des cérémonies. Laissez-moi prendre votre place ! » Comme Henri ne bronche pas, le maréchal insiste, au risque de perdre sa charge à la cour : « Sire, voici trois nuits que je rêve de malheurs... » Plus étrange encore, l'adversaire du roi en personne demande qu'on annule la joute.

Ce jeune homme est Gabriel de Lorges, comte de Montgomery, capitaine de la garde écossaise du roi ; il possède de nombreuses terres en Normandie et ne cache pas ses sympathies huguenotes. Il a déjà cassé deux lances avec Henri II, et les deux fois l'a presque désarçonné ; vexé et humilié, car le duc d'Albe est présent avec sa suite, le roi a demandé une nouvelle joute.

L'ambassadeur anglais raconte la suite : « Lorsque la trompette retentit, le jeune M. de Montgomery lui donna un contrecoup tel qu'il s'abattit d'abord sur la tête du roi, fit sauter son panache (orné de grandes plumes) qui était fixé au heaume par du fer, cassa sa lance, et avec ce qui lui en restait, frappant le visage du roi, il en envoya un morceau juste au-dessus de son œil droit avec tellement de force et de violence qu'il eut beaucoup de mal à rester à cheval. »

Sur son cheval, le roi chancelle, les valets se précipitent et l'empêchent de tomber ; on lui enlève son heaume, dessous, le visage est en sang. Le connétable et le cardinal de Lorraine accourent, suivis de Catherine, qui prend le temps d'interdire à Diane de bouger. Le dauphin s'évanouit, on le transporte aux Tournelles derrière son père.

Henri insiste pour monter seul les escaliers du palais,

mais le connétable et le cardinal doivent l'aider. Dans la chambre il tâtonne jusqu'au lit, y monte comme s'il s'était agi d'une selle et s'écroule inconscient. Catherine, voyant que les chirurgiens appelés en toute hâte sont incapables de se mettre d'accord sur les endroits exacts par où les éclats de lance ont pénétré dans la cervelle, fait immédiatement exécuter quatre condamnés à mort, et recueillir leur crâne.

Grâce à son incroyable courage, Henri supporte l'extraction de cinq éclats de lance de la tempe et de l'œil ; sa vigueur et sa volonté font le reste : contrairement à ce qu'on pensait il ne meurt pas immédiatement. Autour de lui on espère qu'il guérira, d'autant plus que, dès le troisième jour, son état semble s'améliorer. En possession de tous ses moyens il réclame Montgomery, et lorsqu'il apprend que le jeune homme a immédiatement quitté Paris : « Il doit revenir à tout prix, dit-il. Qu'a-t-il à craindre ? Cet accident n'est pas arrivé par sa faute, c'est un manque de chance. »

Malheureusement la conduite ultérieure de Montgomery témoignera contre lui : il conduira les huguenots contre la couronne, livrera ses forteresses normandes aux protestants anglais et choisira comme emblème une lance brisée. Catherine le regardera comme le meurtrier de son mari.

Le quatrième jour, Henri II, qui continue à faire quelques progrès, rassemble ses forces pour dicter une lettre au pape dans laquelle il s'engage — s'il retrouve la santé — à « punir, châtier et détruire ceux qui détiennent les nouvelles doctrines, en n'épargnant personne, quelles que soient sa dignité et sa qualité, en sorte que je puisse purger mon royaume si cela est humainement possible ».

C'est là son dernier effort. Le huitième jour, il appelle le dauphin qui erre dans le palais comme une âme en peine en se cognant la tête contre les murs et en gémissant : « Mon Dieu, comment pourrai-je vivre sans mon père... ? » Le roi lui prend la main : « Mon fils, vous allez perdre votre père. Je vous laisse ma bénédiction et je prie Dieu afin qu'il vous rende plus heureux que je ne l'ai été. »

Le 10 juillet 1559, à une heure de l'après-midi, le roi Henri II meurt. Lorsque la nouvelle arrive à Genève, la cité se met en fête et Calvin se hâte de composer moult prières d'action de grâces...

Tournoi au cours duquel le roi Henri II fut mortellement blessé, le 30 juin 1559.

Regina
HENRI · R · II ·
LORGE

A
B
C
D
E
F
G
H
I
K
I. TOR TOREL. FECIT.

CHAPITRE VII

Veuve

Accablée par le chagrin, Catherine passe les deux premiers jours à sangloter, prostrée dans la chambre tendue de noir où repose son mari. Puis elle se reprend, s'habille d'une austère robe noire — les reines de France portent habituellement le deuil en blanc — et se coiffe à la façon des veuves ; de l'un ni de l'autre elle ne se départira jusqu'à la fin de sa vie.

Le lendemain elle reçoit des ambassadeurs étrangers à la seule lumière de deux cierges sur un autel couvert de draps noirs ; l'émotion l'empêche de parler et ils entendent à peine ce qu'elle dit. Une semaine plus tard la reine d'Ecosse écrit de sa mère : « Elle semble être encore tellement malheureuse, et plongée dans un si grand chagrin, que je redoute qu'il ne lui survienne quelque maladie grave. »

La devise qu'elle s'est choisie en arrivant à la cour de François Ier n'existe plus : « J'apporte la lumière et la sérénité », disait-elle. *Lacrymae hinc, hinc dolor,* pleure-t-elle aujourd'hui sur un blason, nouveau aussi : des larmes tombant sur un tas de chaux vive, et ces paroles : *Ardorem extincta testantur vivere flamma.* C'est là le symbole de son chagrin, la flamme éteinte continue de brûler dans la chaux si l'on verse sur elle de l'eau, ainsi en est-il de l'eau des larmes...

Jusqu'à la fin de sa vie le vendredi restera un jour néfaste : le jour où Henri a été blessé, rien de bon ne peut arriver, le jour de cette « blessure qui m'a apporté, à moi et à tout le royaume, tant de peines ».

Que la mort de son mari soit survenue alors qu'il était en pleine possession de ses moyens physiques, où il connaissait tant de plaisir et une si parfaite réussite, lui semble le comble de l'ironie. Elle se souvient maintenant de ces longues chasses en sa compagnie, des expéditions exaltantes où il applaudissait son audace, plus grande encore que la sienne, et d'où elle revenait consolée de ses interminables heures de solitude et

Le tumulte d'Amboise les 13, 14, 15 mars 1560.

de chagrin. C'étaient entre eux des instants de joie qui les rapprochaient, et elle se rappelle avec émotion sa sollicitude lors de l'une de ses terribles chutes de cheval. Certes Diane, avec un tel prénom, peut se prendre pour la déesse de la chasse, mais l'amazone intrépide, la vraie chasseresse, c'est bien elle.

A Germain Pilon qui a déjà exécuté un buste du roi, elle commande un « gisant » pour la chapelle royale de « l'église Saint-Denis-en-France », et l'urne où sera conservé le cœur de Henri II. Puis à Diane, elle ordonne de restituer au nouveau roi tous les bijoux que lui a donnés son amant, de se retirer en ses terres d'Anet et de lui vendre son château de Chenonceaux en échange duquel elle lui donne celui de Chaumont. Maintenant que Henri est mort, sa maîtresse ne mérite plus la moindre pensée, même de haine. Cela accompli, elle se retire dans sa chambre au premier étage du palais du Louvre où tout — fenêtres, portes, plancher et mobilier — a été tendu de noir « pour que ne puisse passer la lumière du soleil ni de la lune », et s'abandonne à son chagrin.

La coutume en France veut qu'une veuve de roi se tienne en dehors des affaires publiques pendant quarante jours ; or, pour Catherine, ce protocole signifie trahison. Les buts poursuivis par son mari doivent devenir sa raison d'exister et, dans cette perspective, elle doit s'atteler sans attendre aux devoirs qui sont désormais les siens : faire en sorte qu'au milieu des intrigues et des puissants partis de la Cour, son fils dirige de manière effective un royaume rétabli dans sa grandeur et son unité religieuse. Tâche qui aurait découragé le plus sage et le plus expérimenté des rois, et où vont se révéler un caractère et une intelligence de grande qualité. En cet instant de sa vie, au seuil de trente années de pouvoir où elle tentera tout pour réaliser le difficile pari, elle n'est qu'une veuve de quarante ans nantie de cinq enfants encore, tous plus ou moins souffreteux et névrosés. Malgré un chagrin profond, elle a le courage de défier les habituelles conventions de la cour de France, et de prendre immédiatement en main les affaires embrouillées de l'Etat.

Embrouillées et difficiles, elles le sont. Catherine ne tarde pas à apprendre que la Couronne a quarante millions de livres de dettes pour un revenu, dont une grande partie n'atteint jamais le trésor, de douze millions. L'impôt direct, la taille, est si lourd dans certaines régions, particulièrement en Normandie, que les paysans abandonnent leurs terres pour se joindre aux bandes errantes des mécontents et des semeurs de trouble. Les fonctionnaires, civils et militaires, des plus hauts jusqu'aux simples soldats, sont impayés depuis des mois, et pour certains, même, depuis des années ; les premiers se dédommagent en réclamant aux miséreux en leur pouvoir des impôts qui viennent alourdir les taxes habituelles. Pour comble de malheur, le nombre des fonctionnaires est élevé, François Ier et Henri II ayant trouvé dans la création et la vente de charges aussi nombreuses qu'inutiles un heureux moyen de remédier au manque d'argent au moment des guerres.

La petite noblesse, celle des gentilshommes de province, nombreuse à une époque où la France est presque entièrement rurale, en principe exemptée des impôts directs, n'échappe pas aux emprunts forcés. Sa situation la rend très vulnérable à la furieuse inflation qui a durement diminué la valeur de la monnaie sans que pour autant ses revenus évoluent. La loi interdit aux gentilshommes de s'engager dans le commerce, cependant que leur rang exige d'eux des dépenses perpétuelles, tant pour l'éducation de leurs enfants que dans la façon dont ils doivent s'habiller, en un siècle où tout courtisan doit posséder au moins trente costumes s'il veut tenir son rang. La paix, si elle est essentielle à l'économie, est pour eux source de ruine, la guerre étant le seul moyen de négocier qu'ils connaissent et auquel ils aient droit.

Rien d'étonnant dans ces conditions à ce que les chefs rebelles huguenots se recrutent presque exclusivement parmi les membres de cette petite noblesse où l'inquiétude et la colère ont favorisé la Réforme ; tel est le cas pour Montgomery et bien d'autres. Porteurs d'épée, de droit et de coutume, ils deviennent vite les protecteurs officiels des congrégations locales en terres catholiques où il n'est pas rare que l'on tente par quelque moyen de gêner les prêches, leur servant ainsi de cavalerie d'assaut. Or, le pas est vite franchi, qui mène de ce système de protection à l'insurrection organisée.

Une insurrection justement s'organise, dirigée par Godefroy du Barry, seigneur de La Renaudie. Accusé de faux par le Parlement de Dijon, il s'est réfugié à Genève et converti au calvinisme, puis a recruté une troupe d'aventuriers — étudiants, artisans mécontents, soldats réformés, cadets sans le sou, mercenaires en mal de pillage —, et les a ramenés prudemment en France où leur bande ne cesse de s'agrandir. Peu de temps avant la mort de Henri II, il a obtenu sa grâce et la restitution de ses biens en Périgord d'où il dresse ses plans en toute tranquillité. L'accident des Tournelles — le geste de Montgomery était-il ou non prévu dans le complot ? — est une aubaine pour les conspirateurs qui décident de s'emparer du jeune roi et de le remettre aux mains des princes du sang, seuls régents prévus par la constitution dans le cas d'un souverain qui n'a pas l'âge de régner.

Que sait Catherine du complot ? Il est impossible de le déterminer mais, lorsqu'elle apprend que les princes du sang — les Bourbons, qui partagent avec les Valois le sang de Hugues Capet, fondateur de la monarchie française — sont en route pour proclamer à Paris leurs droits héréditaires, elle coupe court à son chagrin et se précipite à Fontainebleau aux côtés de son fils.

L'aîné des Bourbons, Antoine, roi de Navarre par sa femme, a épousé Jeanne d'Albret, que l'on a vue menée à l'autel par le connétable ; elle a bien changé depuis, et l'on dit d'elle qu'elle n'a de féminin que le sexe. Antoine est lui-même un être sans beaucoup d'intérêt, influençable, incapable de se prononcer pour qui ou quoi que ce soit ; « il discourt fort bien, dit-on, mais il est vain, imprudent, inconstant dans ses œuvres ; il aborde volontiers les grandes entreprises, mais l'on craint qu'il n'ait pas des forces proportionnées à ses hauts desseins ». Les cheveux roux, la barbe informe, le regard vague et des boucles d'oreilles bariolées lui donnent l'air d'être toujours fondu dans son entourage, et ce n'est pas sans raison qu'on l'a surnommé « caillette », petite caille changeant de couleur, ou l'« échangeur », qui convient bien à sa frivolité naturelle.

Son jeune frère Louis, prince de Condé, n'a de commun avec lui que ses exploits amoureux. Brave, belliqueux, d'une grande habileté aux choses de la guerre et de la politique, maigre, légèrement bossu et sans fortune, il ressemblerait assez à quelque flibustier impatient de prendre sa revanche sur le destin. Il s'est lancé dans la Réforme dans l'espoir d'y trouver un exutoire à ses ambitions ; on dit qu'il espère secrètement devenir le roi Louis XIII.

Entre les deux, Charles, le paisible cardinal de Bourbon ; à trente-six ans, il n'ambitionne rien d'autre qu'une vie tranquille et s'applique à éviter toute préoccupation politique. Il vient de marier François II et la jeune reine Marie d'Ecosse, et Catherine qui l'a évalué à son juste poids sait, comme n'importe qui à la cour, qu'elle le mène par le bout du nez.

Ce que chacun ignore, c'est que Condé en personne dirige la conspiration de La Renaudie ; il en est le « chef muet » qui gardera le silence jusqu'à la dernière seconde puis se dévoilera, et grâce à sa personnalité sauvera la conjuration. Pour cela, il doit pouvoir compter sur ses hommes qui ont reçu l'ordre de supporter la mort et la torture plutôt que de trahir le secret de son existence.

La présence du roi de Navarre et du prince de Condé revendiquant leurs droits à la succession est une menace dont il s'agit de se débarrasser au plus vite : Catherine envoie Antoine à Tolède où il conduira Elisabeth à son mari, et Louis à Bruxelles où il discutera quelques points de détail du récent traité. François II sera proclamé roi le jour de ses seize ans, en janvier, et l'intervalle de six mois occupé par une chasse prolongée, qui tiendra la cour perpétuellement en mouvement et lui permettra de ne pas quitter son fils.

Ainsi vont-ils tous, de château en château, de forêt en forêt, de cerf en sanglier : Fontainebleau, Saint-Germain, Meudon, Dampierre, Nanteuil, Bar, Marchenois, Blois, Amboise... Catherine toujours à cheval, comme elle l'avait été en compagnie d'Henri. Elle monte « à la planchette », cale-pied de son invention formé d'une courroie de velours sur laquelle, assise de côté, elle repose les deux pieds, l'un de ses genoux étant maintenu dans un trou de la selle ; c'est la future monte à l'amazone, moyen subtil, disent ses ennemis, de montrer des jambes qu'elle a fort belles.

Ces chevauchées et absences prolongées ne manquent pas d'être mal interprétées : « Le roi chassera dix ou quinze jours, écrit l'ambassadeur d'Espagne, pour fuir les importunités de ses capitaines ou autres officiers auxquels il doit beaucoup sans jamais rien leur donner. »

Le pauvre François, en chassant de cette façon acharnée, joue à une sorte de jeu de cache-cache avec sa santé. Atteint d'une grave affection des oreilles et des narines d'origine tuberculeuse, qui va bientôt le tuer, c'est un adolescent mal à l'aise, couvert de taches et de boutons, et d'une violence malsaine qu'il prend pour de la force. Les médecins de la cour sont formels : les exercices violents ont pour unique effet de répandre le poison dans le sang ; seuls lui conviennent le climat tempéré de la Touraine et des bains aromatiques fréquents. Ces recommandations lui déplaisent. Catherine fait cependant installer dans les jardins du château de Blois un bâtiment spécial pour ses bains.

Sa santé intellectuelle est à peine supérieure à sa santé physique ; il est incapable, le voudrait-il, de comprendre le sens du mot « gouverner », comme de mesurer le moindre des problèmes auxquels est confrontée la Couronne. Il a une grande adoration pour sa femme, la jeune reine d'Ecosse ; pour le reste, il est entièrement soumis à sa mère, comme le témoigne la proclamation qu'il fait figurer en tête des actes publics importants : « Etant le bon plaisir de la reine ma mère et dame, moi aussi approuvant les choses dont elle est d'avis, je suis content et je commande que... »

Le gouvernement véritable du pays est alors entre les mains de deux représentants de la puissante Maison de Lorraine. François, duc de Guise, est le grand héros des dernières guerres d'où il a rapporté un coup de lance au visage qui l'a fait surnommer le « Balafré » ; à quarante ans, il est lieutenant général du royaume, et chacun admire son jugement, son courage, son sang-froid. Son frère Charles, cardinal de Lorraine, a trente-six ans ; c'est un homme politique très habile, d'une haute intelligence, qui a la charge de l'administration civile et religieuse du pays. Archevêque de Reims, c'est lui qui a couronné le jeune roi François II.

Catherine ne l'aime pas, elle se contente d'apprécier sa finesse et ses capacités tout en méprisant une poltronnerie devenue célèbre dans le domaine militaire. Mais dans celui de l'administration, force lui est de reconnaître que le courage moral dont il fait preuve, face à la situation désastreuse où se trouve le royaume, est à la hauteur de la réputation de sa Maison. Il aime qu'on l'aime, et cependant il s'est lancé dans des mesures draconiennes propres à faire de lui l'homme le plus impopulaire de toute la France. « Je sais qu'on me déteste, dit-il à la reine, et je le regrette. Mais après tout on me déteste parce que je défends les intérêts du roi. »

Il met sur pied un programme de redressement économique d'une rare énergie : suppression de 100 000 livres pour le service des Postes, licenciements dans l'armée, suspension des salaires des magistrats, des pensions de la grande noblesse et des comptes des fournisseurs de la cour, enfin, les subventions octroyées par Henri II sont annulées. Le cardinal de Lorraine se fait ainsi un bon nombre d'ennemis dans toutes les couches de la société, dont les libelles viennent s'ajouter à ceux des huguenots déjà partis en guerre contre les Guises. Fin lettré qu'enchante cette littérature populaire, il voit monter à vingt-deux sa collection de pamphlets, tous plus grossiers les uns que les autres, dont il ne songe qu'à s'amuser sans arrière-pensée. Les anagrammes de son nom le font sourire : « Renard, lasche le roi », ou « Hardi larron se cèle », mais plus encore ce début de poème, d'une inspiration originale, où sans détour on le dit « Tigre enragé ! Vipère venimeuse ! Sépulcre d'abomination ! Spectacle de malheur ! », comme si, pense-t-il avec une ironie cynique, le connaissant, on pouvait le comparer à un tigre !...

Indifférent aux critiques, le cardinal s'applique patiemment à son œuvre de redressement et, malgré la mauvaise volonté des banquiers qui vaut celle des huguenots, il réduit leur taux d'intérêt de 16 à 8,3 p. 100.

Le plan de La Renaudie prend forme rapidement. Des soulèvements armés sont prévus simultanément en Normandie, Bretagne, Gascogne, Champagne et Limousin. L'ensemble des conjurés — bandes disparates assoiffées d'argent et de pillage — doit avancer par groupes isolés vers Nantes et l'embouchure de la Loire pour pouvoir attaquer par voies d'eau et de terre n'importe lequel des châteaux de Touraine où le roi a l'habitude de séjourner.

Leur projet est le suivant : s'emparer de François II pour le remettre aux mains du régent Antoine de Navarre ; tuer sur-le-champ le cardinal et le duc de Guise, ou les juger pour faits de trahison ; réunir les états généraux et réorganiser le pays en cantons indépendants sur le modèle de la Suisse. « C'est grande folie que le pays soit gouverné par un seul souverain », écrit La Renaudie qui, en janvier 1560, a consulté Calvin à Genève en profitant de sa visite pour lever quelques nouvelles recrues ; le premier canton indépendant créé par La Renaudie est son propre district, celui de Périgueux.

Luthériens allemands, anabaptistes hollandais viennent grossir les rangs hétérogènes du complot. Quant à Elisabeth d'Angleterre, après s'être secrètement entendue avec Antoine de Navarre dans les deux mois qui ont suivi la mort de

Henri II, elle finance si généreusement l'opération que plus d'un historien a pu penser que la conspiration avait ses sources en Angleterre. Malheureusement pour celle-ci, des catholiques anglais entendent des bruits et préviennent aussitôt le cardinal de Lorraine.

Celui-ci, de son côté, a déjà reçu des avertissements d'un prince allemand ami et de l'archevêque d'Arras aux Pays-Bas. Mais ce n'est que le 17 février 1560 (anniversaire des deux princes lorrains), que Pierre des Avenelles, avocat parisien de confession réformée, chez lequel est descendu un La Renaudie bavard et sans méfiance, livre au cardinal de Lorraine, par son indiscrétion, tous les détails du complot. Le duc ordonne immédiatement à la cour de quitter Blois, dépourvu de défenses, pour Amboise qui est mis aussitôt en état de siège : entre le château et les jardins la porte est murée, une compagnie de mousquetaires placée à l'entrée principale de la ville, des patrouilles parcourent la campagne dans un rayon de dix kilomètres, des officiers sûrs prennent le commandement des garnisons voisines.

La Renaudie remonte maintenant la Loire vers Tours, à une quarantaine de kilomètres d'Amboise, et c'est alors, au dire du président de la cour des Aides, que le mot *huguenot* fait son apparition : « Cette appellation commença à être utilisée dans la ville de Tours quelques jours avant le complot, à cause de la porte de la cité ainsi nommée d'après le roi Hughes, et près de laquelle les Réformés étaient accoutumés de dire leurs prières. Adoptée par les courtisans elle se répandit ainsi dans le royaume. »

A Amboise, Catherine prend le pouvoir en main. Depuis six mois les Guises exercent leur influence sur le jeune roi par l'intermédiaire de leur nièce Marie d'Ecosse qui emploie tout son charme à le faire plier devant les ambitieux Lorrains. Mais, dans l'état de crise actuel, ils ont besoin de la sagesse de la reine mère et le cardinal a souvent recours à ses avis. La Maison de Guise s'incline devant la Maison de Médicis...

Amboise n'est pas absolument étranger à Catherine. C'est dans sa chapelle dédiée à saint Hubert, patron des veneurs, que se sont mariés ses parents. François Ier présidait les fêtes somptueuses de cette cérémonie où le beau prince italien Laurent de Médicis entrait dans l'alliance française ; puis on avait dansé aux flambeaux, et des milliers de torches se reflétaient dans la Loire du haut de la terrasse du château où dansait toute l'Europe mêlée à l'élite de Florence « vêtue de velours pourpre ». C'est à Amboise qu'a vécu François Ier les trois premières années de son règne et là, dans ses bras, qu'est mort Léonard de Vinci. A Amboise enfin que se sont rencontrées les cultures française et italienne pour donner naissance au premier « jardin à l'italienne en carreaux de broderie », ce jardin où marche aujourd'hui Catherine en compagnie du cardinal de Lorraine. Ils évoquent l'avenir du royaume.

En toute hâte elle fait dresser les termes d'un édit susceptibles de diviser l'insurrection. Condé est présent, et nommé capitaine des gardes du corps du roi, qui est une façon à la fois de l'immobiliser et de pouvoir le surveiller ; malade, le connétable n'est pas venu, mais l'amiral Gaspard de Coligny signe comme les autres cet édit d'Amboise. Il s'est secrètement converti au calvinisme en prison, après la bataille de Saint-Quentin, et, bien qu'il tente de le cacher, c'est en huguenot très probablement qu'il s'exprime désormais.

L'édit stipule que « le roi, suivant les avis de sa très honorée mère et de son conseil, et ne voulant pas que la première année de son règne puisse sembler à la postérité avoir été remplie du sang et de la mort de ses pauvres sujets, quoi qu'ils aient pu faire pour mériter la mort », ordonne que soient relâchés tous ceux qui ont été arrêtés pour des motifs religieux, à l'exception des prédicateurs. Les calvinistes sont autorisés à exercer leur culte en privé et non en public, mais la religion nouvelle est condamnée en termes sans équivoque, et tous les loyaux sujets du roi appelés à vivre en bons catholiques.

Les intentions conciliatrices de Catherine sont inutiles dans la mesure où la religion est le prétexte, plus que la cause, du malaise où règne, selon un chroniqueur parisien, « plus de malcontentement que de huguenoterie ». Au début du mois de mars, les patrouilles royales n'ont capturé dans les bois et les campagnes autour d'Amboise que de pauvres paysans dociles citant la Bible et désireux de parler au roi. Cinquante-six d'entre eux sont amenés dans la cour du château et questionnés : trente mille gentilshommes, avouent-ils, arrivent derrière eux du Poitou pour présenter une pétition au roi. François II alors s'adresse à eux d'une fenêtre, sa mère à ses côtés, leur fait distribuer quelques pièces et les renvoie chez eux.

Sur l'ordre du cardinal de Guise, le duc de Nemours investit le château de Noizay occupé par un cousin de Coligny, le baron de Castelnau, avec un contingent de Gascons. Il y trouve des munitions, arrête Castelnau et une quinzaine de gentilshommes, et les emmène à Amboise pour les interroger. Le cardinal est assuré d'avoir découvert la tête du complot, et qu'une fois celle-ci neutralisée il sera aisé de mettre la main sur les bandes livrées à elles-mêmes.

La rébellion cependant n'a pas été écrasée. A l'aube du 17 mars, des bateliers sur la Loire remarquent un groupe de deux cents cavaliers portant des foulards blancs — signe de ralliement des partisans de Condé — se dirigeant vers Amboise par la route d'Orléans vers le nord. Ils préviennent le château où l'on s'étonne ; les prisonniers sont unanimes dans leurs informations : les attaques viendront du sud. Orléans est une ville huguenote, mais ces hommes ne semblent pas en être. Avant que le cardinal ait pu réunir une force suffisante, les cavaliers ont galopé dans les faubourgs jusqu'à porte principale de la ville. Ignorant s'il s'agit là, ou non, d'une simple avant-garde, il prépare un grand rassemblement et avec quelques hommes seulement sort par une porte latérale, attaque les rebelles sur leur flanc et les disperse aisément.

Le lendemain les rebelles reviennent en force, accompagnés de La Renaudie et du gros de la troupe qui s'était dissimulé dans une forêt proche. La Renaudie demande à approcher le roi pour lui présenter une requête, on le lui refuse ; il demande à parler au prince de Condé, mais ses devoirs de commandant de la garde du corps du roi l'occupent ailleurs.

La Renaudie hésite : les chances de pouvoir attaquer le château sont nulles, il est même dangereux de rester là à parler, car les troupes royales risquent de le surprendre. Il bat en retraite en évitant plusieurs embuscades mais tombe finalement sur les soldats du roi ; un bref combat s'ensuit, où il est tué d'une arquebusade. Son corps est emporté à Amboise et, pendant quelques jours, exposé écartelé sur le pont, un écriteau au cou : « La Renaudie, chef des rebelles ».

Jusqu'à cette attaque d'Amboise — qui passera dans l'histoire sous le nom de « tumulte d'Amboise » —, pas une goutte de sang n'a été versée. Mais maintenant que l'on est assuré de l'existence d'une insurrection armée contre le roi, une répression s'impose. Des procès sommaires ont lieu, et l'exécution de cinquante-sept chefs rebelles hugenots est fixée au 31 mars.

La mise en scène ressemble à celle d'un immense autodafé, et le pays entier en reçoit les échos. Tous les fonctionnaires des environs sont convoqués ; à Nantes, Tours, Orléans et Paris, les prêtres font des proclamations en chaire dans toutes les églises. A Amboise, sur la terrasse du château face à la place, trois tribunes sont dressées, l'une pour la famille royale et les ambassadeurs, les autres pour les fonctionnaires civils, les courtisans et leurs invités. Sur les trois autres côtés de la place, au centre de laquelle s'élève l'échafaud, des gradins sont mis en place pour les spectateurs ; les fenêtres sont louées au prix exorbitant de dix livres.

La ville déborde et ne sait où loger tant de visiteurs. Plus de dix mille personnes passent la nuit dans les champs et, dès l'aube, se bousculent pour s'emparer des toits, des lieux surélevés, et de tous les emplacements d'où l'on est sûr d'avoir vue sur l'échafaud.

Le matin de l'exécution des messes sont dites dans la chapelle du château et toutes les églises de la ville. Puis les hauts personnages gagnent leurs places et les cinquante-sept condamnés sont amenés sur la place, escortés par une compagnie de la garde écossaise du roi et un grand nombre de dominicains qui, jusqu'au dernier moment, s'efforceront de les ramener à la foi catholique. Le duc de Guise, splendide dans son habit de gouverneur général du royaume, est à cheval entre deux maréchaux de France sous la tribune royale.

Le roi et la reine s'asseyent, Catherine près de François, le cardinal de Lorraine à sa gauche ; de l'autre côté du roi le prince de Condé, entre la reine d'Ecosse et le jeune Charles d'Orléans, second fils de Catherine. Le nonce du pape est derrière le roi.

Lorsque Condé paraît, tous les prisonniers s'inclinent et, bravement, le petit bossu leur rend leur salut. Peu lui importe maintenant d'être découvert ; il sait bien qu'ils ne le trahiront pas, lui leur chef muet, et que, s'ils avaient fait semblant d'ignorer ce prince du sang connu pour ses sympathies huguenotes, ils n'en auraient été que plus suspects, et lui aussi. Lui-même a été soupçonné, ses papiers ont été saisis, mais il a tout nié.

Pendant que la première victime monte les marches de l'échafaud, les cinquante-six autres chantent un psaume de Marot, et ce, tout le long du jour, le volume des voix allant diminuant jusqu'à ce qu'il n'en reste plus qu'une, celle de Castelnau.

Condé alors se tourne vers le nonce du pape : « Vous admettrez, Monseigneur, que si les gentilshommes français savent monter un complot, ils savent aussi mourir... »

La foule s'agite et demande la grâce de Castelnau ; elle est refusée. La tête du vieux baron tombe la dernière, comme sont tombées les autres, et les spectateurs se dispersent. Le lendemain, la cour quitte Amboise pour Chenonceaux ; il faut au plus vite, dit Catherine, se débarrasser de tout ce sang...

CHAPITRE VIII

Reine mère

Détail de l'histoire de la France peu connu hors de ses frontières, le « tumulte d'Amboise » marque un tournant dans la vie de Catherine de Médicis : désormais elle va gouverner elle-même. Dans le même temps, se définit la position religieuse qui sera la sienne : pour elle un catholicisme conventionnel, sinon rigide, et la tolérance envers les croyances d'autrui dans la mesure où — s'exprimant dans un culte ouvert — elles ne sont pas source de troubles ou de division.

Pour la seconde fois, chaque jour voit s'élever contre elle placards, pamphlets et caricatures innombrables, malgré la popularité qu'elle a maintenant dans la capitale : popularité qu'elle gardera toujours auprès des Parisiens qui, pourtant, ne se sont pas fait faute de la honnir dans les premiers temps de son mariage. Et ces pamphlets huguenots sont tellement injurieux que leurs effets se font encore sentir aujourd'hui ; pour bon nombre d'exégètes anglais de Catherine de Médicis, ces documents ne reflètent que la vérité, sur la foi desquels certains d'entre eux se prononcent en faveur des protestants français, alliés des Anglais dans les guerres de religion.

Parmi ces ouvrages, l'un des pires et des plus célèbres est une *Vie de la reine mère par un huguenot* plus connu sous le nom de *Vie de sainte Catherine.* Les réactions de la reine à sa lecture montrent bien le peu d'importance qu'elle attache à ces démonstrations et l'indifférence amusée qu'elle témoigne à leur égard : « La reine mère l'a lu à haute voix, rapporte un spectateur, et a ri jusqu'à n'en plus pouvoir. Puis elle a dit que si elle en avait été avisée au préalable, elle aurait révélé beaucoup de choses que les auteurs ignoraient, et leur en aurait rappelé quelques-unes qu'ils semblaient avoir oublié, ce qui aurait donné de l'importance à leur livre. » Puis il ajoute : « Ainsi dissimule-t-elle avec une habileté toute florentine le

Exécution d'Amboise le 15 mars 1560.

talent diabolique avec lequel elle est arrivée à faire échec aux huguenots. »

L'ambassadeur vénitien confirme cette désinvolture : « Elle sait parfaitement que tous les maux du royaume lui sont imputés et qu'on la déteste. Mais elle ne se soucie pas le moins du monde des médisances et des accusations qui s'accumulent à son propos. »

On ne peut attribuer cette attitude insouciante au tempérament des Médicis ; bien au contraire ils tiennent par-dessus tout à jouir de l'amitié d'autrui, et ce goût est la pierre d'angle du « machiavélisme ». « Un prince doit se garder soigneusement de tout ce qui peut le faire mépriser ou haïr ; moyennant quoi, il sera à couvert par ailleurs des dangers d'une mauvaise réputation... »

On a suggéré aussi qu'un certain air de duplicité de sa part avait précisément pour but de donner d'elle-même une image trompeuse et peu élogieuse ; c'est pousser un peu loin le paradoxe.

Cherchons-en plutôt les raisons dans ces lignes écrites en Angleterre au XVIIIe siècle : « Le sentiment de l'innocence vous porte grandement préjudice. D'où vient votre négligence des formes et votre insouciance envers l'opinion du monde ? Mais, de cette conscience que vous avez de votre propre innocence ! Qu'est-ce qui vous rend aussi étourdie dans votre conduite, et vous pousse à vous jeter dans mille petites imprudences ? Mais cette conscience que vous avez de votre propre innocence ! Si seulement vous faisiez un faux pas, vous ne pouvez imaginer à quel point vous deviendriez prudente... »

Il est évident que l'incapacité de Catherine à mesurer l'impression produite par ses faits et gestes sur une foule conditionnée par la propagande, a été chez elle une faiblesse. En aurait-elle tenu compte qu'aux yeux de l'histoire, elle aurait été plus proche d'une reine Victoria que d'une Jézabel. Mais les faits étant ce qu'ils sont, une énigme est née à son propos, qui est due à l'impossibilité de réconcilier l'image authentique de la femme qu'elle a été et la caricature trompeuse de la propagande révolutionnaire huguenote. A juste titre, Balzac a jugé dans son étude qu'une fois les calomnies démenties par les faits, tout s'expliquait à la gloire de cette femme admirable. Il n'y a en vérité qu'une énigme : comment, avec aussi peu de chance de son côté, Catherine a-t-elle pu accomplir ce qu'elle a accompli ?

La répression d'Amboise marque le début des calomnies. Assise en habit de fête à la terrasse du château, elle a assisté aux exécutions comme au premier divertissement venu ; n'est-ce pas la preuve qu'elle se complaît honteusement dans la vue du sang ? Malgré leur jeunesse, François II et Charles d'Angoulême étaient présents à ses côtés ; n'essayait-elle pas, par le truchement du spectacle, de corrompre ses enfants ? Elle a ouvertement méprisé la jeune duchesse de Guise pour n'avoir pas su retenir son émotion ; ne possède-t-elle pas un cœur de pierre ? Ne prend-elle pas un plaisir suspect au spectacle de la mort ?...

Ceux qui gouvernent doivent, plus que quiconque, pouvoir assumer les conséquences de leurs actes. Il eût été facile pour Catherine de faire exécuter les conjurés en cachette ; mais l'importance du complot demandait une répression publique, donc la présence de la Couronne. Elle-même avait appris depuis longtemps à montrer en toute circonstance un visage impassible ; quant à François, tout écœuré et mal à l'aise qu'il fût, il devait savoir qu'il est du devoir des rois d'assister sans broncher à des spectacles déplaisants. Peut-être à la rigueur aurait-elle pu en dispenser Charles qui n'avait que dix ans. Mais, duc d'Orléans, il possédait sa propre Maison et déjà vivait dans l'orbite de la cour ; il ne pouvait donc se permettre d'en être dispensé, même si ces exécutions risquaient d'avoir un effet fâcheux sur sa nature instable et fragile, que déjà à la chasse, la vue du sang excitait étrangement. Sa mère ne pouvait plus le protéger comme elle le faisait encore de ses enfants plus jeunes, à l'abri dans leurs appartements.

Catherine a l'intention de chasser quelques semaines en Touraine et de là, de partir avec la cour jusqu'à Toulouse en s'arrêtant à Bordeaux puis de passer l'hiver en Languedoc et Provence. Mais la situation ne le permet pas. Elle veut comprendre, autant que faire se peut, les causes exactes de l'agitation en séparant le problème religieux du problème politique. Avant de quitter les bords de Loire, elle publie à Romorantin en mai 1560 un nouvel édit : les cas d'hérésie ne seront plus soumis aux tribunaux royaux mais aux tribunaux ecclésiastiques, les rassemblements armés illicites feront désormais l'objet d'une justice appropriée. Les questions religieuses — c'est-à-dire les croyances — seront examinées au cours d'une conférence réunissant toutes les confessions, et qui envisagera une traduction de la Bible en langage courant. C'est là une suggestion du cardinal de Lorraine qui en théologien habile, sait qu'il n'en sortira rien de positif, les deux partis de l'Eglise réformée, luthérien et calviniste , étant en désaccord violent beaucoup plus entre eux qu'avec les catholiques.

D'un commun accord Catherine et le cardinal nomment un nouveau chancelier de France. Michel de L'Hospital est un magistrat auvergnat, humaniste de grande réputation, que l'une des odes de Ronsard compare aux grands législateurs grecs et romains. C'est un homme de cinquante-trois ans, d'une rare intégrité, qui « porte les lis de France dans le cœur » et semble tout à fait apte à mener à bien une politique de réconciliation sans faire perdre la face à la foi catholique.

Sur son conseil le roi réunit à Fontainebleau en août une assemblée de notables où sont convoqués les cardinaux de Lorraine et de Bourbon, le duc de Guise et le connétable, le chancelier, l'amiral, évêques et maréchaux, les chevaliers de l'ordre de Saint-Michel, les secrétaires royaux. Catherine ouvre la séance en demandant à cette haute compagnie de conseiller le roi son fils de manière à ce que son « sceptre soit préservé, ses sujets tranquillisés et les mécontents satisfaits, si cela est possible ».

Deux personnalités sont absentes malgré leur promesse, les princes du sang Antoine de Navarre et Louis de Condé ; c'est un échec pour la reine mais Coligny, parlant officieusement, sinon officiellement, en leur nom, rappelle au roi qu'il tient ses fonctions de Dieu et le supplie, « à l'exemple des grands rois qu'ont été David, Ezéchiel et Josué », de rétablir dans le royaume « le vrai et loyal service de Dieu et d'en exterminer tous les abus ». Il demande aussi à la reine mère d'avoir comme Esther pitié du peuple choisi et de le délivrer : « En conséquence, souveraine princesse, nous vous supplions par l'affection que vous portez à Jésus-Christ d'établir le culte véritable qui lui est dû à l'exclusion de tous les autres. » A ces fins il réclame des temples protestants dans toutes les villes et les villages de France.

La réponse du cardinal de Lorraine tombe sèchement : autoriser ces églises revient à approuver l'idolâtrie donc à mériter la damnation. Puis il ajoute d'un ton plus conciliant que ceux qui assistent non armés aux services hérétiques ou se contentent de ne pas aller à la messe ne seront plus persécutés comme par le passé puisque ces persécutions ont, d'un point de vue strictement pratique, été un échec manifeste dans les efforts poursuivis contre l'hérésie.

Unanimement la décision est prise de porter le problème devant les états généraux qui se réuniront le 10 décembre à Orléans, annonce le dernier jour, 31 août, l'assemblée de Fontainebleau. Les états généraux ne s'étant pas réunis depuis presque quatre-vingts ans — compte tenu du fait que la politique de la Couronne de France consistait à les convoquer le moins souvent possible —, l'édit est considéré comme une concession d'autant plus appréciable qu'il était inattendu.

Mais avant que l'assemblée se sépare, la situation a radicalement changé. Le duc de Guise, qui gardait un œil soupçonneux sur l'un des partisans de Condé, l'arrête alors qu'il regagnait le Béarn ; sa valise est pleine de lettres à Condé qui révèlent l'existence d'un complot plus important et dangereux que celui de La Renaudie : les huguenots doivent s'emparer de Poitiers, Tours, Orléans et Lyon, et monter vers la cour avec des forces venues de toutes les provinces du sud. Les princes du sang prendront les rênes du gouvernement ; Charles de Lorraine et le duc de Guise seront assassinés.

Après avoir eu connaissance des lettres et malgré l'heure avancée de la nuit, le cardinal se rend immédiatement chez Catherine et, de là, chez le roi, d'où l'on convoque le connétable et le chancelier depuis longtemps retirés dans leurs appartements. A l'issue de l'entretien — une heure du matin —, ils décident l'arrestation du tout-puissant seigneur de Maligny, vidame de Chartres, qui semble s'être terriblement compromis. A Genève d'où il revient, il ne s'est pas contenté d'enrôler des hommes, mais d'obtenir dans cette insurrection l'appui officiel de Calvin qui envoie son plus habile lieutenant, Théodore de Bèze, pour servir de conseiller au roi de Navarre.

Le vidame devait s'emparer de Lyon, capitale financière du royaume, carrefour des grandes voies du commerce et des monnaies étrangères et base idéale pour une opération séditieuse. Une fois aux mains des huguenots, la ville devait être transformée en canton comme, en Suisse, son alliée et proche voisine, Genève. La prise de Lyon était prévue pour le 5 septembre.

Il n'y a pas de temps à perdre et Catherine passe rapidement à l'action. Dès l'aube, elle envoie l'ambassadeur espagnol à Madrid pour informer Philippe des événements et lui demander d'être prêt, en cas de besoin, à porter secours à la France. En même temps elle écrit à sa fille Elisabeth une lettre où elle exprime toute sa joie de cette découverte providentielle du complot : « Vous comprendrez la raison de cette lettre par ce que vous en rapportera l'ambassadeur et qui est la raison pour laquelle je ne veux pas le répéter. Je vous dirai seulement que Dieu a bien voulu nous aider et que je remettrai les choses dans un état tel que, s'il Lui plaît de nous prêter assistance, nous ne puissions avoir de plus grande occasion de Le remercier et de Le servir comme nous le devons car Il a bien voulu nous accorder la grâce de nous permettre de tout découvrir. Il semble que ceci soit réellement un miracle que la façon dont nous avons appris toutes choses, et Dieu certainement veut nous montrer par là à quel point Il nous aime, et tout le Royaume avec nous. Il vous gardera aussi, mais je vous demande de ne jamais oublier de Lui être reconnaissante et de Le servir comme il convient. »

Quelques-unes, sinon chacune, des autres lettres de Catherine révèlent ainsi l'état de ses sentiments et de ses pensées.

La nuit du 4 septembre, sur le conseil du duc de Guise, la garnison royale de Lyon donne brusquement l'assaut pendant que les rebelles achèvent leurs préparatifs. Après un court et violent combat, les hommes du vidame sont encerclés, lui-même tente de prendre la fuite et plusieurs groupes rebelles sont surpris dans les environs. « Veillez à ce que soient bien châtiés ceux qui sont responsables de ces troubles, recommande le duc de Guise à ses lieutenants. Il devrait être facile de découvrir ceux qui ont apporté de l'argent. N'hésitez pas à les faire payer car cela peut en partie couvrir nos dépenses et ce ne serait donc pas un service. Quant à ceux que vous trouvez en armes, après que vous aurez puni les chefs selon les règlements militaires, vous pouvez envoyer leurs hommes aux galères où le roi a grand besoin de détenus. »

La découverte du complot autorise à traiter désormais en rebelles le roi de Navarre et le prince de Condé et, tout princes du sang qu'ils sont, à prendre des mesures contre eux. François II convoque à la cour le roi de Navarre et son frère : « Si vous refusez d'obéir, je vous montrerai que je suis le roi. » Le message est de sa main ; depuis l'alarme nocturne de Fontainebleau, il n'a plus besoin qu'on lui dicte la conduite à tenir.

Catherine est d'un avis différent. Les Bourbons sont pour l'instant moins dangereux qu'ils l'ont jamais été et depuis que leurs plans ont été découverts et déjoués, ils n'ont virtuellement plus aucun pouvoir. Par ailleurs elle n'est pas convaincue qu'Henri de Navarre soit impliqué dans le complot ; autant il n'y a pas de doute à avoir sur son frère, autant on peut envisager le fait que Louis de Condé, dans son désir d'être le futur roi Louis XIII, aurait jugé plus sage de ne pas mettre entièrement dans la confidence un être d'une telle légèreté. Elle assure donc Navarre qu'il n'est personnellement pas suspecté, et qu'il lui suffit d'amener son frère à la cour pour s'expliquer et demander un pardon dont il pourrait avoir besoin. Le cardinal de Bourbon confirme les assertions de la reine mère et, une nouvelle fois, demande à ses frères de se rendre auprès du roi.

Ils arrivent le 30 octobre à Orléans, à l'hôtel Groslot où la cour réside alors. François II les accueille froidement et leur annonce que le prince de Condé sera immédiatement jugé par le conseil. « Je ne relève d'aucune juridiction autre que celle de mes pairs, réplique ce dernier, le conseil n'a rien à voir dans tout ceci. »

« Vous me défiez encore, intervient le roi ; vous aurez tout le temps de vous en repentir en prison. »

Pour Catherine, l'arrestation de Condé, qui va à l'encontre de ses promesses, la déshonore ; par ailleurs elle risque de précipiter bêtement une situation dangereuse d'où il deviendra impossible de sortir. Elle pose la main sur le bras de son fils : « Ceci demande réflexion, murmure-t-elle, vous savez que la colère est une mauvaise conseillère. » Le roi se dégage brusquement : « Il y a longtemps que j'ai décidé de cette arrestation », et il ordonne aux officiers de la garde d'emmener le prince. Celui-ci alors se tourne vers le cardinal de Bourbon : « Avec vos belles promesses, vous envoyez votre propre frère à la mort. »

Le cardinal et le roi de Navarre se jettent à genoux et implorent la grâce de leur frère ; le roi reste inflexible et le prince quitte Orléans pour Amboise. Une partie du château lui est destinée, dont les portes et les fenêtres ont été murées ou garnies de grilles de fer il y a quelques mois, à l'intention de La Renaudie. Là, une commission de magistrats se propose de préparer son jugement mais le prince persiste dans son refus : il ne sera jugé que par ses pairs.

Au milieu du mois de novembre le roi décide de chasser jusqu'à l'ouverture des états généraux le 10 décembre. Le 17 il tombe malade : son abcès à l'oreille lui donne des troubles plus graves que d'habitude. Le temps est glacial, la Loire est gelée, et les médecins, ne diagnostiquant qu'un mauvais coup de froid à la tête, lui ordonnent de rester couché huit jours. Mais son état empire, ses maux de tête deviennent tels qu'il ne peut plus supporter le moindre bruit, puis une bosse apparaît derrière l'oreille.

La chambre du malade n'est autorisée qu'à la famille. Catherine et les Guises se relaient auprès de François qui, ils le savent, est en train de mourir. Pour empêcher la nouvelle de filtrer, tout le service des ambassades est suspendu et Catherine, prête au pire, se rend à cheval à Chaumont, que Diane n'occupe pas encore mais où Ruggieri interroge toujours les étoiles dans sa tour.

A ses côtés figurent ceux dont on peut dire qu'ils forment le conseil en astrologie de Catherine — le Français Ogier Ferrier et l'Italien Gabriele Simeoni, le célèbre Luc Gauric que le pape tient en si haute estime qu'il lui a fait don d'un évêché, enfin le plus grand de tous, le Juif Michel Nostradamus. Il a autrefois dédicacé à Henri II un ouvrage de prophéties rimées en affirmant au « premier monarque de l'univers » que rien ne « tente de s'élever contre la véritable foi catholique dans ces écrits qui sont le résultat de calculs astronomiques réalisés au mieux de ma connaissance ».

Henri et Catherine ont fait la connaissance de Nostradamus en 1555 lorsque, à la suite de ses prophéties, ils l'ont invité à la cour pour faire l'horoscope de leurs enfants. Ils lui ont prêté l'hôtel de l'évêque de Sens et, pendant quelque temps, le mage a été la coqueluche de la capitale ; des dons de toutes sortes, argent, bijoux et argenterie, offerts par une clientèle suspendue à ses paroles et à ses énigmes, affluaient chez lui, et compensaient un peu ce qu'il se plaisait à appeler l'avarice de Henri II : celui-ci ne lui donnait que cent trente écus dans une bourse de velours, auxquels Catherine ajoutait une somme non moins légère. Puis le prophète était reparti dans sa ville natale de

Salon-de-Provence en promettant à Catherine de continuer par lettres à lui donner ses conseils et d'accourir si elle avait besoin de lui.

Or, elle a besoin de lui, et elle lui a demandé de rejoindre ses confrères à Chaumont : ses pouvoirs, sa science et son don de double vue, elle lui demande de les mettre de toute urgence à sa disposition.

Lorsque à Chaumont Catherine pénètre dans l'antre de Ruggieri, elle trouve déjà tracé sur le sol le cercle magique à l'intérieur duquel elle doit se tenir ; en face un miroir, aux quatre coins duquel, avec du sang de pigeon, sont tracés les quatre noms juifs de Dieu — Yahvé, Elohim, Miltraton et Adonai. Nostradamus commence une incantation rythmée et le miroir se couvre de nuages ; lorsqu'ils s'évaporent, François est là et la regarde ; il fait une fois le tour de la pièce et la vision s'évanouit. Son frère Charles le remplace, fait quatorze fois le tour de la pièce et disparaît : il régnera quatorze ans commentent les astrologues. Charles est suivi du fils préféré de Catherine, Henri, dont l'assemblée, dans un silence profond, compte les quinze tours ; mais après lui ce n'est pas son jeune frère Hercule, comme on aurait pu s'y attendre, qui émerge des nuages, mais Henri, le tout jeune fils d'Antoine de Navarre.

« Non ! Non ! » hurle Catherine sans même s'en apercevoir ; le maître en astrologie souffle sur le miroir et la fâcheuse vision s'efface. Lorsque la reine retourne à Orléans, sa décision est prise : si la lignée des Valois est destinée à s'éteindre, du moins, pendant qu'ils sont en vie, qu'ils possèdent le pouvoir. Par ailleurs pour prolonger sa postérité et maintenir sa descendance sur le trône, elle mariera sa fille Margot au jeune prince Henri de Navarre dès que ce sera possible. Pour l'heure immédiate elle a une tâche et une seule : se faire nommer régente du royaume à la place d'Antoine de Navarre, premier prince du sang, dès le premier instant où Charles deviendra le roi Charles IX. On ignore combien de temps encore François II vivra ; les étoiles sont pessimistes et les médecins, divisés dans leurs opinions, s'accordent pour ne pas lui donner beaucoup plus d'une semaine.

Elle convoque sans perdre de temps le roi de Navarre, et l'invite à écouter l'un de ses secrétaires qui donne lecture des précédents cas où la mère d'un prince mineur s'est vu confier la régence, en dépit de la loi salique qui interdit la transmission du pouvoir par les femmes. Puis elle évoque l'attitude récente des princes du sang qui, en montant deux complots contre le trône, ne sont plus qualifiés pour assumer une régence à laquelle, de droit, ils pouvaient prétendre.

Pour terminer elle lui demande expressément de renoncer à ladite régence, en échange de quoi elle lui promet la grâce de son frère le prince de Condé et la lieutenance générale du royaume. Antoine de Navarre accepte ; il est influençable, et le rôle de maître des armées convient à son ambition.

Dans l'après-midi du 5 décembre, il remet aux mains de Catherine le sceau royal ; ce geste est le symbole de sa démission. La reine mère reste seule maîtresse du pays ; elle gouvernera au nom de l'enfant. A minuit le roi François II meurt.

Prêtre et non homme d'Etat, le cardinal de Lorraine n'a pas quitté le chevet de l'adolescent. Lorsqu'il le voit sur le point de mourir, il lui fait prononcer cette prière : « Seigneur, pardon pour mes péchés ! Ne m'imputez pas, à moi votre serviteur, les péchés commis par mes ministres en mon nom et autorité ! », puis il lui donne l'absolution.

Le 8 décembre on peut lire dans un rapport de l'ambassadeur vénitien : « Dans le gouvernement, la reine mère est considérée comme celle dont la volonté est suprême en toutes choses ; c'est elle qui aura la main la plus haute aux négociations ; de telle sorte, l'autorité sera conservée intacte par Sa Majesté, et, dans le conseil, il n'y aura d'autre chef qu'elle seule. »

CHAPITRE IX

La régente

Le règne de Catherine de Médicis commence... De nouveau, elle ouvre son cœur à sa fille Elisabeth : « Ne soyez pas inquiète pour moi. Soyez plutôt assurée que je ne manquerai pas de gouverner moi-même de telle manière que Dieu soit satisfait de moi, car mon premier dessein est d'avoir toujours Son Honneur en toutes choses devant mes yeux et de maintenir mon autorité non pas pour moi-même, mais pour préserver le royaume pour le bien de vos frères que j'aime, comme je vous aime, vous tous qui êtes les enfants de votre père. Et pour ce, ma mie, recommandez-vous bien à Dieu, car vous m'avez vue aussi contente comme vous, ne pensant jamais avoir autre tribulation que de n'être assez aimée à mon gré du roi votre père, qui m'honorait plus que je ne le mérite, mais je l'aimais tant que j'avais toujours peur, comme vous savez, et Dieu me l'a ôté. Et, non content de cette peine, Il m'a aussi pris votre frère que j'aimais. Il m'a laissée avec trois enfants petits, et en un royaume tout divisé, n'y ayant un seul à qui je me puisse du tout fier, et qui n'ait quelque passion particulière. Pour cela que je vous ai dit, ma mie ma chère fille, ne manquez point de penser à moi... »

Elle a cependant encore confiance en une personne de son entourage : son vieux « compère » le connétable qui sur sa demande et malgré son âge avancé est entré à cheval dans Orléans à la tête de son corps d'élite pour prendre le contrôle militaire de la ville au nom du nouveau roi Charles IX et de sa mère la régente.

Une semaine après la mort de François II, le 14 décembre 1560, les quatre cent trente-huit députés des états généraux se réunissent « en la grande salle de charpente » construite pour eux place de l'Estape à Orléans. Parmi les membres du tiers état figure un noyau de huguenots déjà instruits par Genève de la politique à suivre : démettre Catherine et confier la régence aux mains huguenotes. Après s'être réjoui de la mort de François —, « Voyez ! Le Seigneur notre Dieu a éveillé et enlevé ce garçon ! » — Calvin a envoyé à Coligny des instructions précises : le point principal sur lequel reposent tous les autres est l'établissement d'un gouvernement temporaire. A moins que le roi de Navarre n'agisse rapidement, une erreur peut être faite qu'il sera difficile de rattraper. Et à Antoine de Bourbon il écrit : « Il ne faut point consentir qu'une femme, voire une femme étrangère et italienne, domine », en insistant sur la création d'un conseil.

Harcelée par les députés sur la constitution de ce gouvernement de régence, elle travaille à ce qu'Antoine de Navarre tienne ses promesses, et pour cela rend sa liberté au prince de Condé. Celui-ci jure de ne plus jamais assister à la messe et se retire à La Fère en Picardie, terre du roi de Navarre.

Après une solennelle séance d'ouverture par le chancelier Michel de L'Hospital dont la harangue est un appel à la tolérance, à la justice et à la charité, les « Etats d'Orléans » commencent les débats sur la religion. Fidèle à la politique de Genève, le représentant du tiers état s'élève furieusement contre l'avarice, la paresse et l'ignorance du clergé ; celui de la noblesse demande pour les huguenots le droit au rassemblement public, et le représentant du clergé, hostile à cette politique de paix, réclame la lutte contre l'hérésie : toute personne qui présente une requête en sa faveur doit elle-même être déclarée hérétique.

Ces dernières paroles provoquent la colère de l'amiral de Coligny qui se sait dans une situation délicate. Jusque-là il a pu garder secrète sa conversion au calvinisme non seulement vis-à-vis de la cour mais de son oncle le connétable de Montmorency qui ne voit dans les sympathies huguenotes de son neveu qu'une attitude politique ; attitude légitime, étant donné la profonde rivalité existant entre leur famille et la Maison de Lorraine, et qu'il approuve, malgré ses convictions personnelles de catholique intransigeant, certainement aussi intransigeant que les princes lorrains. Le connétable ne manque jamais la messe et chaque matin, chez lui, à cheval, à la chasse ou au milieu de ses troupes, il dit son chapelet ; un mot à ce propos circule à la cour : « Gare au Rosaire du connétable ! » Brantôme ne manque pas d'ajouter que « son chapelet ne lui tombe jamais des mains, même pas lorsqu' il crie : « Poursuivez les hugue-

Réunion des Etats Généraux, tenue à Orléans le 15 janvier 1561.

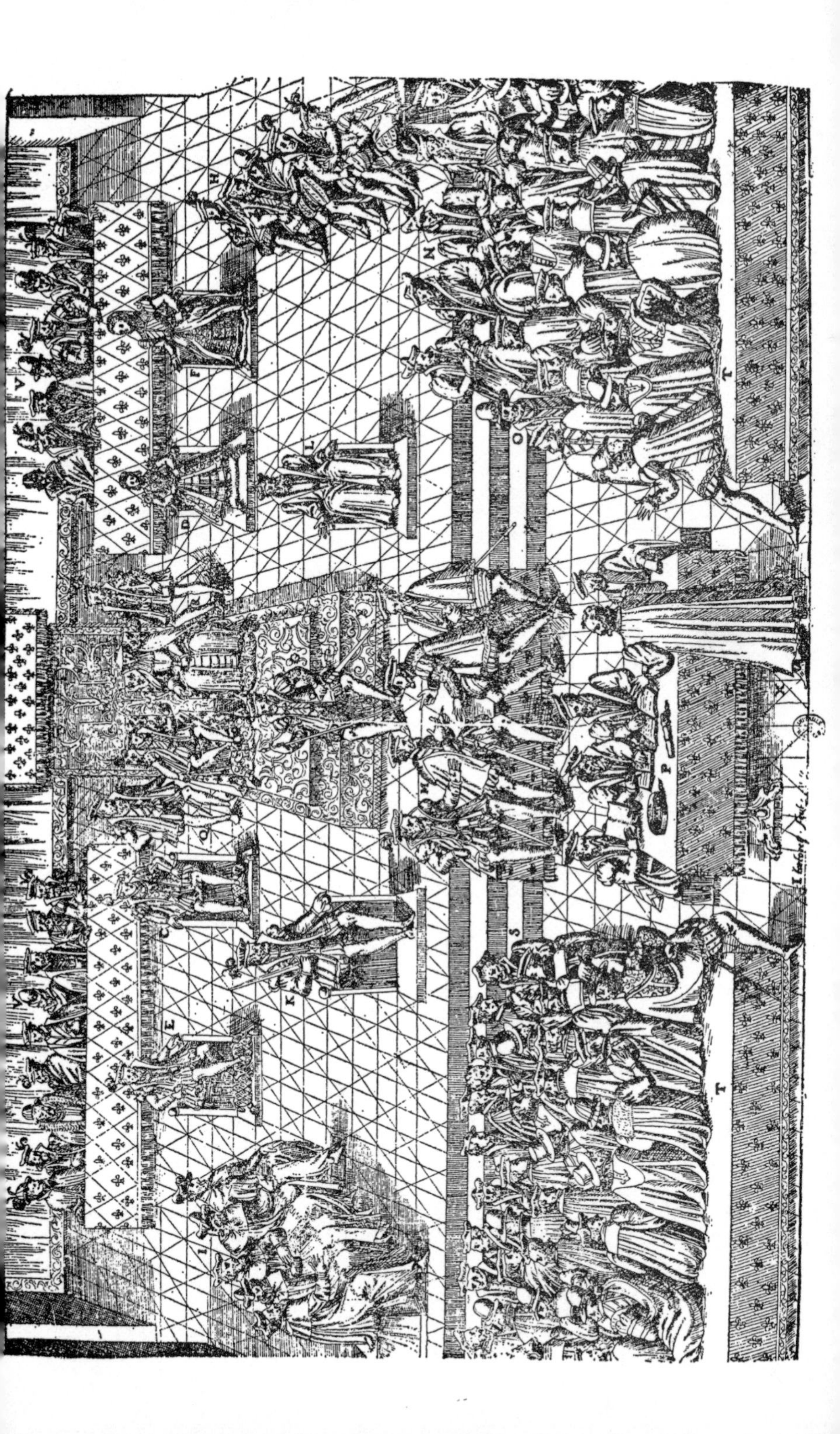

nots qui veulent une autre Eglise que celle de notre roi ! Brûlez leurs villages ! Incendiez tout à des kilomètres alentour ! »

L'amiral de Coligny craint les réactions de ce catholique endurci lorsqu'il découvrira qu'au sein de sa propre famille se cache un calviniste pratiquant ; il craint aussi qu'un député huguenot indiscret ne mette tous les états généraux au courant de ses nouvelles convictions. Il demande donc des excuses au représentant du clergé qui a insinué comme une vérité qu'il partageait les croyances hérétiques : il voulait seulement soutenir les justes réclamations d'une minorité persécutée.

L'orateur s'étonne : il n'a énoncé que des principes généraux sans aucune allusion personnelle à qui que ce soit.

« — Tout le monde aura compris que cela s'adressait à moi, reprend Coligny.

« — Je n'avais rien de tel en l'esprit, se hâte de préciser l'autre. Je ne parlais que selon le bref autorisé par mon état. »

L'amiral s'incline, jette un coup d'œil à son oncle et s'assied, apparemment satisfait.

Les huguenots s'estiment heureux des intentions conciliatrices qui se sont fait jour au cours des débats religieux ; le culte public n'est pas autorisé mais l'édit de tolérance se trouve renouvelé et Calvin peut écrire : « Les concessions que la reine mère a dû consentir auront de grands résultats ; notre Eglise va s'étendre rapidement, de tous les côtés. »

Philippe d'Espagne, quant à lui, regarde sa belle-mère comme une hérétique. Il s'oppose formellement à toute politique de tolérance depuis que, roi d'Angleterre par sa première femme, il a fait la difficile expérience de l'hérésie. Il envoie donc un ambassadeur extraordinaire à Catherine, chargé de la ramener à une plus juste vue de la situation et de ses conséquences ; par sa voix il lui demande de « n'autoriser en aucun cas que les changements qui sont survenus en France continuent de progresser et de ne favoriser à aucun degré ceux qui sont moins décidés dans leur foi qu'ils ne devraient l'être ». Il va jusqu'à la menacer d'une intervention armée.

Aurait-elle dissous les états généraux aussitôt après la fin des débats politiques et religieux que Catherine aurait pu se féliciter de ses succès ; malheureusement, il fallait encore évoquer le problème financier, celui des subsides à accorder au gouvernement. Pendant les douze dernières années, quarante-deux aliénations avaient eu lieu dans le domaine royal, et le patrimoine de la Couronne avait virtuellement cessé d'exister.

Au nom de la reine, le chancelier demande à chacun des trois états des subventions qui permettront à la Couronne de racheter ses anciennes propriétés et de retrouver son indépendance. Mais le refus est unanime : la cour doit assumer son propre financement et pour ce faire, réduire ses dépenses.

Le sang des banquiers Médicis ne coule pas en vain dans les veines de leur descendante ; elle pense et travaille avec acharnement. Elle fait restituer des charges, réduit son train domestique, confisque un tiers des pensions attribuées par l'Etat, un quart des salaires officiels et supprime l'un des départements du gouvernement. En dix jours, elle a récupéré presque deux millions et demi de livres et un admirateur remarque que « la plus grande part des subsides réside dans l'économie rigoureuse que la Cour s'impose en toutes choses ».

Les états généraux pensent différemment : si la reine a récupéré deux millions trois cent mille livres en dix jours, elle peut faire merveille en sept mois. Ils se séparent les derniers jours de janvier sans lui avoir donné un sou.

Catherine comprend vite que la clé de la situation financière se trouve dans la question religieuse. Sans concession dans ce domaine elle ne pourra régner. Mais il s'agit de définir ces concessions : jusqu'où doivent-elles aller ? Et dans quel sens ? Elle hésite, sans précédent auquel se référer, sans un conseil qui ne soit de parti pris, et c'est à cette époque qu'un messager vénitien exprime ses regrets : « Quand elle désire quelque chose elle donne une réponse qui, tout en paraissant claire et définie, ne contient en réalité aucune décision. » « Elle change d'avis trois fois par jour », écrit à son propos un diplomate espagnol ; une fois même, elle envisage d'inviter Calvin à Fontainebleau, mais Coligny la sauve de cet excès d'œcuménisme.

L'ancienneté de leurs rapports et leur amitié poussent Catherine à se tourner vers l'amiral de Coligny qui lui paraît l'unique personne à pouvoir l'aider en ces circonstances. L'intransigeance du connétable et des princes lorrains leur interdit toute idée de compromis. Malgré sa modération le chancelier de L'Hospital est trop nouveau dans son entourage, quant à Antoine de Navarre, il est aussi frivole qu'inutile. Cette confiance est pour Coligny une occasion providentielle dont il ne manque pas de chercher à profiter par tous les moyens, entre autres en s'attirant l'affection du jeune roi ; à dix ans, il est sensible au charme et aux assiduités dont l'entoure l'amiral qu'il ne tarde pas à appeler « père ».

Catherine est consciente des dangers de la situation : elle couche dans la chambre du roi ou dans une pièce toute proche, et l'entoure de serviteurs et de précepteurs dont elle est sûre qu'ils sauront l'instruire et lui feront, à elle, des rapports tels qu'elle les entend. Sûre de son autorité, elle octroie à Coligny et à ses partisans les plus grandes libertés : il engage un chapelain calviniste, pratique le nouveau culte et fait dire des prêches dans les appartements qui lui sont réservés à la cour. « Autrefois, écrit l'ambassadeur d'Espagne au roi Philippe à l'approche de Pâques, il entendait ses prêches toutes portes fermées, mais le jour des Rameaux elles étaient ouvertes. Ils ont commencé leur cérémonie comme ceux de Genève, en chantant des psaumes si fort que toute la cour était remplie de leur bruit. »

Catherine, dit-on, favorise les protestants ; on parle des provocations de l'amiral de Coligny, les incidents se multiplient, on accuse la reine de boire à deux fontaines, celle de Rome et celle de Genève, tandis que les calvinistes, sûrs de leur force, n'hésitent pas à se livrer à des excès dans les provinces du Sud.

Dès le début du carême, le cardinal de Lorraine a quitté le Louvre pour suivre les offices dans son propre diocèse. Dans le même temps, niant leur vieille rivalité familiale, le duc de Guise et le connétable de Montmorency s'unissent autour du maréchal de Saint-André et accomplissent un rapprochement destiné à opposer une résistance solide et dirigée aux attaques incessantes que subit la foi catholique : c'est le triumvirat. Chaque matin du carême, ils assistent ensemble à la messe de l'aube dans la petite chapelle de la basse-cour et le jour de Pâques, 6 avril 1561, reçoivent ensemble la sainte communion, comme un gage de leur loyauté, pour sceller leur engagement. Puis, au cours du petit déjeuner qu'ils prennent tous les trois à la table du connétable, ils décident de constituer ce triumvirat qui aura pour mission de défendre la foi. « Cet événement marque un tournant dans l'histoire de cette époque, a remarqué sir John Neale. Un parti existe maintenant, dont le pouvoir est menaçant, qui se propose de défendre la foi catholique en dehors du roi, contre lui s'il le faut. » Ce parti, en outre, se sait approuvé par le parlement et les catholiques de Paris.

Catherine n'apprend l'existence du triumvirat qu'un mois plus tard. Sur le chemin de Reims où, le 15 mai, le cardinal de Lorraine va couronner Charles IX comme il a couronné Henri II et François II, Catherine demande au duc de Guise s'il est vrai qu'il a fondé une ligue pour la défense de la religion, du roi et de sa propre autorité. « Oui, répond le prince. — Si mon fils et moi-même adoptons la nouvelle religion, ce que, insiste-t-elle, nous n'avons aucunement l'intention de faire, renonceriez-vous, vous et vos partisans, à nous rester soumis ? — Oui nous y renoncerions. — Renonceriez-vous vraiment à nous rester soumis ?, demande-t-elle de nouveau d'un ton incrédule. — Oui, mais comme vous l'avez dit, tant que le roi très chrétien restera le fils aîné de l'Eglise, nous accepterons tous de donner nos vies pour vous. »

La formation d'un nouveau parti en faveur de l'Eglise prêt à la défendre, contre la Couronne s'il le faut, suscite la volonté de Catherine de réunir l'assemblée consultative religieuse qui réconciliera hérétiques et catholiques. « ... Afin de pourvoir à l'entière pacification des troubles et union de ce peuple en une même religion, car de le penser contenir en obéissance et concorde, pendant que les esprits seront ainsi agités et occupés de diversités d'opinions et de doctrines, il n'y a personne en ce monde qui ne le juge impossible, et je ressens de trop près le mal et le péril qui en dépend, pour le laisser plus si longtemps sans remède et provision. » Telles sont les paroles de Catherine à l'évêque de Rennes en ce même printemps 1561 ; elles révèlent sa volonté profonde d'une mission conciliatrice, et sa confiance en elle.

L'été de 1561 se passe à préparer le colloque qui doit se tenir dans le grand monastère des dominicaines de Poissy, à quelques kilomètres de Saint-Germain où réside la cour. Y sont conviés le représentant de Calvin, Théodore de Bèze, quatorze pasteurs et théologiens de Genève, des délégués des églises réformées de France et quelques luthériens allemands. Catherine espère qu'on trouvera un terrain d'entente sur des mesures en vue d'une réforme de l'Eglise, et une définition de la sainte communion dont la formule contenterait tous les partis. Le cardinal de Lorraine devra soumettre les décisions du colloque au grand concile œcuménique de Trente qui à la même heure traite du même problème sous la présidence du pape. Malheureusement elle ne semble pas réaliser à quel point, au départ, une telle entreprise est vouée à l'échec. « Il me semble, dit l'ambassadeur vénitien après une conversation avec elle, que Sa Majesté ne comprend pas ce que signifie le mot dogme ; et je crains qu'elle ne confonde, comme si c'était une même chose, les dogmes, les rites et les abus ; de là naissent toutes sortes de malentendus dans les discussions... »

En fait, si Catherine est catholique de pratique, elle ne l'est pas de doctrine, et en matière de dogme elle est favorable à la liberté d'opinion ; attitude qui est défendable dans beaucoup de domaines, pas en théologie, ni dans les choses de la foi.

Il est relativement aisé de se mettre d'accord sur la nécessité d'un clergé décent, la suppression du népotisme ou le mode de nomination des évêques. Mais, lorsqu'il s'agit d'établir une formule qui puisse, en contentant chaque confession, définir le dogme de la messe, réussir devient impossible. Cette impossible entente, qui a fait échouer le colloque de Poissy en 1561, est celle-là même qui en 1971 a mené l'église catholique au bord du schisme.

Pour les catholiques, lorsque à la sainte communion le célébrant prononce sur le pain et le vin les mots du Christ : « Ceci est mon Corps, ceci est mon Sang », le pain et le vin deviennent Son Corps et Son Sang. Pour les luthériens ils deviennent Son Corps et Son Sang tout en restant pain et vin ; pour les calvinistes et les anabaptistes aucun changement n'a lieu et les éléments restent ce qu'ils sont. Les points de vue sont inconciliables. S'il s'agissait d'une simple notion philosophique ce serait sans conséquence , mais tous les partis s'accordent sur le fait que là réside le fondement de la religion chrétienne, et que sans la sainte communion il n'y a pas de survie après la mort comme le Christ l'a dit lui-même : « Si vous mangez la chair du Fils de l'Homme, et si vous buvez Son Sang, alors seulement vous avez la vie en vous ; celui qui mange ma chair et boit mon sang possède la vie éternelle, et je le ressusciterai au dernier jour. » Contradiction fondamentale : pour les catholiques, les calvinistes ne respectant pas le pain qui devient le Corps du Christ, blasphèment et font preuve d'athéisme ; pour ces derniers, les catholiques sont des idolâtres pernicieux qui adorent un simple morceau de pain.

Lorsque à Poissy Théodore de Bèze ouvre le débat par un exposé de la doctrine calviniste : « Le Corps du Christ est aussi éloigné du pain et du vin que le ciel le plus haut l'est de la terre », il est accueilli par un grondement houleux ; et lorsque le cardinal de Lorraine répond en présentant une défense de la doctrine traditionnelle, les catholiques se jettent à genoux : « Voici la foi véritable, la vraie doctrine de l'Eglise ; nous voulons tous la suivre, et s'il le faut, la sceller de notre sang. »

Espagnol intransigeant, le général des jésuites s'adresse directement à Catherine : elle est responsable de la ruine du royaume, elle tolère les huguenots, ces « loups, renards, serpents », elle est sans lumière et sans autorité sur le sujet de la foi... Catherine en pleure.

Trois évêques, trois théologiens catholiques et cinq pasteurs calvinistes continuent de se pencher en petit comité sur l'Eucharistie et la Présence réelle. Le 4 octobre ils signent et proposent à la conférence une définition de la sainte communion qui est unanimement, et non sans colère, rejetée. Ainsi se termine le colloque de Poissy, laissant catholiques et protestants d'autant plus séparés qu'ils ont eu tout loisir de définir ce qui les opposait. Seul résultat pratique : le roi de Navarre est à ce point troublé par la force de l'argumentation catholique que non seulement il revient à la messe mais rejoint le triumvirat et, en compagnie du connétable, du maréchal de Saint-André et du duc de Guise, prend part à une procession à travers Paris pour aller entendre la messe à Sainte-Geneviève. Les huguenots désormais l'appellent Judas.

Les princes lorrains renoncent de leur côté à jouer un rôle dans les luttes de la cour. Trop content d'abandonner sa charge administrative, le cardinal désire partir pour Rome et siéger aux dernières sessions du concile de Trente, et le duc de Guise manque de temps pour s'occuper de ses Etats. Depuis le départ de leur nièce Marie pour l'Ecosse, peu avant le colloque de Poissy, les deux frères n'ont plus intérêt à rester à la cour et ils décident de la quitter avec toute leur Maison et six cents chevaux.

Auparavant ils tentent de persuader le petit Henri, fils préféré de Catherine, de les suivre. Un de leurs amis, le duc de Nemours, trouve l'occasion de demander à l'enfant s'il est vrai qu'il est devenu huguenot : « Non répond-il, je suis de la religion de ma mère. » Nemours, apercevant alors deux dames d'honneur de Catherine cachées derrière une tapisserie, éloigne l'enfant et à voix basse : « Il y a beaucoup de troubles dans le royaume ; le roi de Navarre et le prince de Condé veulent prendre le trône à votre famille et vous allez être tué. Si vous le voulez je vous emmène en Lorraine, là au moins vous serez en sûreté. » Mais le petit prince ne veut pas quitter sa mère. « Rappelez-vous bien, reprend Nemours, avant notre départ vous direz au duc de Guise : Mon cousin, si vous ne pouvez m'emmener maintenant, je vous supplie de venir lorsque j'aurai besoin de vous. »

Le fils du duc de Guise, Henri, du même âge qu'Henri d'Anjou et son compagnon de jeux préféré, lui glisse dans l'oreille qu'un voyage en Lorraine serait une magnifique aventure, et qu'une fois là-bas, l'héritier du trône serait fêté et choyé comme il ne l'a jamais été même par sa mère. Le duc ajoute qu'il est grand temps que le futur roi connaisse le pays qu'il aura un jour à gouverner. Mais l'enfant reste parfaitement indifférent et le jour du départ des Guises, le 20 octobre 1561, Catherine surprend le duc de Nemours en train de rappeler à son fils : « Souvenez-vous de ce que je vous ai dit. » Elle lui arrache facilement toute l'histoire.

Sa colère est sans limites. De toutes les maladresses des Guises, celle-ci est la plus amère, et ses conséquences désastreuses expliqueront en partie son échec final. Les relations entre les deux Henri, son fils très chéri et le fils du duc de Guise, domineront pratiquement tout le reste de sa vie. Après un quart de siècle et sept guerres civiles, elle s'apercevra le cœur brisé que si elle avait fait confiance au jeune Guise plutôt qu'à son propre fils, beaucoup de troubles auraient été évités ; mais cela, elle ne le pourra pas, à cause de son immense et aveugle passion pour Henri. Déjà elle détestait les princes lorrains : le cardinal pour avoir suggéré autrefois l'idée de son divorce, leur nièce — sa belle-fille Marie —, pour lui avoir fait perdre toute influence sur son fils aîné lorsqu'elle était sa femme ; et, aujourd'hui, cette impardonnable tentative d'enlever son enfant, la prunelle de ses yeux...

L'impopularité des Guises entretenue par les huguenots vient renforcer les sentiments de la reine mère à leur égard : « Tous ces troubles n'ont d'autre raison que la haine du royaume entier pour le cardinal de Lorraine et le duc de Guise, écrit-elle à Elisabeth d'Espagne. Aussi j'ai décidé de veiller à la sécurité de vos frères et à ma propre sécurité, et de ne pas mêler plus longtemps leurs querelles et les miennes. La raison pour laquelle ils sont détestés est due aux sottises qu'ils ont commises de tous côtés, en essayant de faire croire que je n'étais pas une bonne chrétienne en sorte qu'on me soupçonne, et ils disent que parce que je ne suis pas une bonne chrétienne je n'ai pas confiance en eux. » Elle demande à sa fille de veiller à ce que son mari le comprenne, « au cas où en secret ils essaieraient de lui faire connaître qu'ils ont été éloignés du pouvoir pour des raisons religieuses ».

Dans l'esprit de Philippe II, cette cour de France infestée d'hérésie va finir par contaminer le jeune roi. Catherine, apprend-il par son ambassadeur, a emmené Charles entendre Théodore de Bèze ; elle lui a mis entre les mains un exemplaire des *Psaumes* de Marot, Coligny a de plus en plus d'influence sur lui ; enfin, pire que tout, son précepteur vient d'être remplacé.

En effet, au moment où elle donnait à son fils l'ouvrage de Marot, recueil de poésie à ses yeux plus que de théologie, Catherine a pressenti que ce geste risquait d'être mal interprété et lui a interdit de le montrer à qui que ce soit. L'enfant s'est empressé de le porter à son précepteur auquel il est très attaché ; celui-ci le lui a enlevé et, après avoir dit qu'un homme n'a pas à obéir à une femme, a remis l'ouvrage au connétable qui a fait des remontrances à Catherine.

Une violente discussion a suivi à la suite de laquelle la reine, furieuse contre son « compère », a renvoyé le précepteur de Charles pour le remplacer par un huguenot que lui avaient recommandé la belle-mère du prince de Condé et une autre calvaniste enragée, Mme de Crussol, qui font toutes deux partie de ses dames d'honneur.

Le résultat n'est pas du tout celui qu'attendait Catherine. Charles IX cesse d'appeler Coligny son « père » et retourne régulièrement et ostensiblement à la messe. Un jour, après avoir frappé quatre fois en vain à la porte, il fait irruption dans les appartements de la reine de Navarre en plein sermon de Théodore de Bèze, et se met à crier : « Ne vous y trompez pas ! Si vous continuez de la sorte vous serez tous brûlés, tous brûlés à cause de vos prêches ! »

Le jeune Henri partage avec son frère un même esprit de contradiction : l'invitation des Guises en Lorraine l'a transformé en calviniste fanatique. « Il me pressait souvent de changer de religion, rapporte dans ses mémoires sa sœur Margot. Il jetait dans le feu mes livres de prières et me donnait à la place des psaumes et des prières protestantes qu'il m'obligeait à dire en entier. Comme j'étais très jeune, je répondais à ses menaces par des larmes. Il me répondait que, s'il le voulait, il pouvait me fouetter ou me tuer. Je lui disais alors qu'il pouvait me fouetter ou même me tuer si cela lui plaisait, mais que je préférais souffrir n'importe quoi plutôt que de perdre mon âme... »

Non seulement les enfants Valois sont touchés par les controverses religieuses, mais aussi le jeune Henri de Navarre qui a passé sous les yeux de Catherine dans le miroir de Nostradamus comme le successeur de son fils, et qu'elle veut marier à Margot pour conserver le trône de France, même par les femmes. Dans ce but, et parce qu'elle la sait femme redoutable et protestante authentique, elle demande à s'entretenir avec la reine Jeanne de Navarre.

Jeanne a vingt-quatre ans et elle accepte cet entretien, mais pour une autre raison ; elle veut savoir ce qu'il en est exactement de son mari Antoine qui depuis longtemps ne lui témoigne plus la moindre affection et dont on dit qu'il a été envoûté par l' « escadron volant » de la reine mère. Ainsi appelle-t-on la suite de Catherine, assemblée de jeunes beautés de la petite noblesse terrienne, choisies par elle selon des critères sévères, strictement dressées par ses soins et utilisées selon les intérêts de sa politique : les plus jolies de ces jeunes femmes ou jeunes filles, qui l'accompagnent partout, séduisent les grands seigneurs de ses ennemis ou de son entourage, provoquent leurs confidences, découvrent leurs secrets et en même temps exercent sur eux une surveillance discrète bien utile à leur maîtresse. Déjà elle a occupé le prince de Condé avec la blonde Isabelle de Limeuil, le duc de Nemours avec Françoise de Rohan, et maintenant c'est au tour d'Antoine de Navarre qui a été confié aux soins d'une charmante jeune fille de quinze ans, la « belle Rouhet », qui l'a si bien séduit qu'il est sur le point de divorcer de Jeanne.

Aussitôt à Saint-Germain, Jeanne écrit à Calvin que « le roi de Navarre est à ce point ramolli d'esprit et de corps par l'indolence et la luxure qu'il a autorisé les Guises, avec l'aide du connétable, à reprendre la situation du royaume en main pour sa grande honte et la calamité de la France ».

Calvin répond qu'il ne manquera pas de faire des prières pour la mort de son mari dans les plus rapides délais : « Croyez bien, Madame, que vous pourrez surmonter cette épreuve grâce à la force et à la bonté de Celui en qui et par qui toutes choses peuvent devenir bénédiction et consolation. » Calvin n'est pas le seul à envisager la mort comme une heureuse solution ; Catherine espère que « Dieu rappellera à lui la reine de Navarre pour que son mari puisse se remarier sans attendre ». La deuxième femme n'est évidemment pas Louise de Rouhet, dont les charmes n'ont d'autre but que d'éloigner Antoine de sa femme, mais la jeune veuve Marie, reine d'Ecosse. Ce serait un coup de maître...

Les relations de Catherine et de Jeanne restent cependant aussi courtoises que l'autorisent leurs différences de tempérament, et, une fois seulement, Catherine perd son sang-froid. Elle ne se sent pas bien, et la reine de Navarre lui ayant fait naïvement remarquer que cela n'avait rien d'étonnant vu le nombre de melons qu'elle avalait : « Ce ne sont pas les fruits du jardin qui me font mal, jette la reine, mais les fruits de l'Esprit ! »

Fort de sa foi catholique, Antoine demande maintenant à sa femme de renoncer au calvinisme. « La trouvant sur le point de monter en litière pour assister à un prêche, il la prend par la main, la tire en arrière et lui ordonne avec fermeté de ne plus assister aux services huguenots, mais de se conformer en toutes choses, pour les apparences, au culte de l'église romaine. »

« Jamais je n'assisterai à une messe ni à aucune cérémonie papiste », réplique Jeanne, et le petit Henri se réfugie près de sa mère en criant : « Dieu ne me fera pas aller à la messe, moi non plus ! — Si vous osez faire cela je vous déshérite, et vous ne serez jamais roi de Navarre... » Cet allusion au fait qu'Henri n'est roi de Navarre que par son mariage avec elle envenime la situation. Antoine gifle son fils de toutes ses forces et ordonne à son médecin — le jésuite sicilien Lauro — de lui administrer une nouvelle correction. Puis il le nomme précepteur officiel du petit garçon qu'il enlève des mains de sa femme, la priant de regagner Pau avec leur fille Catherine. Au lieu de cela, Jeanne se rend à Paris où elle s'installe rue de Grenelle avec son beau-frère, Louis de Condé, et ouvre une « école pour l'étude de la religion réformée ». Mari et femme ne se reverront jamais.

Catherine n'abandonne pas son idée d'un *modus vivendi*, d'une sorte de coexistence pacifique des deux confessions. Dans ce sens elle fait signer à Charles IX, le 17 janvier 1562 à Saint-

Germain-en-Laye, un nouvel édit qui déclare « entretenir nos sujets en paix, en attendant que Dieu nous fasse la grâce de pouvoir les réunir en une même bergerie ». Les huguenots doivent immédiatement restituer les églises, ornements et autres biens ; ils n'ont pas le droit de construire des lieux de culte à l'intérieur des villes ou des cités ni d'y faire des réunions publiques ou privées. En revanche, les assemblées sont autorisées « pour les prêches, prières et autres exercices du nouveau culte » hors des villes qu'ils habitent ; les magistrats devront veiller à ce que les allées et venues autour des lieux de culte n'apportent aucune gêne. Les adeptes de l'une et l'autre foi n'ont pas le droit de s'irriter mutuellement par l'usage de mots incendiaires, particulièrement au cours des sermons. Aucun synode ni consistoire calviniste ne sera tenu sans la permission de la Couronne, et un fonctionnaire aura le droit d'assister aux prêches. Ni les uns ni les autres ne sont autorisés à porter les armes, à l'exception de l'épée et de la dague habituelles aux gentilshommes.

Cet « édit de janvier » pouvait difficilement être plus favorable aux huguenots ; sous les apparences utilitaires de mesures de police destinées à prévenir des troubles dans les rues encombrées des cités, il reconnaît officiellement l'existence de la religion nouvelle et va jusqu'à lui conférer des statuts. L'ancien principe, « un roi, une loi, une foi », est abandonné au profit de la coexistence, dans un seul Etat, de deux religions rivales. L'ordre social lui-même s'en trouvera bouleversé.

La réaction catholique est immédiate : des prêtres refusent de lire l'édit en chaire et leurs sermons présentent Catherine, telle Jézabel, introduisant l'idolâtrie dans le royaume. Paris se couvre de placards pour l'extermination de l'hérésie ; des exemplaires de l'édit destinés à l'ensemble du pays sont saisis et brûlés. A Saint-Germain une députation se présente devant la reine : « Plutôt sacrifier nos vies que de consentir à une telle disgrâce » ; par ses soins, « la société entière sera violée et profanée puisque l'unité religieuse est le lien des Etats ». Enfin, le Parlement de Paris refuse de ratifier l'édit. Catherine, en réponse, continue d'affirmer qu'elle ne souhaite qu'une chose : éviter les troubles.

Pendant cinq semaines se succèdent des discussions inextricables et Catherine perd enfin son sang-froid. « Laquelle Dame dans sa colère et son emportement, note un chroniqueur, prit un cheval à Saint-Germain et se rendit tambour battant à Paris où il fut en vérité très difficile de l'apaiser et de l'empêcher de se rendre directement au conseil dans le but de montrer pour le mieux sa volonté absolue de voir l'édit dûment enregistré. Point refroidie de sa colère elle entra dans la pièce où se trouvaient le président et tous ses ministres, et commença à plaider et à discuter avec eux de la voix perçante particulière aux femmes irritées. Lorsqu'ils eurent patiemment écouté, ils essayèrent de lui faire des remontrances et de lui prouver le mal que cet édit ferait au roi et au royaume, pour le plus grand déshonneur de Dieu ; que par conséquent, dirent-ils, ils ne pouvaient ni l'accepter ni l'enregistrer. De tout cela la Dame refusa d'entendre quoi que ce soit, et persévérant dans ses menaces, leur ordonna de le ratifier... »

La loi interdisant de reculer indéfiniment le consentement, et comme Louis de Condé et Jeanne de Navarre, de leur hôtel, organisaient des troubles huguenots dans la ville, le Parlement céda, mais en protestant et sous conditions : il ne s'agissait là que d'une mesure temporaire, « en attendant la majorité du roi ».

Déçue par ce demi-échec auprès du Parlement, dont elle avait si facilement triomphé dix ans auparavant, épuisée par ces luttes, Catherine décide de passer quelques semaines dans son cher Fontainebleau pour profiter un peu du printemps. Le lac aux cygnes, la forêt, les merveilleuses terrasses lui permettront de jouir de la saison sans se préoccuper de l'édit ni de ses conséquences.

Sur le chemin de Fontainebleau, elle s'arrête en son château de Montceaux-en-Brie et là, elle apprend le tout premier résultat de l'édit : le massacre de Vassy.

Le dimanche 1er mars le duc de Guise a quitté Joinville, où il était allé rendre visite à sa mère, pour gagner ses terres de Nanteuil. En chemin il s'arrête pour assister à la messe à Vassy, en Champagne, ancienne terre de sa famille et où il se sent chez lui. Là, il trouve une assemblée de huguenots, au moins un millier célébrant leur culte ouvertement, en plein centre de la ville, dans une grange située à moins de cent mètres de l'église paroissiale ; ce n'est rien moins qu'un défi au récent édit.

Dès le début de la messe, le son des psaumes chantés au cours du prêche avec une force délibérée l'empêche de rien entendre. Il supporte le bruit un quart d'heure puis envoie son écuyer demander au pasteur d'arrêter son service jusqu'à la fin de la messe. Le duc n'est qu'un homme, répond le pasteur, lui est en train de proclamer la parole de Dieu, il n'est donc pas question de lui obéir.

L'écuyer porte la réponse à François de Guise mais, pendant ce temps, ceux de ses gens qui n'assistaient pas à la messe, attirés par la curiosité, vont mettre leur nez à la porte de la grange. Or, ils sont armés. « Papistes ! Idolâtres ! » hurlent les calvinistes à leur vue, et ils se barricadent. Les guisards enfoncent la porte et sont accueillis par une volée de pierres.

Le duc de Guise se précipite sur les lieux où déjà l'on commence à se battre ; il ordonne à ses hommes de garder leur calme et aux huguenots de se disperser. Leur assemblée est illégale ; l'édit interdit, insiste-t-il, de se réunir dans le centre des villes ; qu'ils aillent donc tenir leurs prêches là où ils sont autorisés, hors des murs. Pendant qu'il parle, une pierre l'atteint au visage et, sans le blesser, rouvre la célèbre balafre qui lui a donné son surnom. Il saigne abondamment et c'est alors que ses gens, le croyant en péril, donnent l'assaut sans plus attendre contre les huguenots ; un grave tumulte s'ensuit, puis le massacre : il y a des tués, des blessés, des estropiés.

Le pasteur qui dans sa fuite a déchiré sa robe, est reconnu et conduit au duc qui lui demande pour quelles raisons il a ainsi enfreint les lois du nouvel édit : « Sire, répond l'homme, je n'ai rien fait que de prêcher les paroles de Jésus-Christ.

— Mordieu ! répond le duc, Notre-Seigneur prêche-t-il la sédition ? Vous êtes responsable de la mort de ces gens, et pour cela vous serez pendu. » Puis il fait élever un gibet à la porte de la grange avec le bois des bancs, et reprend la route avec son escorte. Ils laissent derrière eux plus de cinquante morts et plus d'une centaine de blessés.

Pour la propagande huguenote, le massacre de Vassy est une aubaine inespérée dont ils s'emparent sans tarder : Condé envoie aux diverses églises réformées du royaume l'ordre de se tenir prêtes à recourir aux armes. « Nous pensons que vous avez pu remarquer l'horrible cruauté que M. de Guise a montrée pour notre pauvre église de Vassy. Nous devons nous préparer à prendre les armes pour protéger nos vies contre la violence de ces brigands. » En réponse, l'ensemble des congrégations huguenotes s'empressent d'obéir, trop heureuses, et tentent de s'emparer des villes où elles se trouvent : « La noblesse de la religion des provinces fut par ce bruit merveilleusement réveillée, et prompte à se pourvoir d'armes et de chevaux. »

Au même instant Condé envoie Théodore de Bèze à Montceaux pour demander à Catherine justice et réparation. Il ne veut pas s'y rendre lui-même dans la crainte de dévoiler les divisions qui règnent au sein des Bourbons : tête du triumvirat et premier conseiller de la reine, Antoine s'est solidarisé avec le duc de Guise et n'a pas caché ses sentiments lorsque Théodore de Bèze a demandé son châtiment : « Il s'est moqué en termes mordants et méprisants », lui faisant remarquer que les huguenots de Vassy étaient manifestement en état de désobéissance et qu'ils avaient été justement punis d'avoir commencé la bagarre en lançant des pierres.

Catherine tente de calmer tout le monde en promettant à Théodore de Bèze de procéder au plus tôt à une enquête ; en attendant elle interdit à François de Guise l'accès de la capitale. Les huguenots ne pourraient-ils prendre une mesure semblable ?

Le chef de l'Eglise réformée de France promet, mais les événements vont plus vite que lui. Les huguenots défilent dans les rues de Paris en chantant les *Lamentations* de Jérémie ; les catholiques préparent des feux pour brûler les livres ennemis, parmi lesquels une traduction protestante de la Bible ; un pasteur s'apprête à massacrer tous les catholiques, appelé par Dieu, écrit-il à Genève, pour « suivre l'exemple de Gédéon et de Judith » dans cet acte méritoire. Le message est intercepté et porté à Nanteuil au duc de Guise qui se demande s'il doit rejoindre Montceaux, comme Catherine le lui a ordonné, ou rallier le triumvirat à Paris, comme elle le lui a interdit.

A cet instant précis, il est soucieux d'agir au mieux. En dépit des rumeurs absurdes et des haines populaires qui n'ont pas manqué de transformer le massacre de Vassy en une gigantesque légende, il sait n'avoir rien à craindre d'une enquête impartiale, et, tant par loyauté à la Couronne que par conviction, il désire gagner Montceaux où l'attend Catherine. Mais ce message emporte sa décision : son devoir envers la foi exige sa présence dans la capitale.

Avec quinze hommes qui ont juré de mourir à son service, le duc de Guise entre à cheval dans Paris le 16 mars, par la porte Saint-Denis qui est la porte royale, au milieu de l'enthousiasme populaire ; l'accueil dépasse tout ce qu'il a jamais connu lors de ses triomphes militaires. Accompagné de son jeune fils et héritier Henri qui a obtenu cette permission, le « Balafré », une fois encore, fait figure de héros aux yeux des Parisiens. Le Prévôt des Marchands le salue comme le défenseur de la foi et, à ce titre, lui offre de la part de la ville deux millions en or et vingt mille hommes.

Le duc se retranche derrière une sage neutralité : la reine mère, régente, et le roi de Navarre, lieutenant général du royaume, sont des autorités dignes de confiance et compétentes pour agir au mieux des intérêts du royaume. Puis il envoie un message à Condé à l'hôtel de Jeanne de Navarre, lui demandant de veiller à maintenir à tout prix l'ordre public.

Pour toute réponse Condé quitte la capitale le 22 mars, jour des Rameaux, pendant que tout Paris se presse à l'église, et s'établit à Meaux d'où il demande de toute urgence à son oncle l'amiral de Coligny hommes et argent. Le 27 mars, celui-ci le rejoint à la tête d'une importante compagnie montée — la cavalerie est la force principale des huguenots —, et tous deux décident de se rendre à Fontainebleau, où la cour vient d'arriver, et de s'emparer du roi. La guerre civile est inéluctable où les atouts, comme dans toute guerre civile, sont inévitablement la personne du roi, et sa capitale.

Pour le prince de Condé, la capitale est perdue, et les huguenots contre les catholiques y ont autant de chances qu'« une petite mouche contre un grand éléphant ». Mais il veut s'assurer le roi, et faire son « coup » sous couvert de la légalité. Catherine, dans son anxiété, lui a envoyé quatre lettres où elle fait appel à sa loyauté et lui demande de collaborer à son œuvre de paix en ayant « en recommandation l'état de ce royaume, la vie du roi et la sienne, et en entreprendre la défense contre ses ennemis ». « Je vois tant de choses qui me déplaisent que sans ma foi en Dieu et l'assurance que vous m'aiderez à conserver ce royaume et le service du roi mon fils malgré ceux qui souhaitent la ruine de tout le pays, je serais plus fâchée encore. Mais j'espère que nous allons remédier à tous les maux que l'on prévoit de voir advenir grâce à votre aide et à votre bon conseil. »

Mais le duc de Guise devance le prince de Condé. Le jour même, 27 mars, où Coligny a rejoint Meaux, les triumvirs arrivent à Fontainebleau pour escorter la famille royale — avec ou sans son gré —, jusqu'à Paris. Catherine discute, tempête, pleure, mais en vain. « Les chefs catholiques, écrit à Rome le nonce du pape, proposèrent à la reine de s'engager à maintenir et à accroître son autorité. Mais ils lui firent comprendre qu'elle devait, de son côté, abandonner ses tentatives de conciliation parce que les choses étaient arrivées à un point tel que soit l'un soit l'autre parti devait remporter la victoire. Ils terminèrent en déclarant que si elle refusait de se rendre à leur avis, et si le roi son fils pensait à changer de religion, eux n'hésiteraient pas à changer de roi. »

Catherine n'a rien à répondre. Forcée dans ses retranchements, elle avoue que c'est dans un but diplomatique qu'elle a favorisé l'hérésie. Maintenant sa haine des Guises s'augmente de la crainte d'être un otage aux mains des triumvirs, et elle fait tout ce qu'elle peut pour retarder son départ à Paris. Antoine de Navarre, qui supervise les préparatifs du voyage, menace de coups les domestiques qui refusent de démonter la chambre à coucher du jeune roi « à cause de la reine ». Finalement ils obéissent, et Charles en larmes est embarqué dans une litière pendant que le duc de Guise conduit vers une autre sa mère qui essaie de garder sa dignité. « Vous comprenez, Madame, lui dit-il, que tout ceci est pour votre bien. »

Catherine pince la bouche, mais ne prononce aucune parole. « Un bien est un bien, insiste le duc de son ton le plus neutre, qu'il soit accordé par l'affection ou par la force. »

La crise lui permet de mesurer à quel point son rapprochement diplomatique avec les huguenots a été mal interprété à l'étranger. « Je suis inquiète de ce que ces seigneurs vont écrire au roi d'Espagne à propos de mes sentiments en matière de religion, écrit-elle à son ambassadeur à Madrid. Non que j'aie besoin d'aucun témoignage aux yeux de Dieu ou des hommes quant à ma foi ou mes bonnes œuvres, mais à cause des mensonges que l'on a dits à mon propos. En action, en volonté et en habitudes je ne me suis jamais détournée de la religion qui est la mienne depuis quarante-trois ans et dans laquelle j'ai été baptisée et élevée. Et personne ne serait surpris de me savoir contrariée car cette calomnie a duré trop longtemps pour la patience d'un être mortel ; et, quand on a bonne conscience, on se trouve profondément blessé de constater que ceux qui n'en ont aucune parlent avec audace de ce sujet. Montrez cette lettre au duc d'Albe et au roi. »

Cette année 1562, l'envoyé extraordinaire de Venise fait à son propos un rapport détaillé : « ... Estimée pour son caractère bon, affable et modeste ; femme d'une rare intelligence, rompue aux affaires, notamment à celles de l'Etat. En sa qualité de mère, elle tient le roi sous sa main ; elle ne permet qu'aucun autre qu'elle couche dans sa chambre ; elle ne le quitte jamais... Elle est étrangère et par conséquent enviée, ainsi qu'elle-même le reconnaît franchement ; ensuite, elle n'est pas issue du sang des grands princes et des rois... Elle gouverne avec un plein et absolu pouvoir, et comme si elle était roi ; elle accorde les grâces ; elle garde le sceau dont se sert le roi, et qui s'appelle cachet ; elle donne la dernière son avis dans le conseil, pour résumer l'opinion des autres. Comme d'abord elle n'avait rien d'important, on la croyait une femme timide ; mais son courage est grand, au contraire... »

Plus loin, le diplomate fait un portrait de Catherine dans sa vie quotidienne : « Son appétit est énorme. Elle recherche les exercices, marchant beaucoup, montant à cheval, très active ; elle chasse avec le roi son fils, le pousse dans les taillis, le suit avec une intrépidité rare. Son teint est olivâtre, elle est déjà grosse femme. Pendant qu'elle marche ou qu'elle mange, elle parle toujours de ses affaires avec l'un ou avec l'autre. Elle tourne ses pensées non seulement vers les choses politiques mais vers d'autres si nombreuses que je ne sais pas comment elle peut s'occuper à des intérêts aussi divers... »

Pour l'instant elle est au plus haut point préoccupée de Condé qui, faute du roi ou de la capitale, s'est proclamé protecteur de la famille royale et a confié aux huguenots le rôle de défenseurs légitimes du trône contre les triumvirs et les catholiques. Et, pour justifier ces titres, il n'a pas hésité à publier en Allemagne et aux Pays-Bas les lettres que lui a adressées la reine.

Aussitôt, elle le traite de fou, de calomniateur et de rancunier : il lui a demandé de prendre les armes pour la sécurité du trône, elle le lui a accordé à condition qu'il les déposerait au premier mot de sa part. Mais, lorsqu'elle a donné l'ordre, non seulement il a manqué à sa parole, et refusé, mais il a fait preuve d'injustice en l'accusant de l'avoir obligé, le premier, à recourir aux armes. « Je donnerais ma vie pour voir ce royaume en paix, et je le souhaite avec autant d'ardeur que je prie Dieu qu'il en soit ainsi. »

Mais la paix reste un fantôme. Les huguenots ne peuvent vraisemblablement pas passer pour des partisans de la Couronne, et ils ne restent pas inactifs : ils espèrent s'emparer de la riche cité d'Orléans et en faire la capitale protestante de la France.

Le 1er avril, avec deux mille cavaliers, Condé passe les portes de la ville, et huit jours après les chefs protestants rédigent l'acte d'association qui reconnaît le prince comme le protecteur légal de la Maison et Couronne de France, comme leur chef et comme lieutenant général du royaume à la place de son frère Navarre. Leurs buts : arracher le roi aux mains des triumvirs, renforcer l'édit de janvier, « maintenir l'honneur de Dieu et son loyal service », c'est-à-dire le calvinisme. Quatre mille seigneurs signent l'acte, des meilleures et plus anciennes Maisons de France, parmi lesquels Gaspard de Coligny et son jeune frère Andelot, colonel général d'infanterie, le vidame de Chartres qui avait tenté de s'emparer de Lyon, le sieur de Montgomery, et deux noms qui vont devenir célèbres, Jean, sieur de Genlis, et le comte François de la Rochefoucauld.

Condé et Coligny se décident à faire appel aux pays étrangers protestants dont l'aide leur est indispensable. Le vidame et Montgomery vont en Angleterre négocier avec Elisabeth le traité de Hampton Court qui lui donnera Le Havre, Dieppe, Rouen et Calais, éventuellement contre six mille hommes et une somme importante qui permettra de payer sept mille mercenaires luthériens allemands. Puis Coligny dépêche son frère Andelot et Théodore de Bèze à Heidelberg solliciter le concours de reîtres et de lansquenets, auxquels en échange il promet le pillage de Paris. En attendant l'arrivée des envahisseurs, il faut neutraliser Catherine et le triumvirat par des promesses et des bavardages.

La reine cependant continue de travailler pour la paix. Deux fois elle organise une rencontre avec le prince de Condé, mais aucune des deux fois il ne vient. Le 2 juin il lui propose de se voir à Tours mais à la dernière seconde il refuse de s'approcher sous prétexte qu'elle est accompagnée d'une escorte trop importante. Le 9 juin enfin ils se rencontrent sur une plaine déserte, battue par les vents, non loin de Tours, mais malgré un orage violent, Condé refuse d'entrer dans la grange prévue pour leur entretien. Il ne veut pas descendre de cheval et la reine, Antoine de Navarre à ses côtés, s'approche, à cheval aussi, entre les deux haies que forment leurs suites respectives : cent cavaliers chacune, le détachement royal couleur pourpre, les huguenots dans ces casaques blanches qui vont devenir leur symbole.

« Mon cousin, demande Catherine, pourquoi vos hommes ressemblent-ils à des meuniers ? — Pour bien montrer, Madame, qu'ils peuvent battre vos ânes... »

Aux plaisanteries succèdent deux heures de discussions exaspérées et d'autant plus vaines que Coligny, qui a refusé d'accompagner Condé, lui a interdit de prendre le moindre engagement, sans son consentement. A la fin de cette inutile conversation, les gentilshommes de l'un et l'autre parti se précipitent les uns vers les autres, et, avec moult signes d'affection et de regret, se saluent pour la dernière fois, conscients de ce que la guerre civile, « de religion », a maintenant d'inévitable. « J'avais une douzaine d'amis de l'autre côté dont chacun m'était aussi cher qu'un frère, écrit un noble huguenot, et beaucoup étaient dans la même situation, si bien que chacun à tour de rôle demandant la même permission à son officier, les deux lignes de vêtements pourpres et de vêtements blancs se sont bientôt trouvées mêlées en une amicale conversation, et quand elles se sont séparées ce fut avec beaucoup de larmes dans les yeux. »

Catherine garde bon espoir. Malgré sa santé — blessée dans une chute de cheval, elle doit marcher avec une canne et, en outre, est tellement enrouée et enrhumée qu'on l'entend à peine —, elle organise une nouvelle entrevue en pays huguenot, à Beaugency, au sud d'Orléans. Là, le jour de la Saint-Jean, Coligny et quinze chefs protestants établissent et signent une déclaration selon laquelle, si les triumvirs acceptent de quitter la cour pour leurs terres, les rebelles obéiront à Catherine et lui remettront Condé en gage de leur bonne foi.

Les catholiques acceptent et, dans les trois jours, le connétable, le duc de Guise et le maréchal de Saint-André se préparent à gagner leurs domaines. Le lendemain Condé demande à ce que Coligny puisse venir saluer la reine dans son camp ; elle accepte et à son arrivée, embrasse l'amiral sur la bouche comme c'est la coutume entre les reines de France et les grands dignitaires du royaume.

Celui-ci donne sa parole que les chefs huguenots se retireront aussi dans leurs Etats si elle accepte de remettre en vigueur l'édit de janvier qu'elle a dû annuler à cause des troubles ; la reine donne son accord et se rend en compagnie d'Antoine de Navarre dans les quartiers du roi. Elle est surprise de n'y point trouver Condé qui devait l'accompagner, mais ne s'inquiète pas outre mesure : on a besoin de lui dans le camp huguenot.

Il ne lui faut pas longtemps pour comprendre.

Le 1er juillet Coligny met son plan en application : attaquer par surprise, en pleine nuit, les forces royales endormies dans une sécurité trompeuse par des promesses qu'il n'a jamais eu l'intention de tenir. A la tombée de la nuit, après les prières publiques, tous les huguenots en armes et « poussés par l'ardeur et le courage », se mettent en route derrière l'amiral et un corps d'élite de huit cents cavaliers. Ils marchent toute la nuit, les vêtements blancs bruissant dans les champs de blé comme une armée de fantômes. Mais, à l'aube, ils se retrouvent à plusieurs kilomètres du camp royal : leur plan a échoué, les guides se sont perdus dans la nuit.

Catherine explose : « Ils me promirent tous de s'en aller ; mais ils ont fait tout le contraire, car ils ont marché avec leur armée, et m'ont en cela manqué de la promesse qu'ils m'avaient faite. Et vous pouvez juger, par tant d'occasions, quelle satisfaction je puis avoir d'eux, après avoir tant fait pour eux que j'ai fait jusque à cette heure, pour le désir que j'avais de voir ce royaume en repos, et éviter une cruelle effusion de sang, comme celle qui se prépare... » Tels sont ses mots au duc d'Etampes.

Le résultat de cet échec est inévitable : donnerait-elle son âme pour la paix, Catherine ne peut plus faire semblant de prendre la rébellion huguenote pour autre chose que ce qu'elle est, une insurrection armée contre la Couronne. Dans la semaine, Coligny est démis de son titre d'amiral de France — donné à son cousin le plus jeune fils du connétable — et, le 27 juillet, sont déclarés rebelles tous ceux qui à Orléans ou ailleurs sont trouvés armés.

Comme à son habitude, elle s'épanche dans une lettre à sa fille Elisabeth : « Tout ce qui se fait d'un côté ou de l'autre n'est dû à rien d'autre qu'au désir de gouverner et de me prendre, sous couvert et sous couleur de religion, ce que je possède de pouvoir. » Nulle part il n'y a « sainteté ni religion, mais seulement passion , vengeance et haine de chacun ».

Si Coligny compte sur l'aide des protestants étrangers, Catherine craint grandement que l'Espagne n'intervienne aux côtés des catholiques de France. A son ambassadeur de Madrid elle avoue sa peur que « mon fils le roi très catholique ne veuille, sous le prétexte de m'aider à sauver le royaume, se nommer le tuteur de mon fils ; ce qui serait le plus grand des malheurs et la perte manifeste de cet Etat ». Et elle lui recommande de bien dire au roi Philippe qu'elle a mandé six mille Suisses, de sorte que, « connaissant ce fait, vous puissiez lui enlever tout désir de me venir en aide ».

L'un des éléments de la situation semble intolérable à Catherine : la haine de Coligny contre le duc de Guise, haine probablement supérieure encore à la sienne. Lors de son arrivée en France, tous deux étaient d'inséparables amis, comme le confirme Brantôme : « Ils étaient dans les dernières années du règne de François Ier et assez tard sous celui de Henri II tels de grands camarades du même âge, amis et complices, au point qu'ils avaient coutume de porter la même livrée et les mêmes vêtements, et de se présenter toujours côte à côte dans les tournois, combats mimés, courses d'anneaux et mascarades, commettant plus de folies et d'extravagances que tous les autres. » Telle était leur amitié lorsqu'elle les a connus, à l'époque où elle recommandait Coligny à ses cousins de Florence. De tels souvenirs s'effacent difficilement, mais le voudrait-elle, elle n'est pas à même de comprendre l'évolution ni la rupture de cette amitié.

Comme ils ont été inséparables à la Cour, ils ont combattu ensemble. Coligny est colonel général d'infanterie lorsque Guise qui commande la cavalerie reçoit à Boulogne sa célèbre blessure. Mais, si leur réputation de soldats se vaut, le premier est moins populaire ; hautains et intolérants l'un et l'autre, Gaspard ne possède pas le charme de François, et, peut-être parce qu'il se sent plus faible, il est têtu, sujet à des colères brusques et irraisonnées et toujours prêt à envenimer les discussions par son agressivité.

La première querelle entre les deux amis survient à propos d'un duel entre deux capitaines du duc de Guise. Chargé de diriger l'ensemble des opérations militaires, fort de ses pouvoirs, celui-ci veut en être l'arbitre ; Coligny, nommé lieutenant général pour les opérations qui se poursuivent à Boulogne, lui dénie ce droit. Il est lui-même l'auteur d'un code officiel de conduite des armées, les *Ordonnances,* qui portent son nom et dans lesquelles ont pu s'épanouir tout à leur aise ses obsessions de l'ordre et du détail. Le roi Henri II les a marquées de son approbation, et, dans cette affaire de duel, il soutient son lieutenant général. Mortifié, le duc de Guise se plaint à Diane de Poitiers, mais à sa déception le royal amant ne change pas d'opinion.

Désormais les chemins de Gaspard et de François se séparent. Lorsque ce dernier va défendre Metz, son ami qui vient d'être nommé amiral de France lui écrit : « Je ne peux rien souhaiter de mieux que d'avoir l'heureuse chance d'être proche de vous si l'empereur vient vous assiéger », et nul plus que lui ne s'émerveille de l'héroïque défense de François. Ils se retrouvent à la bataille de Renty peu après le siège de Metz ; Guise ne peut ramener sa charge de cavalerie car à l'abri d'un bois, une compagnie ennemie tient le champ de bataille. Coligny intervient avec ses mille fantassins et les fait évacuer : la victoire est complète.

« — Nous avons livré le plus bel assaut que j'aie jamais vu ! lui dit plus tard le duc de Guise.

« — Oui, et votre aide m'a été d'un grand secours.

« — Morbleu ! réplique le duc, tenez-vous à m'ôter tout mon honneur ?

« — Cela n'est point dans mes pensées, répond Coligny.

« — Le voudriez-vous que vous ne le pourriez pas... »

La campagne suivante les voit sur des lieux différents : François est en Italie et Coligny, au nord, tient contre toute vraisemblance pendant dix-sept jours la défense de Saint-Quentin avant de devoir l'appeler en catastrophe à son secours. Le duc accomplit alors sa célèbre marche forcée à travers l'Europe, mais il arrive trop tard : l'amiral est prisonnier dans les Flandres au château de l'Ecluse. Il ne lui reste plus qu'à prendre Calais et à se faire acclamer d'avoir en partie vengé Coligny.

Ces deux ans d'emprisonnement dans une forteresse étrangère marquent le tournant de la vie de l'amiral de Coligny. Il a tout le temps de lire les *Institutions* et de correspondre avec Calvin qui le pousse à se convertir, « voyant que Dieu vous a donné l'occasion de retirer quelque profit de son école d'adversité, comme s'il désirait vous parler à l'oreille ».

Coligny revient de prison quatre mois avant la mort de Henri II pour découvrir à quel point tout a changé en son absence : il est responsable de tous les échecs militaires et sa réputation est au plus bas alors que celle du duc de Guise est à son zénith. S'il veut retrouver quelque influence ou quelque pouvoir, il lui faut soit marcher dans l'ombre de « M. de Guise le Grand » soit s'opposer à lui par tous les moyens. Or, cette attitude est maintenant possible ; pendant ces deux années le mouvement huguenot s'est accru de tous les nobles et gentilshommes ruinés par les guerres, déçus dans leurs espoirs. Ils ont besoin d'un chef : Condé, leur « chef muet », est son neveu par alliance et il s'imagine bien, si la révolution réussit, tenant derrière le trône les rênes de l'autorité ou devenant chef à son tour s'il se convertit en secret au protestantisme.

Dans la petite ville de Valleville, près de son château de Châtillon-sur-Loing où il construit une aile nouvelle pour abriter les peintures et les sculptures qui célèbrent l'histoire de sa famille, il assiste à un service huguenot. Puis il demande à la congrégation de lui pardonner son manque d'enthousiasme à les rejoindre plus tôt ; accueilli à bras ouverts par le pasteur, il tombe à genoux et rend grâce d'être accepté parmi les élus.

On peut discuter sans fin de la sincérité de cette conversion, mais son à-propos politique est hors de doute. Coligny unit en sa personne le « huguenot d'Etat » et le « huguenot de religion » pour devenir le chef indiscuté d'une force nouvelle capable de supplanter celle du duc de Guise. Pour celui-ci la trahison de l'amiral — car c'est ainsi qu'il vit sa conversion — fut le geste, dernier et impardonnable, qui changea en haine son affection. Il ne revit jamais Coligny, et toujours s'arrangea pour être absent des entrevues où il risquait de le rencontrer. Pour les princes lorrains la religion était l'élément fondamental de l'existence : immense était leur ambition humaine, mais, là où elle se heurtait à leur foi, elle savait capituler.

Une fois commencés les combats, les forces royales reprennent rapidement les villes passées aux mains des huguenots dès l'édit de janvier ; en quinze jours, elles sont maîtresses de Blois, Angers, Tours, du cours de la basse Loire avec l'Anjou, le Berry puis le Poitou et la Saintonge. Seules Rouen, Orléans et Lyon, avec quelques places de moindre importance, restent sous le contrôle des rebelles. Coligny est déterminé à les conserver à n'importe quel prix : Rouen ouvre la porte de Paris aux troupes anglaises déjà au Havre, Lyon aux mercenaires allemands, et Orléans est la future citadelle du calvinisme. Condé et l'amiral se chargent de cette dernière et Montgomery de Rouen qui fait partie de son terroir.

Pour mettre rapidement un terme à la rébellion, le triumvirat a dans l'idée d'isoler et de réduire Orléans. Tel n'est pas le point de vue de Catherine : « Qu'est-ce qu'Orléans ? écrit-elle à Navarre. Il y a là-bas des huguenots et rien d'autre ; tandis que Rouen est la porte du cœur de la France ! Quand les Anglais tiennent Rouen, ils tiennent Paris ; et si nous leur laissons le temps de la fortifier, ils la rendront imprenable. » Le duc de Guise comprend vite que, outre son désir de s'emparer du meurtrier de son mari, elle a raison sur le plan militaire. Il se range à son avis et l'armée entière, Catherine en tête, se met en route pour Rouen.

Le siège n'est pas des plus faciles : protégée d'un côté par la Seine, de l'autre par une colline surmontée d'une forteresse pratiquement inaccessible, Rouen promet d'offrir une résistance tenace. L'automne est abominable : les pluies ont transformé le camp en marécage, les épidémies se déclarent, le moral des troupes royales s'est déjà volatilisé. Catherine fait de son mieux pour les réconforter de sa présence, surveille les opérations aux postes avancés, et s'expose au feu ennemi avec une indifférence qui lui attire les remontrances du duc : « Pourquoi me ménagerais-je, répond-elle, puisque j'ai autant de courage que vous ?... »

Elle insiste pour accompagner Antoine de Navarre dans sa ronde pour évaluer l'état exact des fortifications et des remparts ; mais il est blessé à l'épaule par un coup d'arquebuse et elle surveille son retour au camp où les médecins le déclarent hors de danger.

La nouvelle porte un coup très rude au moral des troupes : le bruit court que leur général est mort et, le lendemain, le duc de Guise et le connétable ont quelque difficulté à relancer leurs hommes.

Une fois encore, Catherine sauve la situation. Elle s'adresse à l'armée entière, lui demandant si elle souhaite vraiment abandonner son jeune fils Charles, leur roi, aux mains des Anglais. Déjà, ces envahisseurs ont été chassés hors de France, il y a cinq ans, lorsque le duc de Guise s'est emparé de Calais ; mais des traîtres ont laissé revenir ces ennemis héréditaires. Va-t-on les laisser s'installer ?...

L'armée ne fait qu'un bond autour d'elle, pour voir une femme volumineuse, plus jeune et à la peau mate légèrement olivâtre, dont ils ont donné le nom — en signe d'amicale moquerie — au plus gros de leur canon. Mais cette voix est pour eux celle de Jeanne d'Arc.

Au milieu des cris d'enthousiasme, la reine ordonne de tirer dix mille coups de canon dans les murs de la cité rebelle, et de donner l'assaut aussitôt après. Les remparts cèdent sous la canonnade, une brèche y est pratiquée et, le 26 octobre, la forteresse tombe ; mais, à la grande déception de Catherine, Montgomery est arrivé à s'enfuir du Havre dans un petit bateau et, de là, a gagné l'Angleterre.

Malgré sa blessure, Antoine de Navarre tient à accompagner la reine dans son entrée triomphale à Rouen ; mais il s'évanouit dans sa litière et on le ramène mourant au camp. De son royaume des Pyrénées d'où elle ne désire pas se déranger, Jeanne de Navarre fait savoir « Mon cœur est fermé à mon mari ; je consacre désormais toutes mes possibilités d'amour au strict accomplissement de mes devoirs ». Ainsi meurt le premier prince du sang, à l'âge de trente-quatre ans, entre la « belle Rouhet », sa maîtresse, et son fils Henri qui a en lui suffisamment de sang Bourbon pour n'être pas enthousiasmé à l'idée de retourner en Béarn, quelle que soit son affection pour sa mère qui va maintenant l'abreuver aux pures fontaines calvinistes. Fait significatif : l'« Echangeur », au moment de sa mort, est assisté d'un frère dominicain et d'un prêcheur huguenot ; à l'un et à l'autre il promet loyalement de mourir dans leur foi respective...

Condé apprend la mort de son frère le 17 novembre, à moins de trente kilomètres de Paris et à la tête de son armée. Sa première idée est d'en tirer quelque avantage politique en se proclamant premier prince du sang, maintenant qu'il est le nouveau chef de sa Maison, et en demandant à la reine la charge de lieutenant général de son frère, puisque le cardinal de Bourbon est dans les ordres.

Catherine voit dans ce souci de conciliation une dernière

chance d'écarter une guerre meurtrière. Elle lui propose une entrevue à Charenton, à quelques kilomètres de la capitale ; Condé accepte mais, fidèle à ses habitudes, ne s'y rend pas; il se dit souffrant. L'entretien est repoussé, le prince n'y paraît toujours pas, finalement Coligny le remplace : la seule raison pour laquelle ils ont ressorti les armes, assure-t-il à Catherine, est la recherche de l'amour de Dieu. Mais, réplique la reine, la présence de milliers d'Anglais et d'Allemands sur le sol français demande une explication un peu moins simple. Ils rentreront chez eux, reprend l'amiral, dès qu'on aura trouvé une issue à ces problèmes religieux.

Les négociations se poursuivent avec Condé qui a renoncé à ses prétentions dynastiques, et, le 4 décembre 1562, la paix semble assurée. Le protestantisme est limité aux villes qui lui ont été allouées avant le début des hostilités, mais interdit dans Paris et les villes frontières. C'est en fait un renouvellement de l'édit de janvier : garantie absolue de la liberté de conscience, liberté limitée du culte public. Mais au dernier moment Coligny fait échouer les pourparlers en proposant au roi de regarder les forces protestantes comme partie de l'armée royale, de les solder, et avec elles les mercenaires allemands.

L'inquiétude de l'amiral est compréhensible. Les Allemands veulent plus que l'énorme butin qu'ils ont déjà, et menacent de le prendre, lui et ses Etats, en garantie des sommes qu'il leur a promises. Son dernier espoir est de s'emparer du Havre où l'or anglais attend d'être distribué. Trois jours après l'échec des négociations il prend la route de la côte avec le prince de Condé ; au même moment le connétable et le duc de Guise quittent Paris avec l'armée royale pour leur barrer la route, et le 19 décembre ils se rencontrent à Dreux, sur la petite rivière de l'Eure, aux portes de la Normandie.

Les huguenots dont la cavalerie est plus nombreuse que celle de l'armée royale, sont rapidement vainqueurs ; le connétable est blessé et fait prisonnier, le maréchal de Saint-André est tué. L'issue laisse peu de doutes. Pendant que l'armée quitte en désordre le champ de bataille, Condé et Coligny s'arrêtent quelques instants près du village de Blainville pour se féliciter. Mais Coligny montre brusquement un bois en partie caché par un repli de terrain à droite du champ de bataille : « Attendez, messieurs, que ce nuage éclate ! » ; il a aperçu l'ennemi.

C'est là que, simple capitaine, le duc de Guise a attendu

Assassinat de François de Lorraine, duc de Guise, par Jean Poltrot de Méré en 1563.

pendant toute la bataille avec un corps d'élite de trois cent cinquante cavaliers ; et rien ne l'en a délogé, pas même le fils du connétable venu le supplier de voler au secours de son père : « Ce n'est pas encore le moment », et il a refusé.

Mais l'instant est venu. Ivres de leur victoire, les huguenots cassent les rangs pour se ruer dans un pillage sauvage ; il donne alors l'ordre de charger et de rejoindre les quelques catholiques restés sur le champ : « Maintenant, mes amis, c'est à nous ! » Son aile droite s'empare de l'artillerie rebelle et met l'infanterie en déroute ; son centre renvoie sur Condé et Coligny les bandes dispersées des cavaliers huguenots, sa gauche disperse momentanément le reste. Les cavaliers allemands se précipitent pour trouver refuge auprès de l'arrière-garde et, dans la mêlée, le prince de Condé est fait prisonnier. Profitant d'une pause au cours de laquelle le duc de Guise accepte la reddition de deux mille lansquenets allemands, Coligny entreprend de répartir le reste de ses forces en petites unités qui ne se reformeront qu'à la nuit, à des kilomètres de là.

Le duc de Guise établit son quartier général à Blainville, et dans une petite maison, épuisés, son cousin et lui (sa mère est la tante de Condé) partagent le même lit et la même couverture.

Cette défaite au profit du duc met le comble à la haine de l'amiral ; par ses soins, la guerre civile va se transformer en une vendetta qui ne s'assouvira, à neuf ans et demi de là, que la nuit de la Saint-Barthélemy. Il convoque l'un de ses espions, Jean Poltrot, sieur de Méré, attaché aux troupes de François de Guise, « miséreux petit homme au teint jaune » d'environ vingt ans et cousin du conspirateur d'Amboise qu'il s'est juré de venger, La Renaudie. Coligny lui ordonne d'assassiner le duc de Guise pendant qu'il tente le siège d'Orléans dans l'espoir de mettre fin à la guerre.

Le soir du 18 février 1563, après avoir ordonné pour le lendemain l'assaut de la place forte protestante puis inspecté les fortifications, le duc rentre à son quartier général « sans sa cotte de mailles, ce qu'il n'avait jamais fait depuis le début du siège ». Ce détail ne passe pas inaperçu de Poltrot qui chevauche à l'avant ; il se cache derrière une haie dans un étroit sentier menant au château et, lorsque François de Guise passe, lui tire dans le dos. Le duc tombe sans connaissance, mais pas encore mort, cependant que Poltrot, grâce au cheval rapide fourni par Coligny, se trouve hors de poursuite avant que le page du duc, qui marchait devant lui, soit revenu du château avec de l'aide.

Catherine apprend la nouvelle à Blois. Aussitôt elle offre deux mille écus pour le nom du meurtrier, le double pour sa capture, et envoie en hâte ses propres chirurgiens auprès du duc en même temps qu'une lettre à la duchesse : « Bien que l'on m'ait assuré que le coup n'est pas fatal, je suis si troublée que je ne sais que faire. Mais je veux user de toute la faveur et de tout le pouvoir que j'ai dans le monde pour le venger, et je suis sûre que Dieu me pardonnera tout ce que je ferai dans cette voie. » Le lendemain, elle part pour Orléans et se rend aussitôt auprès du duc ; Poltrot est là, qui a perdu son chemin dans le noir et s'est fait prendre, et elle l'interroge en personne.

« Il m'a dit de son plein gré et sans se faire prier, rapporte-t-elle à sa belle-sœur la duchesse de Savoie, que l'amiral lui a donné cent écus pour accomplir cette vilaine action et qu'il ne voulait pas le faire ; mais que Bèze et un autre prêcheur l'ont persuadé et lui ont assuré que s'il la faisait, il irait tout droit au ciel. Ce qu'entendant il s'est décidé pour mettre le projet à exécution. Il m'a dit en plus qu'il me fallait surveiller le mieux possible mes enfants et veiller avec grand soin sur ma personne parce que l'amiral me haïssait infiniment. Voilà, Madame, cet homme de bien qui dit qu'il ne fait rien que pour la religion, nous veut tous dépêcher. J'entends que pendant cette guerre il arrivera à la longue à tuer mes enfants et à supprimer tous nos meilleurs hommes. »

Coligny nie l'accusation de Poltrot. Lorsque la nouvelle arrive au camp protestant « des remerciements solennels sont offerts à Dieu ainsi que de grandes réjouissances » ; l'amiral proclame : « Cette mort est le plus grand bien qui pouvait arriver à ce royaume et à l'Eglise de Dieu, et particulièrement à moi et à toute ma Maison. » Il reconnaît avoir su par Poltrot ses intentions de tuer le duc de Guise, mais « je ne l'en ai pas détourné » avoue-t-il cyniquement ; quant aux cent écus qu'il a donnés à l'assassin, ce n'étaient que ses gages d'espion, et le cheval rapide devait servir seulement à transmettre plus rapidement les nouvelles.

Le mercredi des Cendres 24 février 1563, le duc François de Guise meurt, affirmant jusqu'à son dernier soupir qu'il n'est pas responsable du sang versé à Vassy, que c'est un accident survenu contre sa volonté et exploité par les réformés. Il supplie Catherine de rétablir le plus vite possible la paix religieuse pour diriger un royaume uni contre les envahisseurs étrangers.

Le lendemain elle écrit : « Dieu a trouvé bon de me frapper une fois encore, et avec moi ce pauvre pays. Il a utilisé la plus misérable des morts pour me prendre un homme qui se tenait au-dessus de tous les autres et s'était dévoué au roi. M. de Guise était le plus grand capitaine de notre royaume, l'un des plus grands ministres, et des plus capables, qui ait jamais été au service du roi. La perversité de cet acte, dont on peut dire que c'est l'un des plus malheureux qui ait jamais été commis en France, s'ajoute aux maux exécrables déjà accomplis par les mercenaires. Je ne sais pas ce que deviendront les choses sans M. de Guise, parce que le connétable est prisonnier à Orléans et nous n'avons plus d'hommes pour commander notre armée, excepté le maréchal de Brissac, et il n'est physiquement pas capable de le faire. Néanmoins, je dois le lui laisser croire. En attendant c'est moi qui devrai commander et jouer le rôle du capitaine. »

CHAPITRE X

Pacificatrice

Catherine reprend aussitôt son œuvre de paix. Condé et le connétable sont prisonniers des partis adverses et les choses en sont facilitées ; Antoine de Navarre et François de Guise sont morts, elle pourra offrir la lieutenance générale du royaume à Condé qui ne la refusera vraisemblablement pas ; enfin, Coligny est en Normandie d'où il ne pourra intervenir dans les conversations.

L'entrevue entre la reine, le prince et le connétable sur une péniche amarrée sur la Loire en dehors d'Orléans donne lieu à un nouvel édit, la paix d'Amboise ; c'est une répétition de l'édit de janvier, un peu moins favorable peut-être aux huguenots puisque seule la grande noblesse a le libre exercice de son culte, la petite devant demander l'autorisation de son suzerain et n'ayant pas le droit de créer des congrégations locales.

Le 18 mars, veille de la proclamation de la paix, les Parisiens assistent à deux spectacles : l'exécution de Poltrot et le retour à Notre-Dame du corps du duc de Guise accompagné de sa famille.

Quatre jours auparavant le gouverneur de Paris, cousin de Coligny et adepte secret de la nouvelle religion, a promis à l'assassin de le sauver dans la mesure où il retirait ses accusations contre l'amiral. Poltrot, inconscient de l'hystérie soulevée dans Paris par la mort de son idole, et qui rend impossible un tel compromis le jour même du retour de son corps, rétracte ses accusations le 15 mars au cours d'un interrogatoire public. Le matin de l'exécution, il renouvelle ses démentis, espérant encore, jusqu'à son arrivée place de Grève, une grâce de la dernière seconde ; mais, devant l'horrible supplice de l'écartèlement qui lui a été préparé, il comprend que ses espoirs sont vains. Jusqu'à son dernier souffle, sur la foi d'un homme au bord de l'éternité, il maintient ses charges contre Coligny.

Le jeune duc de Guise, âgé de treize ans, chevauche en tête du cortège funèbre de son père, aussi fièrement que si ce dernier était à ses côtés : l'accueil des Parisiens est plus enthousiaste encore que lors de leur triomphale entrée il y a quelques mois. Il a le visage fermé et les yeux secs, mais il vient de faire un vœu : quinze jours auparavant, devant le cercueil de son père dans la chapelle royale de Blois, il a dit en sanglotant à son oncle d'Aumale : « Dieu me damne si je laisse Coligny en vie... N'est-ce pas que j'ai raison ? — Cordieu ! répond d'Aumale, je vous aurais tué de vous trouver dans d'autres dispositions ! »

La première réaction des Guises est de faire comparaître Coligny devant le Parlement de Paris ; lui l'ignore, et veut faire appel directement au conseil royal à Saint-Germain. Catherine le fait arrêter par Condé, avec ordre de ne pas bouger de ses Etats jusqu'à ce que la guerre soit terminée et les Anglais hors de Normandie. Alors seulement, elle avisera de son innocence ou de sa culpabilité.

Puis elle se prépare au siège du Havre tenu par une garnison anglaise de six mille hommes : elle commande seize canons nouveaux pour pouvoir, « comme à Rouen, donner contre la ville une furieuse batterie de trente ou quarante pièces », se fait livrer de Lorraine, terroir des Guises, des munitions supplémentaires et, accompagnée du prince de Condé, nouveau lieutenant général, et du connétable à la tête d'une armée de loyaux huguenots et de catholiques, symbole de la nouvelle unité, elle se met en route pour le Nord. « Je ne serai jamais à mon aise que je n'eusse pris cette ville, et chassé ces Anglais de France, haïssant plus que poison ceux qui la leur ont vendue... »

La veille de la victoire, à la fin du mois de juillet, elle fait descendre la rivière au jeune roi de treize ans et demi pour lui permettre d'attendre tout près la reddition de la ville et l'entrée triomphale qu'il ne manquera pas d'y faire à ses côtés. Pour donner à l'événement toute l'importance qu'il mérite, elle proclame sa majorité le 17 août devant le Parlement de Rouen, selon un précédent oublié qui, dans certaines circonstances, permet de considérer comme majeur un souverain qui n'a pas quatorze ans. Le lendemain, pour montrer qu'il est vraiment l'oint de Dieu, Charles IX pose la main sur de nombreuses scrofules et, dit-on, guérit des malades.

Maintenant qu'il est théoriquement dégagé de la tutelle de sa mère, son premier geste est de se rendre aux prières répétées de la famille du duc. Un dimanche, après la messe, sa veuve, sa mère, son fils Henri et ses frères, en grand deuil, se jettent à ses pieds et lui demandent de poursuivre Coligny en justice ; Charles promet, les larmes aux yeux, de constituer un tribunal de membres du parlement local et du grand conseil, en nombre égal, chargés de se prononcer. Une fois encore l'amiral refuse de reconnaître la cour. Pour sortir de l'impasse, le roi se réserve d'étudier lui-même l'affaire et de rendre son jugement dans les trois mois.

« Le roi mon fils, dit fièrement Catherine, de son propre chef et sans y être poussé, a pris une si bonne décision que son conseil entier l'a félicité. » Puis, aussitôt remise d'une légère indisposition qu'elle a évidemment refusé de prendre au sérieux, malgré l'inquiétude de sa famille, elle se préoccupe de remettre le royaume en ordre.

Elle a besoin pour cela de toutes ses facultés : misère immense, agitations et troubles perpétuels, meurtres et pillage, anarchie et chaos dans de nombreuses localités malgré la « paix », campagnes ruinées et décimées par les mercenaires allemands, instabilité chronique de l'économie, grouillement de chômeurs et de bras inutilisables... Elle se donne à tout à la fois, ne néglige aucun problème ni aucun détail. Dans le traité de paix avec l'Angleterre elle prévoit une clause sur la liberté de commerce entre les deux nations, qui supprimera la plupart des droits et exactions imposés aux marchands. Dans le domaine de la vie courante, c'est sur son instigation que l'année débutera désormais le 1er janvier et non plus à Pâques ; sur son instigation aussi que se créent les tribunaux de commerce pour la simplification des jugements.

Convaincue que les liens courants entre la Couronne et le royaume — grands seigneurs, officiers provinciaux et parlements locaux — sont devenus inexistants et qu'il est grand temps de leur redonner vie, elle dicte un mémoire à Charles IX, lui recommandant de recevoir les députations de toutes les provinces : « Prenez soin de leur parler toutes les fois qu'ils se présenteront dans votre chambre. Je l'ai vu faire ainsi à votre père et à votre grand-père, et, lorsqu'ils n'avaient plus rien d'autre à propos de quoi parler, ils allaient même jusqu'à s'entretenir avec eux de leurs propres affaires de famille. »

Elle est consciente de l'importance de ces rapports entre le roi et ses sujets, et scrupuleuse d'en maintenir la coutume. Mais c'est encore insuffisant : elle veut entreprendre sur deux ans un voyage à travers son royaume avec le roi et la cour ; voyage de pacification, voyage de reconnaissance, d'instruction pour son fils, qui la mènera à la frontière espagnole où elle verra sa fille Elisabeth et s'entretiendra de la situation internationale avec Philippe et le duc d'Albe.

Avant son départ, elle juge de bonne politique d'offrir à la cour quelques jours de divertissement, forte de l'enseignement de François Ier : « Deux choses sont nécessaires pour vivre en paix avec les Français et leur faire aimer leur roi : les divertir et les occuper avec les exercices du corps. »

Elle donne à Fontainebleau une série de fêtes magnifiques qu'ouvre un grand souper offert par le connétable ; le lendemain c'est au tour du cardinal de Bourbon dont l'hospitalité, digne de ses compétences, dépasse en magnificence celle de la veille. Deux jours plus tard, Catherine offre un banquet royal, suivi, dans la salle de bal du château, d'une comédie italienne. Puis, le jeune frère du roi, Henri d'Anjou, inaugure à douze ans son métier d'hôte par un dîner suivi d'un tournoi où douze gentilshommes combattent à pied, à l'épée et au javelot. Enfin le jeune roi préside une grande fête et un tournoi masqué où quatre maréchaux de France à cheval et de jeunes courtisans donnent l'assaut à un château défendu par des démons et des géants ; des joutes suivent, mais le cœur n'y est plus : inoubliée, inoubliable, l'ombre de la fatalité plane encore sur ces jeux.

C'est pour chasser ces ombres de sinistre mémoire que Catherine décide d'abattre le vieux palais des Tournelles où est mort son mari, et d'élever sur les bords de la Seine un magnifique jardin. Dès 1564, elle commence la construction du nouveau palais des Tuileries qu'une galerie doit relier au Louvre, où, par ailleurs, elle achève le célèbre quadrilatère dessiné par Pierre Lescot qui n'a cessé d'y travailler du temps de son beau-père et de son mari. Il sera terminé pour l'accueillir à son retour, après les deux années passées à parcourir ses territoires.

Enfin, le 13 mars 1564, dans l'après-midi, un étonnant cortège de mille personnes quitte Fontainebleau. Seuls manquent les Guises et l'amiral de Coligny qui, par jugement du roi, sont confinés dans leurs terres et priés de ne se préoccuper pendant trois ans que de sauvegarder la paix. Catherine et ses trois enfants, le roi, Henri d'Anjou et Margot, partagent le grand carrosse royal. Chaque enfant a sa propre suite, et elle-même a légèrement modifié sa façon de voyager : elle utilise une litière lorsqu'elle veut converser en route avec quelque correspondant étranger, et le cheval lorsqu'elle a envie d'exercice. Elle est devenue volumineuse, et spécifie en demandant de nouveaux chevaux : « Avant tout, qu'ils soient forts ! J'en ai déjà tant épuisé ! »

Condé, lieutenant général du royaume et prince du sang, suit immédiatement derrière avec sa propre Maison. C'est une procession entière qui traverse le pays et qui comprend, outre huit mille chevaux, conseillers, ambassadeurs et secrétaires, prêtres et moines, l'escadron volant, le grand prévôt qui a charge de loger tout ce monde, chez l'habitant, dans les villes et villages où ils s'arrêtent, les gentilshommes de la Maison du roi, les pages d'honneur, la garde suisse et la garde écossaise, les palefreniers, fauconniers et piqueurs, les chariots de ravitaillement avec les vaisselles d'or et d'argent pour les banquets d'apparat et les cuisiniers, d'autres chariots pour les décors, arcs de triomphe et ingénieuses bagatelles pour les entrées royales, barques pour les repas et les divertissements sur l'eau, enfin l'immanquable ménagerie de voyage...

Au début du voyage, dans les premiers jours d'avril, la cour s'arrête à Troyes pour célébrer les fêtes de Pâques et signer le traité de paix avec l'Angleterre. De grandes réjouissances ont lieu, au cours desquelles éclate le scandale de la grossesse d'Isabelle de Limeuil, jeune maîtresse du prince de Condé choisie par la reine dans son escadron volant. Prise de douleurs pendant un bal, elle se présente bientôt dans l'antichambre avec « un joli et splendide garçon ». Grand est l'orgueil paternel du prince, mais Isabelle de Limeuil a désobéi aux lois inflexibles et fondamentales de l'escadron et chacun sait ce que cela veut dire : la reine ne cache pas sa colère et enferme l'imprudente jeune fille dans un couvent où elle aura tout loisir de se repentir de sa désobéissance pendant que la cour poursuit son voyage.

Le 1er mai, Catherine assiste à Bar-le-Duc au baptême de son premier petit-fils, le fils de sa seconde fille Claude qui a épousé le duc de Lorraine, en même temps que François II épousait la jeune Marie d'Ecosse. Le roi Charles IX est le parrain de l'enfant et Pierre de Ronsard se répand en compliments élégants.

A Mâcon, le cortège royal rencontre la reine de Navarre qui revient des funérailles de Calvin à Genève avec douze pasteurs calvinistes et son fils Henri. Après une année sous la tutelle de sa mère, celui-ci regrette plus qu'il ne s'y attendait la mort de son père, et se réjouit de revoir la cour. Jeanne est d'humeur sérieuse et se penche gravement sur la question qui agite les dévots mâconnais : les enfants huguenots marcheront-ils, oui ou non, côte à côte avec les enfants catholiques lors des processions profanes ? Catherine, qui juge inutile de perdre son temps à de tels détails, n'est pas fâchée de voir la reine repartir vers ses propres Etats après avoir confié le jeune Henri aux soins de son oncle Condé.

Ces régions sont trop proches de Genève pour que les tensions religieuses ne s'y fassent pas sentir. Des rumeurs circulent à Lyon : une rébellion protestante est imminente, qui ira jusqu'au meurtre général de la cour ; ou bien la reine mère est sur le point de faire de nouvelles concessions aux calvinistes... Le premier bruit la fait sourire ; quant au second, elle le contredit en interdisant les prêches à moins de quinze kilomètres des lieux de déplacement de la cour.

Lyon la reçoit magnifiquement, elle, le roi et la cour, mais une épidémie de peste les oblige à quitter précipitamment la cité que Catherine aime infiniment pour la richesse et la diversité de ses activités. « Les morts sont abandonnés dans les rues pendant la journée, rapporte l'ambassadeur anglais, et la nuit on les jette dans la rivière parce que l'on n'a pas le temps de creuser des tombes. Il en meurt presque autant de la faim et de l'absence de soins que de la peste. »

A Valence, la mort prend pour Catherine un visage plus précis : sa fille Elisabeth vient de donner naissance à des jumeaux mort-nés. Déçue et peinée de savoir qu'aucun petit-enfant espagnol ne l'attend plus à la fin de ce long voyage, elle écrit cependant à sa fille une lettre pleine de gaieté lui disant qu'elle a pour elle la jeunesse, donc toutes les chances pour une autre fois. Un voile de mélancolie s'est abattu sur la famille à la suite de cette triste nouvelle et la reine sans en avoir l'air multiplie divertissements et mascarades, allant même jusqu'à se présenter un jour en Turque devant sa cour étonnée.

Une autre fois, elle joue un bon tour à son entourage : elle quitte brusquement le voyage, laissant une note au prince de Condé lui signifiant qu'elle est partie pour Barcelone. Affolement au conseil royal, réunion extraordinaire : quelle crise ne va pas survenir ? Catherine surgit alors : elle voulait seulement voir comment ils allaient réagir ! « Racontez l'histoire à ma fille la reine, écrit-elle à son ambassadeur espagnol, cela l'amusera beaucoup ! »

Cet intermède insouciant dans les mimosas, les palmiers et les poivriers méditerranéens, qui lui apportent comme un souffle de sa chère Italie, ne laisse pas insensible sa plus jeune fille. Margot se lance aussi dans des jeux de son invention ; elle fait un jour une apparition inattendue en brocart cramoisi, étincelante de bijoux, les cheveux relevés en un échafaudage sophistiqué. Les dames de la cour ont à peine le temps de se précipiter sur leur garde-robe pour se mettre au diapason qu'elle a disparu, et revient déjà, vêtue d'une stricte tunique blanche, les cheveux dans le dos, les yeux baissés, tel un ange ou une première communiante. Elle fait très bon ménage avec son frère Henri ; elle aime son cynisme, son détachement, son ravissant visage et tous deux font des paris sur le nom de la première dame d'honneur assez rapide pour suivre tous ses caprices.

Le 17 octobre, au cœur d'une arrière-saison somptueuse, la cour arrive à Salon-de-Provence ; les notables accueillent chaleureusement le roi, fiers et heureux de ce qu'il ait choisi de s'arrêter dans leur cité chargée d'histoire et de souvenirs. « Nous sommes venus pour voir Nostradamus », répond brièvement Charles IX. Cela est vrai, et Catherine se rend aussitôt dans le laboratoire alchimique de l'astrologue, gloire de la petite ville, pour un long entretien. Elle revient au problème de la succession : son cher mage est-il sûr que le miroir de Chaumont n'a pas menti ? Sûr qu'Henri de Navarre succédera à Henri d'Anjou sur le trône de France ? Une erreur est fort improbable, répond le magicien mais, pour plus de sûreté, il veut bien examiner les grains de beauté du jeune prince.

Henri est prié d'enlever ses vêtements ; malheureusement, cet ordre ressemble étrangement à celui que lui donne son précepteur lorsqu'il va recevoir une fessée. L'enfant prend ses jambes à son cou et s'enfuit...

Le lendemain, à son réveil, il trouve Nostradamus penché

sur lui et lui expliquant gentiment les raisons de sa prière, et le jeune garçon se livre sans protester à l'examen du savant. Le verdict confirme celui du miroir de Chaumont ; tristement Catherine s'incline, non sans avoir décidé dans son for intérieur que, si elle n'arrivait pas à fiancer Margot à don Carlos, fils et héritier de Philippe d'Espagne, — l'un parmi les nombreux buts non avoués de ce voyage —, elle la marierait à Henri de Navarre.

L'hiver suivant est précoce et affreusement froid. « Le temps glacial, écrit Margot dans son journal, a gelé toutes les rivières en France, et il a gelé aussi le cœur et le cerveau des hommes. » Ce n'est pas son climat, mais c'est celui de son frère Charles ; la cour est à Carcassonne, et au-delà des remparts de la ville haute, la neige barre tous les chemins : le jeune roi aime ce temps, et plus tard son meilleur souvenir de voyage sera celui des batailles de boules de neige dans la vieille cité avec Henri d'Anjou et Henri de Navarre. Catherine, pendant ce temps, qui ne perd jamais une occasion de s'instruire, lit d'anciens manuscrits.

Au printemps, Catherine apprend à Bordeaux que sa fille Elisabeth a été retardée dans son voyage vers la frontière. Habituée au fait que Philippe II se fait toujours représenter par le duc d'Albe, elle espère contre toute évidence que son gendre finira par changer d'attitude ; mais le retard de sa fille lui donne le pressentiment que ses projets, pour lesquels elle a fait un voyage de mille kilomètres, sont en train de s'écrouler. Interrogé, son ambassadeur veut lui faire croire qu'à la cour d'Espagne la rumeur circule que la reine de Navarre serait présente à la conférence. Catherine ne sait si elle doit rire ou pleurer de la perfidie de cette absurdité : « Me prenez-vous pour une folle ? » Le roi catholique et son conseiller, explique le diplomate, ont été si mécontents de la trop grande tolérance de l'édit d'Amboise, qu'ils sont prêts à croire n'importe quoi sur ses compromis envers les hérétiques : « Ils craignent, Madame, que lorsque vous vous aviserez de faire face au danger, il ne soit trop tard. — Dans ce cas, répond Catherine, le plus urgent est d'aviser le duc de la véritable situation et des difficultés que je dois affronter. »

Les Espagnols se mettent enfin en route mais Catherine ne peut embrasser sa fille avant le milieu de l'été. « Leurs Majestés de France, rapporte un chroniqueur, ayant entendu dire que la reine d'Espagne allait traverser la rivière qui sépare les deux royaumes au sud, dînèrent très tôt, et aussitôt après partirent pour ladite rivière, près de laquelle elles firent élever des tonnelles très feuillues à environ deux lieues de Saint-Jean-de-Luz. Là elles vinrent, et attendirent presque deux heures son arrivée dans une chaleur si horrible que cinq ou six soldats moururent étouffés sous leur armure. Enfin, aux environs de deux heures, on aperçut la cour de la reine qui approchait. Alors la reine mère fut saisie d'une grande joie, traversa la rivière et se trouva face à face avec celle qu'elle avait si longtemps désirée. Leurs salutations et embrassements terminés, elles s'assirent sur le bateau et vinrent saluer le roi qui les attendait sur le rivage. Et, lorsque le bateau aborda, Sa Majesté vint à bord avec les princes de sa Maison et ils firent leurs salutations à la reine sans échanger aucun baiser. Et les troupes firent entendre une canonnade aussi furieuse que cela était possible et dont les Espagnols se trouvèrent très étonnés. Ces cérémonies terminées, tous montèrent à cheval et allèrent dormir pour la nuit à Saint-Jean-de-Luz. »

« Elles arrivèrent ici, écrit le duc d'Albe au roi Philippe, et la reine mère voulut placer la reine d'Espagne à sa droite, mais la reine refusait, et rougissait chaque fois que sa mère insistait. Madame Marguerite attendait sa sœur dans la rue à la porte de la maison où elle devait loger. »

Elisabeth a quitté son foyer et sa famille depuis cinq ans. Elle a mûri physiquement, elle s'est épanouie et est devenue d'une grande beauté. En outre, au contact de ce très brillant diplomate qu'est son mari, son sens politique s'est beaucoup développé, et, malgré la volumineuse correspondance qu'elle échange avec sa mère depuis son mariage, elle est maintenant la femme de Philippe d'Espagne plus que la fille de la reine de France. Elle partage avec le roi catholique une même aversion et une même crainte de l'esprit tolérant de Catherine pour l'hérésie, et la voix de celle-ci est teintée de déception lorsqu'elle lui dit : « Comme vous êtes devenue espagnole, ma très chère fille ! »

Elisabeth est irritée de voir à quel point sa mère confond la politique avec les sentiments : « Je l'admets. Il est de mon devoir d'en être ainsi. Mais je suis toujours votre fille, la même que mon père et vous-même avez envoyée en Espagne. » Catherine l'embrasse ; désormais, il n'est plus question de politique entre elles, mais seulement avec le duc d'Albe qui ne fait désespérément preuve d'aucune compréhension ni d'aucune sympathie pour l'attitude française vis-à-vis des calvinistes.

Un après-midi flamboyant de la fin du mois de juin, la reine mère et le duc se rencontrent dans la longue galerie à colonnes du palais qu'elle occupe à Bayonne. L'ombre profonde donne froid et eux-mêmes, elle dans son habituelle robe noire, lui également vêtu de sombre, ressemblent, tandis qu'ils vont et viennent à pas lents, à deux ombres mouvantes.

Elle entame la conversation en parlant « à une vitesse incroyable, effleurant un sujet après l'autre », jusqu'à ce que, sans pouvoir retenir un mouvement irrité, le duc d'Albe attaque sans détour la question religieuse. Toujours volubile, Catherine expose les événements survenus en France depuis la paix d'Amboise et lui demande si elle aurait dû agir autrement.

« Pour le moment je n'en vois pas le besoin, et mon maître ne le conseillerait certainement pas, à moins que la situation ne se révèle plus dangereuse. » Et, comme la reine le presse de donner son propre avis : « Il est absolument nécessaire, répond-il avec une lenteur calculée, que vous guérissiez ces désordres religieux le plus rapidement possible. Tôt ou tard, quels que soient vos souhaits, quelle que soit la sagesse avec laquelle vous gouvernez, ces abominables huguenots feront une autre insurrection. Cela vous obligera à prendre de nouveau les armes, et alors ce sera dans des conditions défavorables, ou peut-être même trop tard.

« — Quel est donc votre conseil ?

« — Priver les protestants de leurs chefs. Déjà la vie du prince de Condé est perdue à cause de ses trahisons répétées ; celle de Coligny aussi, pour rébellion et meurtre. Laissez les princes de Guise régler leurs comptes avec lui, puis la loi suivre son cours. Souvenez-vous de ce proverbe, Madame : " Une tête de saumon vaut mieux que cent grenouilles ". Sans le prince et sans l'amiral, il n'y a pas d'insurrection.

« — Et ensuite ?

« — Révoquer l'édit, expulser les prêcheurs séditieux et mettre hors la loi toute la secte malfaisante. Le roi en cela m'approuve.

« — En quoi cela concerne-t-il l'Espagne ?

« — La cause nous est commune à tous ; le mal s'étend

comme la peste. Déjà il est en Angleterre et dans la plus grande partie de l'Empire. Les Pays-Bas sont sur le point de se soulever. Mon maître ne veut pas perdre sa couronne et, peut-être, sa vie. »

La religion n'est pas seule en cause, objecte Catherine ; la politique tient aussi sa part dans un gouvernement.

« Malheureusement ! » répond le duc d'Albe.

Fanatique, catholique, l'Espagnol ne cache pas ses sentiments à la diplomate florentine sur sa politique de complaisance ; sa religion n'est qu'intransigeance : « Lorsque je parlais de ces choses avec le feu roi votre mari, Sa Majesté était de mon avis dans cette matière. Si tous les bons catholiques s'unissaient pour faire ce qui doit être fait, il ne resterait pas une âme pour rompre le pain avec cette bande d'impies.

« — Soyez assuré que je ne suis pas oublieuse des conseils de mon mari, et vous pouvez dire à votre maître le zèle et la bonne volonté que nous portons aux affaires de la Foi, et notre désir en toutes choses de faire avancer la gloire de Dieu. »

Mais aucune entente n'est possible entre eux ; Catherine ne veut point entendre les conseils rigoureux du duc d'Albe qui, en retour, refuse de s'engager dans ses projets de mariage entre Margot et don Carlos, et entre le jeune duc d'Anjou et la reine Jeanne de Portugal, sœur du roi d'Espagne. Philippe ne veut pas en entendre parler tant que sa belle-mère ne lui a pas donné l'assurance qu'elle est décidée à interdire le calvinisme en France.

Les Français se préparent à repartir. Au dire de l'ambassadeur d'Espagne, les adieux furent beaucoup plus déchirants que tout ce que les mots peuvent exprimer. Il y eut des flots de larmes auxquels Charles ne put s'empêcher de se joindre, malgré les injonctions répétées du connétable : « Les rois ne pleurent pas ! » Il quitta sa sœur sur les bords de la rivière ; Catherine, elle, la traversa.

« Ma fille la reine nous quitta le 3 juillet. Le même jour, j'allai dormir à Irun pour avoir la joie de la voir aussi longtemps que je le pourrais. Nous ne parlâmes de rien d'autre que de choses gaies et caressantes car, en toute vérité, la raison principale de cette rencontre était d'avoir cette consolation de rencontrer la reine ma fille. »

L'aspect très simple de cette conférence de Bayonne — « rien d'autre qu'une rencontre entre une mère et sa fille... », en a dit un cardinal espagnol — n'est sensible qu'à un très petit nombre. A l'exception de Catherine et de Philippe, nul ne comprend que, sous une apparente gravité, les résultats en ont été très exactement nuls sur les plans dynastique, politique et religieux : aucun mariage, pas de reprise des persécutions contre les huguenots, pas de décision à propos de quoi que ce soit. Mais ces derniers sont persuadés que l'entrevue a été pour la reine mère l'occasion de préméditer un massacre général et de s'assurer l'aide des troupes espagnoles. Dès cet instant, ils dressent les plans d'un nouveau soulèvement.

A Moulins où la cour arrive le 21 décembre 1565 — elle a fêté la Toussaint en Bretagne —, Catherine réunit une assemblée au cours de laquelle le chancelier de L'Hospital annonce les diverses réformes judiciaires tandis qu'elle-même s'attache à réconcilier les Guises et Coligny. Elle s'arrange pour les loger tous deux sous le même toit et les confie l'un à l'autre. Le roi a rendu son verdict, il a reconnu l'amiral non coupable, et elle exige entre les deux familles un geste d'amitié. La duchesse obéit, la haine au cœur, et sous les yeux de la reine embrasse Coligny ; le cardinal de Lorraine l'imite, non sans avoir protesté : « De tels accords ne peuvent durer qu'aussi longtemps que le pouvoir peut l'imposer. Mais plus tard rien n'empêchera mes frères ou mes neveux de tuer l'amiral, où qu'il se trouve. » « Plaise à Dieu que l'amiral et moi-même nous trouvions enfermés dans une pièce, insiste son jeune frère d'Aumale, et que seul le survivant puisse en sortir ! », mais il refuse de donner le baiser de paix ; à ses côtés, le jeune duc qui n'a que quinze ans mais dépasse tout le monde dans la salle, immobile, regarde Coligny avec répugnance et le roi avec mépris.

« — Par Dieu ! crie Charles, allez-vous m'obéir !

« — En matière de devoirs envers les parents réplique Guise, votre sentence est sans valeur ! » Puis il salue froidement et sort en défiant l'assemblée du regard. Personne ne bouge.

A la cour, les querelles sont loin de s'apaiser : le cardinal de Lorraine, accusé de tentative d'assassinat par d'Andelot, frère de l'amiral, demande réparation. La duchesse de Guise et la reine de Navarre, selon un rapport d'ambassade, « s'injurient comme des poissonnières en présence de la reine mère ». L'amiral et le cardinal de Bourbon échangent devant le roi des mots tellement vifs que ses deux frères doivent le faire sortir en lui déconseillant ces querelles avec un prince du sang ; Condé l'apprend et n'adresse plus la parole à son frère pendant huit jours. Une scène violente éclate au conseil du 12 janvier 1566 : faisant fi de leur amitié et de leur mutuelle confiance, le cardinal de Lorraine se dresse avec une virulence inhabituelle contre la « tolérance » du chancelier de L'Hospital.

Dès la fin de l'assemblée de Moulins et la promulgation de l'ordonnance, l'amiral, purifié par le jugement rendu en sa faveur, se retire dans ses terres de Châtillon où sa première préoccupation, en compagnie de Condé et de Montgomery, est de jeter discrètement les bases d'une nouvelle sédition dans le but premier de s'emparer du roi. En même temps, il entretient des liens étroits avec les Pays-Bas où il compte des relations actives : ses cousins, le comte de Hoorn et le baron de Montigny, son ami le comte d'Egmont et le prince allemand Guillaume d'Orange, qui ne pardonne pas au destin de n'avoir pas été nommé gouverneur de ces provinces, tous attendent l'occasion de se soulever contre leur souverain le roi d'Espagne.

Sous couvert de leur parenté et sans éveiller le moindre soupçon, Coligny reçoit en janvier 1566 la visite de Montigny en route pour Madrid où il va rendre compte à Philippe de l'état de sa province ; la rébellion allemande, confirme-t-il, ne saurait tarder.

Elle éclate à Anvers le 15 août, fête de l'Assomption, et le signal en est comme toujours, et pour toute l'Europe, la destruction des églises. Lorsque, ce dimanche, la procession revient à la cathédrale et que le grand portrait moyenâgeux de la Vierge a repris sa place sur l'un des bas-autels, le prince d'Orange, gouverneur d'Anvers, quitte délibérément et ostensiblement la cité, laissant la place libre aux casseurs. Une foule de voyous et d'étudiants en mal de brutalité sortent l'image de la Vierge avec l'aide de prostituées et la traînent dans la boue ; le grand crucifix du maître-autel, chef-d'œuvre de l'art médiéval, est descendu avec des cordes et déchiqueté à coups de haches et de marteaux ; l'hostie quitte le ciboire et passe dans la bouche d'un perroquet. Liées ensemble et couvertes de diverses pièces d'armures, les peintures des saints servent à jouter. Un Anglais est là, qui évalue à une centaine le nombre de ces iconoclastes, « criminels et mercenaires ». « Les prostituées, les voleurs et les ivrognes, arrachent les cierges des autels et les tiennent pour éclairer ceux qui sont à l'ouvrage. »

Lorsque la grande cathédrale, orgueil d'Anvers et des Flandres, est complètement dépouillée, et détruit son admirable contenu, les émeutiers procèdent de la même façon dans les autres églises de la cité : avant l'aube, trente d'entre elles ont reçu leur visite. D'Anvers le mouvement s'étend de ville en ville et dans les seules provinces de Flandres quatre cents églises sont pillées.

A Madrid, Philippe ne cache pas ses sentiments : « Cela leur coûtera cher, je le jure sur l'âme de mon père ! » A la tête de vingt mille hommes, il envoie le duc d'Albe pour rétablir l'ordre et nommer une commission d'enquête.

A travers les Alpes, la Bourgogne, la Lorraine et le Luxembourg, celui-ci marche vers Bruxelles, et telle est la discipline de ses troupes que, pendant les difficiles cinq semaines de cette avance, aucun acte de violence, aucune déprédation ne se produisent de leur fait, à la grande admiration de leurs contemporains : l'armée n'a pas le droit de quitter la route directe et doit rester strictement confinée dans les territoires prévus pour leur passage par les services diplomatiques.

C'est alors que Condé et Coligny — les Espagnols ne risquent-ils pas de s'égarer sur les frontières françaises pendant leur marche ? — conseillent perfidement à Catherine d'invoquer le traité avec les cantons suisses. Pierre d'angle de l'indépendance militaire française, œuvre de François Ier, renouvelé par Henri II, François II et Charles IX, ce traité oblige les Suisses, sur simple demande de la France, à lui envoyer entre six et seize mille fantassins à sa solde.

Mais la discipline espagnole rend vite inutile la présence de ces six mille hommes ; le duc d'Albe met fin rapidement à la rébellion allemande, et Coligny, qui a préparé en hâte le soulèvement français en profitant de leur présence, se trouve pris à son propre piège : les Suisses sont là, vacants, et ne manqueront pas d'être utilisés contre les huguenots. Il demande à Catherine de les renvoyer au plus vite.

Elle refuse avec une extrême courtoisie et une apparente gentillesse. L'amiral voit déjà l'échec de ses précieux projets et en appelle à son oncle qui lui répond : « Ils ont été payés, il faut les utiliser ! » Lesdits Suisses n'ont d'ailleurs pour l'instant aucune utilisation précise et Coligny enrage de les voir monter une revue pour l'amusement du roi.

Peut-être Condé et Coligny n'ont-ils pas réussi à priver la cour de ce soutien, mais ils ne veulent plus perdre de temps :

la date du soulèvement est fixée à la fin de septembre et les huguenots reçoivent l'ordre de cheminer vers le lieu du rassemblement, Rosoy-en-Brie, « quatre par quatre, trois par trois, deux par deux, afin que le mouvement passe inaperçu ». Dès que le roi est saisi, Condé prendra le gouvernement, le cardinal de Lorraine sera banni et certaines villes clés seront occupées, telles Orléans et Saint-Denis, puis les Suisses taillés en pièces.

Le secret est si bien gardé que Catherine néglige de tenir compte des inévitables rumeurs, pas même d'un rapport mentionnant que quinze cents chevaux ont été vus près de Châtillon. Elle envoie un courrier pour enquêter ; mais Coligny a d'amples moyens d'information par ses espions, et le messager de la reine ne trouve rien d'autre qu'un amiral vêtu en paysan et soignant ses vignobles en toute sérénité. « Il a couru quelque bruit sans propos, écrit Catherine, que ceux de la religion voulaient faire quelque remuement ; mais, Dieu merci, nous sommes autant paisibles que nous saurions désirer. »

Le matin du 22 septembre 1567 on aperçoit des cavaliers dans un petit bois où le roi doit chasser le lendemain, et l'après-midi arrive de Bruxelles un messager du duc d'Albe avec tous les détails du projet huguenot : « Commencer les premiers de faire la guerre, et se saisir de la personne du roi, de la reine sa mère, de ses frères et de leur conseil qui voulaient détruire la religion prétendue réformée et ceux qui le maintenaient... »

Pour Catherine qui ne se doutait de rien, le choc et la déception sont terribles : « Ebahie et incapable de voir aucune raison à une entreprise aussi infâme qui suppose la malversion de l'Etat entier et met en danger la vie du roi... » Les huguenots occupent Rosoy-en-Brie et marchent contre Montceaux par la vallée du Grand-Morin ; elle ordonne à la cour de quitter ce château, ouvert et sans défense , pour Meaux, capitale de la Brie, où elle convoque la garnison suisse de Château-Thierry. « Vous pouvez imaginer avec quelle détresse, écrit-elle en Espagne, je vois le royaume retourner aux divisions et aux malheurs dont j'ai tant essayé de le sauver et de le préserver. » Non ! L'aspect international des huguenots n'est pas une invention de Philippe ! Ils étendent le mal partout... « Pourquoi parler des dix-sept mille hommes qui ont été mis à mort, et parmi lesquels il y en avait beaucoup qui le méritaient, et non pas des milliers qui mourraient aux Pays-Bas si, de France, comme ils s'y essaient, ils arrivaient à introduire chez nous les guerres de religion ? » Ces mots sont du roi d'Espagne à qui l'on se plaignait de la « cruauté » de son administration, et ils résument bien la situation. Aujourd'hui Catherine se pardonne difficilement de s'être aliéné les meilleurs catholiques de France depuis la conspiration de La Renaudie, et d'avoir assis sur l'innocence évidente de Coligny l'ensemble de sa politique intérieure.

A Meaux, les nouveaux rapports mentionnent que les routes fourmillent de cavaliers, et le conseil débat d'un éventuel retour à Paris, seule solution dans cette incertitude ; mais dans l'ignorance des positions exactes de l'armée rebelle, on risque le piège. « Qu'il plaise à Votre Majesté, dit au roi le colonel des Suisses Louis Pfeiffer, de confier votre personne et celle de la reine mère à notre courage et à notre fidélité. Nous sommes six mille fantassins, et avec nos piques nous ouvrirons un chemin, à travers l'armée de nos ennemis, suffisamment large pour que vous puissiez y passer en toute sûreté. » Indécis, des membres de la cour ne cachent pas leur réticence et partagent l'avis défavorable de l'ambassadeur vénitien : « Ils ressemblent à une armée de gueux qui n'ont jamais eu ni la science ni l'autorisation voulues pour porter les armes », disent-ils des Suisses. Mais encouragés par le cardinal de Lorraine, le roi, qui veut se battre, et sa mère insistent pour rentrer à Paris, et l'ambassadeur vénitien change d'avis : « Une fois rangés en ordre de bataille, ils me paraissent d'autres hommes. » « Trois fois ils se retournèrent, rapportera-t-il ensuite, et firent face à l'ennemi ; ils leur jetèrent tout ce qui leur tombait sous la main, même des bouteilles ; puis, abaissant leurs piques, ils coururent vers eux comme des chiens furieux à grande allure et avec un tel enthousiasme dans l'assaut que l'ennemi n'osa pas attaquer. »

Partis de Meaux à trois heures du matin ils vont d'une seule traite jusqu'à Paris par Le Bourget — onze lieues —, et le 28 septembre à la tombée de la nuit la cour se retrouve en sûreté au Louvre. Déçus dans leur action, pris de court, les huguenots se vengent comme ils peuvent. L'armée de Montgomery les a rejoints, ils ravagent la région, brûlent les moulins, s'emparent de la plupart des points stratégiques sur la route de Paris et sur la rivière, et le 20 octobre occupent Saint-Denis.

Catherine, par message, leur demande leurs griefs : nobles, répondent-ils, ils ne veulent plus payer de taxes ; huguenots, ils veulent la liberté du culte public sans restriction.

Indignée, elle leur demande de comparaître devant le roi puisque rebelles ils sont ; en réponse, ils se préparent à assiéger Paris après lui avoir coupé les vivres.

Le connétable se prépare à la bataille. Il a soixante-quinze ans, mais les Parisiens ont faim, et la nouvelle se répand que les Allemands sont de retour, appelés par Coligny. Le 10 novembre 1567 la rencontre des deux armées dans la plaine Saint-Denis n'est, en début d'après-midi, qu'une escarmouche désordonnée de moins d'une heure. Libre de ses mouvements, la cavalerie huguenote entre dans la cité derrière Coligny et met le feu à la Sainte-Chapelle élevée par Saint Louis à son retour des Croisades pour abriter la couronne d'épines. Le connétable, qui combat à pied, reçoit quatre blessures au visage et un coup à la tête ; étourdi, il voit se dresser devant lui, pistolet à la main, l'Ecossais Robert Stuart : « Je suis le connétable », dit le vieil homme pensant servir de rançon. « C'est bien pourquoi je vous tue », répond l'Ecossais. Et il tire.

Avant de tomber, le connétable a la force de frapper son adversaire et de lui casser la mâchoire. Trois de ses fils qui combattaient à ses côtés l'emportent mourant à Paris et, ivres de rage, retournent sur le champ de bataille d'où ils mettent en fuite Condé et Coligny.

Le résultat est indécis mais les huguenots renoncent à rester dans les parages de la capitale ; ils font retraite à l'est où ils rencontrent les dix mille mercenaires allemands à Pont-à-Mousson, sur la Moselle, à quelques kilomètres au sud de Metz. Ensemble ils reprennent la route de Paris à travers la Bourgogne qui a échappé aux ravages de la guerre et leur offre vivres et pillages.

Mais les huguenots n'ont plus maintenant la même audience dans le pays où chacun plus ou moins a une triste expérience de ces cavaliers sans loi, finalement sans foi, que seuls intéressent le ravage et le butin. Les catholiques de leur côté resserrent leurs rangs comme jamais, et partout se groupent en « ligues » locales, sociétés demi-secrètes sur le modèle de la confrérie du Saint-Esprit ; elle vient d'être fondée par le maréchal de Tavannes à Dijon dans le but de soutenir la foi catholique et la Maison des Valois, à l'image de l'ancien triumvirat dont le dernier membre, le connétable de Montmorency, vient de mourir.

L'armée protestante, que l'on traite un peu partout de troupeau d'assassins, commence à perdre courage ; ils ne sont plus les défenseurs sans reproche de la vraie religion, mais de vulgaires traîtres. Epuisés, découragés, désenchantés, les volontaires désertent en masse, tandis que Catherine refuse l'aide du duc d'Albe : il est facile de faire entrer les Espagnols, beaucoup plus difficile de les mettre dehors. Elle veut d'abord et avant tout la cessation des combats, même temporaire, et dès l'instant qu'au lendemain de la bataille de Saint-Denis des courtisans ont demandé au roi de « jeter un regard de pitié sur ses sujets », elle a continué les négociations partout où elle le pouvait.

Son premier geste est de remettre la Sainte-Chapelle en état après la profanation des hommes de Coligny. En dehors de toute considération d'ordre religieux ou esthétique, elle s'intéresse beaucoup à Saint Louis, et Correro, le fin diplomate vénitien et ami intime de la reine, raconte les circonstances de sa découverte lors d'un récent voyage : « Elle avait lu à Carcassonne un manuscrit historique qui parlait de la mère de Saint Louis, Blanche de Castille, laissée veuve avec un fils de onze ans, et comment les nobles avaient pris les armes contre le gouvernement d'une femme, étrangère de surcroît. Pour accomplir leurs plans ils s'étaient unis aux hérétiques albigeois qui, comme ceux de son temps, n'acceptaient ni prêtres, ni moines, ni messes, ni représentations dans les églises. Eux aussi firent appel à un roi d'Aragon et ils livrèrent une bataille rangée. Leur place forte de Toulouse fut démantelée et finalement, sur la suggestion de la reine, une paix fut signée qui leur cédait sur beaucoup de points. Cependant le roi, devenu plus solide avec le temps et les conseils de sa mère, put prendre sur les rebelles la vengeance qu'ils méritaient.

« Puis elle me montra, continue Giovanni Correro, comment tous ces détails lui rappelaient sa propre situation. Elle était veuve et étrangère, sans personne à qui se confier, et avec un fils de onze ans. Les nobles s'étaient soulevés sous le prétexte de la religion, mais en vérité contre son gouvernement, appelant à leur secours la reine d'Angleterre et les Allemands. Il y avait eu une guerre, et la victoire, et Orléans était démantelée comme Toulouse. La paix était signée grâce à elle, à l'avantage des huguenots. Elle reconnaissait leur avoir accordé l'avantage, espérant obtenir par le temps ce qu'elle ne pouvait obtenir que par la force des armes, avec grande effusion de sang.

« Je dis alors : Madame, Votre Majesté devrait tirer quelque consolation de cette histoire qui n'est pas seulement une image des événements de votre temps mais une prophétie de leur issue. Je faisais allusion à la punition finale. Elle rit bruyamment, comme elle le fait toujours en entendant quelque chose qui lui plaît, et dit : Je ne voudrais pas que quelqu'un d'autre sache que j'ai lu cette chronique, parce qu'on dirait que j'imite la reine Blanche qui est une Espagnole ! »

Les efforts de Catherine dans le sens de sa chère paix sont enfin récompensés, moins à cause d'elle peut-être, que de Condé qui une fois encore devient son allié : c'est le seul moyen de préserver des pilleurs allemands ses terres familiales en Vendôme. Le 23 mars 1568 est signé le traité de Longjumeau qui rétablit l'édit de pacification et renouvelle entièrement celui d'Amboise ; les huguenots doivent rendre les places dont ils se sont emparés depuis la guerre, licencier les troupes allemandes, que le trésor royal doit solder, mais ils gardent La Rochelle.

Coligny dénonce cette victoire de Catherine comme une « paix sanglante pleine d'infidélités », et encourage violemment tous ses partisans à continuer la rébellion.

Verbum Domini manet
in æternum

CHAPITRE XI

La guerre des démons

Cette paix peu appréciée — on l'appelle la « paix fourrée » — ne dure pas six mois. La veille de la Saint-Barthélemy, 23 août 1568, Condé et Coligny font un appel aux armes et s'enferment dans la forteresse protestante de La Rochelle qui présente beaucoup d'avantages : elle est difficile d'accès, riche du butin des pirates et proche de l'Angleterre. Jeanne et Henri de Navarre les y rejoignent dans les premiers jours de septembre, elle chargée d'une vingtaine de médailles d'or destinées à ses amis sur lesquelles ils peuvent lire : « Ou paix assurée, ou victoire entière, ou mort honneste ». Puis de ses propres mains elle arme son fils en présence des forces rebelles : il sera désormais leur chef aux côtés du prince et de Coligny.

C'est à cette époque que Louis de Condé, voyant enfin approcher la réalisation de ses rêves, fait frapper monnaie au nom de « Louis XIII, premier roi chrétien de France ». Mais, après avoir assuré le départ des soldats allemands et préservé ainsi ses Etats, il fait rapidement défection à Catherine : elle a donné à Henri d'Anjou la lieutenance générale du royaume estimant que l'amiral disparu, cette charge qui contrôlait toute l'armée ne devait plus être confiée à l'une des grandes familles de France au risque de la rendre dangereuse pour la Couronne.

Le roi accepte à contrecœur le nouveau titre de son jeune frère ; il a dix-huit ans, lui aussi rêve de gloire, mais il cède aux instances de sa mère : un roi de France ne peut se permettre de mener une armée contre ses propres sujets, comme à tout instant le lieutenant général peut être amené à le faire.

La charge confiée à Henri d'Anjou va susciter au cœur de la famille des liens nouveaux. Margot et lui s'adorent, ils ont formé une société secrète, et, lorsque le jeune prince apprend qu'il devra être souvent absent de la cour, il confie tout naturellement ses intérêts à sa sœur ; celle-ci rapporte leur conversation de Plessis-lès-Tours au début de l'été.

Théodore de Bèze à 72 ans.

« Mon frère d'Anjou me demanda de faire une promenade avec lui dans une allée ombragée, tout seuls, et là il me parla ainsi : " Ma sœur, vous savez que de toute notre famille vous êtes celle que j'aime le mieux, et vous ressentez la même chose pour moi. Jusqu'à aujourd'hui, nous n'avons eu d'autre souhait que la joie d'être ensemble. Mais, maintenant, notre enfance est terminée, et les plaisirs de notre enfance sont terminés aussi. Vous savez les grandes charges auxquelles j'ai été appelé et, croyez-moi, je n'aurai jamais ni grandeur ni possessions que vous ne partagiez. Mais ma force consiste à conserver les bonnes grâces de la reine notre mère, et j'ai peur que mes absences ne me fassent quelque tort. Les guerres me garderont constamment au loin et notre frère le roi est toujours à ses côtés, ne cessant de la flatter. Je crains à la longue d'en pâtir. Le roi ne trouvera pas toujours son amusement dans la chasse, mais bientôt il voudra poursuivre les hommes et non plus les bêtes. Alors, il me dépossédera de ma lieutenance et conduira l'armée en personne. Aussi il est absolument nécessaire que j'aie quelqu'un qui puisse soutenir ma cause auprès de la reine. Qui est mieux placé, pour cela, que vous-même, qui êtes mon autre moi-même ? Vous ne devez jamais manquer d'être à son lever, dans son cabinet de travail, et à son coucher. En un mot tout le jour, et chaque jour ". »

Partagée entre le désir de lui plaire et la crainte de sa mère qui ne fait qu'augmenter avec les années, Margot lui rappelle avec quelle différence celle-ci les aime. Ce n'est pas qu'elle soit jalouse de l'affection passionnée de Catherine pour Henri, mais elle redoute ses propres réactions devant l'animosité à peine dissimulée de la reine à son égard. Plus que les autres, elle ressent la crainte que Catherine inspire à tous ses enfants, et qui fait avouer à Elisabeth qu'elle n'ouvre jamais une lettre de sa mère sans trembler d'y trouver un mot de colère ou de reproche contre quelque offense involontaire de sa part.

Margot expose ses états d'âme à son frère : « Non seulement je ne lui ose parler, mais quand elle me regarde, je transis de peur d'avoir fait quelque chose qui lui déplaise. — Je vais l'entretenir de cela, répond Henri d'un ton péremptoire. Je lui ferai voir votre habileté ainsi que le réconfort et l'aide que vous lui pouvez apporter. Je lui demanderai de ne pas vous traiter plus longtemps comme une enfant et, pendant mon absence, de veiller sur vous comme si vous étiez moi-même.

Mais, de votre côté, cessez d'en avoir peur. Parlez-lui avec la même assurance qu'à moi et croyez-moi, vous vous entendrez très bien ensemble. »

Margot promet : « Dès l'instant où mon frère me parla de la sorte, il me sembla changer complètement, et que j'étais devenue quelqu'un de mieux que je n'étais auparavant. Vous avez raison d'être sûr de moi, conclut-elle, il n'y a personne dans le monde qui vous aime autant que je vous aime. »

Henri, de son côté, parle à sa mère ; celle-ci, aussitôt, appelle sa fille : « Votre frère m'a entretenue de la conversation qu'il a eue avec vous. Pour lui vous n'êtes plus une enfant, vous n'en serez donc plus une pour moi. Je vous parlerai comme si c'était à lui que je parlais. Seulement obéissez-moi : ne craignez pas de discuter de toutes choses sans détour avec moi. C'est tout ce que je souhaite. » « Ces mots, relate Margot, me donnèrent un sentiment que je n'avais jamais ressenti auparavant : un bonheur sans mesure, au point que désormais je regardai les jeux de mon enfance, la danse, la chasse, les amitiés, comme tout à fait terminés. J'obéis à son souhait et ne manquai jamais d'être la première à son lever et la dernière à son coucher, et elle me faisait quelquefois l'honneur de parler avec moi pendant trois ou quatre heures. »

C'est pendant ces mois d'une paix relative que Catherine doit brusquement se pencher sur le sort de sa belle-fille, qui au mois de mai 1568 lui envoie un message urgent. Elle s'y attendait car depuis sept ans que la jeune reine d'Ecosse a regagné son royaume natal, elle a accumulé les désastres.

Son demi-frère, le comte de Murray, et ses complices ont réussi à lui enlever le trône avant ses vingt-cinq ans — où elle a le droit de révoquer les privilèges accordés pendant sa minorité à des traîtres comme lui. Murray est maintenant régent d'Ecosse et elle-même prisonnière des seigneurs calvinistes de la Congrégation. Sa lettre, écrite pendant le repas des geôliers et confiée à un page fidèle, demande des troupes françaises à Catherine « car c'est par la force seulement que je pourrai être délivrée ; si jamais vous envoyez ces troupes, je suis certaine qu'un grand nombre de mes sujets se soulèveront pour se joindre à elles ; sinon ils demeurent sous l'entière autorité des rebelles. »

Murray a essayé une première fois de se débarrasser de Marie en profitant de l'ambition de son second mari. Lord

Darnley, qu'elle avait rencontré en France, est un vil personnage à la solde de ses ennemis anglais ; furieux de se voir refuser par sa femme la couronne matrimoniale d'Ecosse qu'elle avait accordée à François II, il organise avec des membres de la noblesse le meurtre de son secrétaire italien David Rizzo, sous ses yeux, au palais de Holy-Rood. Il espère que ce choc la tuera, ainsi que l'enfant qu'elle porte depuis sept mois ; il deviendra alors roi d'Ecosse et Murray Premier ministre.

Marie et l'enfant surmontent l'épreuve, et Darnley tente une fois encore de se débarrasser d'elle. Il lui demande de passer la nuit avec lui dans une maison isolée hors d'Edimbourg où il se repose de la syphilis. Les poutres sont remplies de poudre ; son intention est de la laisser s'endormir, puis s'envoler vers l'éternité, lui-même s'étant enfui au préalable en compagnie de son page favori.

Heureusement le comte de Bothwell, vieil et fidèle ami de Marie découvre le complot et lui conseille de rester à Holy-Rood au lieu d'accompagner son ami à Kirk o'Field. « C'est horrible, écrit Marie à sa belle-mère le lendemain matin, et tellement étrange que nous pensons n'avoir jamais entendu parler d'une chose semblable. La nuit passée, un peu après deux heures, la maison où habitait le roi fut en un instant soufflée dans l'air, lui dormant dans son lit, avec une telle force que de tout le logis, murs et autres, il ne reste rien, vraiment rien, pas une pierre sur l'autre. Cela a été produit par une explosion de poudre, une mine, semblerait-il. Par qui cela a été fait, et de quelle façon, cela n'apparaît pas encore. »

Catherine, inquiète, charge le duc d'Aumale, oncle de Marie, de faire une visite de famille à la cour d'Ecosse pour essayer de comprendre ce qui s'y passe. Mais, le temps qu'il arrive, la situation a pris un tour que la reine de France, tout habile et fine italienne qu'elle était, n'avait su prévoir.

Murray et les seigneurs calvinistes écossais accusent leur reine du meurtre de Darnley, et pour donner quelque crédibilité à leurs affirmations, poussent Bothwell à devenir son troisième mari. Ainsi passera-t-il pour être son amant, et le meurtre de Darnley pour un crime passionnel. Dans ce but ils créent une association sous l'égide de la reine Elisabeth d'Angleterre qui s'engage à appuyer ce mariage, considérant en toute charité « comment notre Souveraine Sa Majesté la reine est maintenant privée d'un mari, dans laquelle solitaire situation les lois du royaume ne permettent pas à Son Altesse de demeurer ». Marie ne montrant aucun enthousiasme pour un nouveau mariage, Bothwell doit l'enlever. « Il nous attendait avec une importante compagnie sur le chemin et nous emmena à Dunbar, rapporte Marie à Catherine dans la lettre suivante. Et, quand il vit comment nous rejetions toutes ses demandes et propositions, et que pas une âme en Ecosse ne faisait aucun essai pour nous apporter la délivrance, il ne cessa pas jusqu'à ce que, par ses persuasions accompagnées de force, il nous ait finalement amenée au résultat qui pouvait le mieux servir ses intentions. »

Le fatal mariage avait déjà eu lieu lorsque le duc d'Aumale arriva à Edimbourg. « C'est trop malheureux, rapporte à Catherine l'ambassadeur de France. Jeudi la reine me fit venir et je perçus quelque chose d'étrange dans leur comportement mutuel. Elle essaya d'y trouver une excuse et dit : " Si vous me trouvez quelque mélancolie, c'est parce que je ne choisis pas d'être gaie ; parce que je ne le serai jamais et que je ne désire rien d'autre que la mort. " Hier ils étaient tous deux dans une pièce avec le duc d'Aumale, elle demanda un couteau pour se tuer, si fort que les personnes qui étaient dans l'antichambre purent l'entendre. Je crois que si Dieu ne l'aide pas, elle va tomber dans le désespoir. »

Elle a raison d'être désespérée car l'intrigue de Murray a parfaitement réussi : exhortés par le plus virulent et le plus pharisien des disciples de Calvin, John Knox — célèbre pour ses obsessions sexuelles —, les presbytériens se dressent contre Marie en l'accusant de meurtre et d'adultère. Sur leur bannière Darnley gît mort au pied d'un arbre, et à ses côtés le jeune prince Jacques, à genoux, supplie : « Jugez ma cause et vengez-moi, Seigneur ! » Sous cette même bannière ils provoquent les forces royales à Carberry Hill aux portes d'Edimbourg.

Au nom de Catherine l'ambassadeur français conseille à Marie de quitter Bothwell et de se confier aux nobles calvinistes. Peu confiante en sa belle-mère pour juger des traîtres écossais malgré son expérience des huguenots, Marie commence par refuser avec colère, alléguant que ceux qui lèvent maintenant les armes contre Bothwell sont les mêmes qui, quelques semaines auparavant, se sont unis autour de lui pour le pousser au mariage. Puis, à la réflexion, il lui semble plus sage pour la paix du royaume de se remettre aux mains des seigneurs confédérés en échange d'un sauf-conduit pour son mari. C'est ainsi qu'après s'être dit adieu au milieu des soldats, lui s'est enfui vers Dunbar et elle est conduite à Edimbourg aux cris de : « Brûlez la putain, brûlez-la, elle n'est pas digne de vivre ! »

Contrairement à leur promesse ses ravisseurs l'emprisonnent instantanément au château de Lochleven, propriété de Murray, où elle accouche d'un enfant mort-né de Bothwell. C'est de là qu'après un mois d'emprisonnement elle écrit à Catherine un appel au secours, la suppliant de lui envoyer des troupes pour l'aider à reconquérir son royaume.

Catherine ne peut évidemment rien faire, mais le cours des événements de Lochleven la sauve du refus peu amical qu'elle s'apprête à opposer aux prières de sa belle-fille : une dépêche de l'ambassadeur de France lui apprend que la reine s'est évadée le lendemain de sa dernière lettre. « Toute l'Ecosse est en émoi, une partie se déclarant pour la reine et une partie pour le comte de Murray. Pour ce qui est de cette fuite, elle est jugée ici comme des plus miraculeuses par ceux qui connaissent les lieux et à quel point elle y était bien gardée. »

Marie a l'intention de gagner Dumbarton Castle sur l'estuaire de la Clyde où les troupes françaises pourront débarquer, à moins qu'elle-même, si la situation se complique, ne prenne un bateau pour la France. Les troupes improvisées rassemblées sous sa bannière l'emportent en nombre sur les forces calvinistes — six mille contre quatre mille. Mais parmi elles l'un des plus importants contingents est celui du beau-frère de Murray ; il déserte évidemment après s'être assuré que la reine a subi une défaite complète et fuit vers le sud car la route de Dumbarton est barrée.

Le serviteur de Marie, John Beaton, peut gagner la France : il apporte à Catherine les dernières nouvelles, et au cardinal de Lorraine une lettre de sa nièce : « J'ai supporté injures et calomnies, emprisonnement, famine, froid ou chaleur, fuite éperdue, cent cinquante kilomètres à travers la campagne sans m'arrêter ni descendre de cheval ; j'ai dormi par terre, bu du lait tourné et mangé de la farine d'avoine sans pain, et pendant trois nuits j'ai vécu comme les chouettes... »

Le 16 mai dans l'après-midi, dernière étape de son évasion, Marie traverse l'estuaire de Solway dans un bateau de pêche ; elle réalise soudain le danger dans lequel elle se trouve et demande au batelier de la conduire, quels qu'en soient le risque et le prix, vers le rivage français. Mais le vent et la marée sont contre eux et les hommes atterrissent à Workington, petit port du Cumberland où elle est reconnue et enfermée dans le château « avec des gardes de tous les côtés ».

La chute de la reine d'Ecosse laisse le calvinisme triomphant en Angleterre et les presbytériens possesseurs d'un otage exceptionnel. La politique de Catherine, mis à part ses liens avec la prisonnière, reçoit là un coup sévère : un nouveau souffle touche les forces rebelles françaises et Coligny, encouragé par les nouvelles reçues d'Angleterre, lui demande un adoucissement de l'édit.

Il n'a pas le temps de terminer la longue liste de ses griefs ; Charles IX l'interrompt brutalement : « Aujourd'hui, vous voulez être nos égaux. Demain vous voudrez être nos maîtres et nous expulser du royaume. » Puis, dans un de ces accès de rage qui lui deviennent peu à peu habituels, le roi se rue chez sa mère en hurlant : « Le duc d'Albe a raison !Toutes ces têtes sont trop fortes ! »

Catherine est maintenant de cet avis ; elle en est arrivée à ce point de désarroi et de consternation que dans la crainte d'une nouvelle guerre civile, elle songe à enlever et emprisonner les deux chefs calvinistes. Mais elle n'en a pas le temps : le destin la frappe de nouveau, dans ce qu'elle a de plus précieux.

Le 19 octobre 1568, au cours d'un grand conseil qui l'a obligée à quitter ses appartements alors qu'elle relève à peine de maladie, elle apprend de la bouche du roi la nouvelle qu'il tenait à lui annoncer lui-même et que toute la cour connaît depuis vingt-quatre heures : sa fille Elisabeth est morte en couches.

Catherine ne dit rien : elle se retire dans son oratoire pour faire face au chagrin et à la solitude dans laquelle la laisse « la meilleure et la plus chère des filles ». Mais comme toujours son courage est exemplaire ; une heure après elle revient, parfaitement maîtresse d'elle-même, dans la salle du conseil. « Messieurs, Dieu m'a pris tous mes espoirs en ce monde. Mais je sécherai mes larmes et je me consacrerai uniquement à la défense de la cause du roi mon fils et à la défense de celle de Dieu. Les huguenots ne vont pas manquer de se réjouir, et de supposer que cette mort brisera nos liens d'amitié avec l'Espagne. Le roi Philippe va certainement se remarier. Je n'ai qu'un désir, c'est que ma fille Marguerite puisse prendre la place de sa sœur. »

Faite et discutée avec toute la discrétion voulue, la proposition n'aboutit pas. « Je dois vous dire, écrit l'ambassadeur français à Madrid, ce que j'en pense. Mon opinion est qu'il n'y a rien chez ces gens que de mauvais. Ils estiment que les guerres civiles de votre royaume assurent la paix dans le leur, et que votre appauvrissement en hommes et en argent font leur enrichissement. » En résumé Philippe a peu envie, et encore moins besoin, d'épouser la France une seconde fois.

Lorsque la rébellion éclate, Charles ne peut mettre d'armée immédiatement en campagne, en partie à cause du manque d'argent pour payer les Suisses, en partie parce que la cavalerie régulière n'est pas prête — les hommes à cheval vivent chez eux et doivent assurer eux-mêmes leur propre équipement. Pour parer au manque d'argent, la reine fait un emprunt à Florence et doit mettre ses bijoux en garantie ; mais le processus est long, et les six régiments réguliers envoyés sur les lignes sont très insuffisants.

Les chefs huguenots ne sont pas depuis un mois à La Rochelle que les rebelles s'emparent de l'importante cité d'Angoulême où ils massacrent les femmes et les prêtres, puis continuent leurs atrocités : Pons se rend et malgré les termes de la capitulation, quatre cents soldats sont tués ; autour de Bourges les églises sont pillées et brûlées, les prêtres assassinés. A Lignères, on massacre la garnison, on pille la ville, on profane les églises, on va jusqu'à ouvrir les tombes et fondre le plomb des cercueils pour faire des balles de canon ; pour couronner le tout, on tue le curé de la paroisse et on jette son corps dans la rivière. A Aurillac les magistrats sont torturés puis pendus ; le vice-amiral de la flotte pirate protestante basée à La Rochelle capture sept navires portugais transportant au Brésil soixante-neuf missionnaires jésuites du Nouveau-Monde : ils sont tous jetés à la mer. De toutes les provinces les rapports affluent, alarmants : les massacres se propagent pires que des épidémies, en face desquels Catherine est impuissante.

Chef des protestants français depuis la mort de Calvin, Théodore de Bèze lui-même déplore ces excès : « Assurément, la défense par les armes est juste et nécessaire, mais elles ont été si mal utilisées que nous devons prier Dieu pour qu'Il nous apprenne à les manier d'une plus sainte manière. Puisse son Eglise être une assemblée de martyrs et non pas un refuge de brigands et d'assassins. » « Nous avons fait la première guerre comme des anges, avoue le grand chef protestant La Noue, la seconde comme des hommes et la troisième comme des démons. » On peut discuter le terme d'« anges », mais pas celui de « démons » : dans l'intervalle qui s'écoule entre août 1568 et août 1570 les horreurs de la guerre atteignent leur comble, et tout ce que l'on peut imaginer de pire à son propos, devient vrai. « Au nom du Ciel, commente un catholique, les huguenots ont amené l'Enfer sur la terre... »

Des hommes de troupe de Guillaume d'Orange, et particulièrement des dix-sept mille reîtres allemands, on peut tout attendre, et tout arrive effectivement. Les colliers fabriqués avec les oreilles arrachées aux prêtres et les baguettes de tambour taillées dans les os des religieuses écartelées causent à peine plus de surprise que le massacre systématique des garnisons qui se sont rendues contre promesses de grâce, ou bien le viol et l'assassinat méthodiques des femmes et des enfants. Jusque-là, les chefs huguenots se sont honorablement comportés, à l'exception de l'ami de la reine de Navarre, le baron des Adrets, affreusement célèbre pour la mort et la torture qu'il répand dans le Dauphiné partout où il passe. Mais c'est maintenant Coligny qui trouve un nouveau raffinement dans l'art de saccager une abbaye : il oblige les moines à se pendre mutuellement au grand amusement des soldats ; Coligny aussi, qui ordonne la destruction de tous les paysans catholiques périgourdins en représailles d'un petit soulèvement local. Quand par hasard des chefs protestants ne sont pas contaminés par cette folie destructrice, ils ne peuvent rien contre elle : ils n'ont plus aucune autorité sur les foules fanatisées par les prédicants.

Lorsque, dès les débuts du nouveau soulèvement, le pape écrit au lieutenant général Henri d'Anjou : « Les rebelles de votre frère ont troublé la paix du royaume, subverti la religion catholique, sauvagement massacré les prêtres du Dieu Tout-Puissant ; ils ont commis des crimes innombrables et ils méritent les pires peines de la loi », il ne fait qu'énoncer la plus stricte vérité sous sa forme la plus simple. Ce que le Souverain Pontife ne peut accepter, c'est que la masse des catholiques a commencé à répondre au massacre des prêtres et à la destruction des chapelles et des églises par des contre-massacres. La fureur monte de tous les côtés à la fois, et les catholiques maintenant arrivent à égaler, sinon à dépasser, les calvinistes en atrocités. A en juger par leurs actions respectives, on ne sait lesquels choisir des catholiques loyaux et des protestants rebelles, et aucun terme n'est exagéré qui dépeint la désolation du royaume.

« Le sort de la France est lamentable, décrit un voyageur anglais. Les plus misérables sont dépouillés de tout, les plus importants ne sont ni sûrs de leur vie, ni sûrs de vivre dans un lieu où le meurtre ne soit pas une cruauté ni la désobéissance une offense. Chacun baigne dans le sang des autres et fait son habitude du mépris de la religion, de la justice et de tous les liens sacrés des institutions divines ou humaines. Le vainqueur peut avoir à pleurer sa victoire, et l'homme du pays risquer d'être trompé par l'étranger qu'il appelle à son secours. Les vivres de l'année dernière ont été consommés, et épuisé ce qui sur le sol devrait servir pour l'année à venir ; de sorte qu'un désespoir profond et un chagrin pitoyable s'emparent de chacun comme si ces calamités ne pouvaient avoir de fin que lorsque la vie seulement se terminerait. Et avec ceci, toutes les pires cruautés qui sont toujours partout dans le monde : la peste, la faim, l'épée — que Dieu en sa mercy y mette fin et nous en préserve ! Et à tous ces maux s'ajoute encore une incroyable obstination d'un côté comme de l'autre, chacun durcissant son cœur avec malice et furie, chacun espérant la complète extermination de l'autre. »

Coligny, Condé et Montgomery qui conduisent les forces protestantes, et le jeune Henri, conseillé par le vieil et sage maréchal de Tavannes, à la tête des forces royales, sont peu disposés à une campagne d'automne de grande envergure ; dès l'arrivée de l'hiver chacun regagne avec soulagement ses quartiers : Anjou à Chinon et Coligny à Niort où il reçoit d'Angleterre quelques munitions bienvenues.

Au printemps la bataille est décidée et le 13 mars 1569, à Jarnac au sud de La Rochelle, Henri d'Anjou bat les huguenots et tue le prince de Condé. Celui-ci, après que Montgomery et Coligny ont fui le champ de bataille, s'est lancé dans un dernier et désespéré assaut au cri de « Louis de Bourbon va combattre pour le Christ et sa patrie ! ». Il se trouve pratiquement nez à nez avec Henri qui a plus d'hommes que lui et Condé est bientôt assuré d'être perdu, bien que tous ses hommes, comme le rapportera l'un d'eux, « luttent pour l'honneur en lui faisant un rempart de leurs corps ». Blessé et entouré de soldats royalistes, il offre une rançon ; deux écuyers du prince veulent le protéger, mais le capitaine de la garde qui a combattu à

Saint-Denis et n'a pas oublié la mort du connétable sort son pistolet et atteint Condé au visage en lui faisant sauter un œil.

Ainsi se trouve réalisée la prophétie de Nostradamus qui est mort deux ans auparavant, au chapitre III de ses *Centuries :*

« Bossa sera esleu par le conseil
Plus hideux monstre en terre n'apperceu
Le coup voulant crevera l'œil
Le traistre au Roy pour fidelle receu... »

Une bande d'ivrognes jette le corps de Louis de Condé sur un âne, à la grande joie des troupes, et quitte ainsi le champ de bataille. Lorsque Henri d'Anjou l'apprend, il fait transporter le corps chez lui et, invoquant le respect dû à la mort, interdit tout outrage supplémentaire. Quelques jours plus tard il l'envoie à Henri de Navarre pour être enterré à Vendôme dans la crypte ancestrale des Bourbons, cependant que dans les rues de Paris, éclatent les chants de victoire :

« L'an mil cinq cens soixante neuf
Entre Jarnac et Chateauneuf
Fut porté mort sur une ânesse
Le grand ennemi de la Messe... »

Lors de la victoire catholique de Jarnac, Catherine est malade sur la route de Metz où elle se rendait pour empêcher l'avance des troupes allemandes appelées par les huguenots ; elle a été touchée par l'épidémie qui sévit alors en France et les médecins sont sérieusement inquiets à son sujet. Margot, dans ses souvenirs, a laissé un étrange récit de la scène : « Autour du lit de ma mère se tenaient le roi Charles mon frère, mon autre frère et ma sœur de Lorraine, divers gentilshommes du conseil et beaucoup de dames et de gentilshommes qui pensaient qu'elle était sur le point de mourir et ne voulaient pas l'abandonner. Et elle rêvait, et leur racontait ce qu'elle voyait, et dans quel ordre cela lui arrivait. " Regardez comme ils fuient, dit-elle soudain, mon fils a la victoire. Hé ! Mon Dieu ! Remettez mon fils sur ses pieds, il est tombé ! Voyez-vous le prince de Condé ? Il est mort dans ce buisson ! "

« Tous ceux qui étaient présents pensèrent qu'elle rêvait, et que, depuis qu'elle avait appris que mon frère d'Anjou avait l'intention de livrer une bataille, cette pensée la hantait. Mais quelques nuits plus tard, voici que M. de Losses arriva avec la nouvelle de la victoire, pensant qu'il serait ainsi le bienvenu et recevrait une récompense de ses mains. Mais tout ce qu'elle dit fut : " Vous êtes bien ennuyeux de venir me réveiller pour cela, car je le savais bien. N'avais-je pas déjà tout vu ? " »

Charles, lui, est heureux de s'entendre confirmer les visions de sa mère. Après un *Te Deum* à Notre-Dame en l'honneur de cette bataille, il demande au cardinal de Lorraine d'écrire au pape pour lui proposer les bannières prises à l'ennemi : il les suspendra à l'intérieur de Saint-Pierre en souvenir de la première grande victoire française sur l'hérésie. Douze d'entre elles arrivent à Rome le 23 avril ; le pape, raconte un témoin, « les reçut avec une grande joie, et ce jour fut un jour de victoire et de triomphe ».

Pendant l'été, la guerre se poursuit un peu partout sous forme de sièges. Coligny envoie Montgomery dans le sud chasser de Navarre les forces royales, qui ont profité de l'absence de Jeanne, toujours à La Rochelle, pour dévaster son royaume.

La gloire de cette campagne est la capture d'Orthez qui s'est rendue le 18 août 1569 au comte de Terride contre la promesse de Montgomery d'épargner toutes les vies. Mais le 24 août, jour de la Saint-Barthélemy, Montgomery, « étant rentré victorieux à Pau et y ayant fait venir les prisonniers, les fit tous massacrer de sang-froid, bien qu'ils se soient rendus à l'unique condition d'avoir la vie sauve. Cet acte cruel eut lieu le jour de la Saint-Barthélemy. La nouvelle en mit le roi Charles grandement en colère qui dès ce jour résolut d'avoir une seconde Saint-Barthélemy pour expier la première ».

L'attribution, par un historien contemporain, d'intentions aussi précises de la part de Charles IX, ne suppose de sa part que simple clairvoyance rétrospective. Favyn en effet ne publia son *Histoire de Navarre* que bien après les événements, alors que la coïncidence entre ces deux dates dramatiques ne pouvait que frapper les imaginations. Mais il n'est pas impossible que le premier massacre de la Saint-Barthélemy, ainsi qu'on l'appela, ait été présent à l'esprit de Charles et de Catherine comme étant l'œuvre de Montgomery, lorsque trois ans plus tard ils décidèrent de la seconde Saint-Barthélemy.

Autre point important de cette campagne d'été : la cité de Poitiers. Ses dimensions, sa position stratégique décident

Coligny à l'assiéger avec une armée de vingt-cinq mille hommes. Contre un tel déploiement Catherine est enfin obligée d'accepter l'aide de quatre mille Espagnols venus des Flandres.

Le défenseur de Poitiers est le jeune duc de Guise, Henri, alors âgé de dix-huit ans. Après avoir refusé de se réconcilier avec Coligny à Moulins, trois ans auparavant, il a obtenu de son oncle le cardinal de Lorraine l'autorisation, dès ses seize ans, de rejoindre l'empereur dans sa croisade contre les Turcs, d'où il est revenu lorsque la mort de Soleiman le Magnifique eut mis fin à la guerre. En acceptant de participer le 25 juillet 1569 au siège de Poitiers, Henri de Guise est parfaitement conscient de se lancer dans une aventure dangereuse.

Dans la perspective de Coligny la chute de la vieille cité ouvrira aux rebelles les portes du Poitou ; mais, plus encore que de gloire militaire, il rêve de l'instant où il tiendra en son pouvoir l'être détesté et redouté qui défend ses murs. Gaspard de Coligny est devenu en quelques mois un protestant sectaire et fanatique, dont l'ambition, la ténacité et la haine du parti adverse ne connaissent plus de frein ; en outre, protégé par la reine de Navarre, il est sûr de son droit.

Le jeune duc combat avec la gaieté et le panache qui sont les caractéristiques des Guises : lorsque l'armée protestante eut fait une brèche dans les murs de Poitiers et lancé en travers de la rivière un pont de bateaux, Henri au cours d'une expédition nocturne détruit le pont improvisé, endigue la rivière qui déborde dans les prairies alentour et noie quelques assiégeants. Puis il fait signaler par messager à Coligny qu'il n'a pas à exercer son commandement d'amiral sur une île entourée d'eau douce...

Le 3 septembre en compagnie de ses hommes il repousse trois attaques particulièrement violentes, et comprend que sans renfort il ne pourra tenir indéfiniment dans de telles conditions. Il demande alors à Henri d'Anjou de détourner l'attention des troupes de Coligny. Le prince entreprend sur son conseil le siège d'une autre forteresse huguenote et, quatre jours plus tard, Coligny abandonne Poitiers.

Le 30 septembre, Henri d'Anjou bat à Montcontour Gaspard de Coligny qui tentait de rejoindre au sud les forces de Montgomery. C'est une plus grande victoire encore que Jarnac au cours de laquelle Henri, désarçonné, est bien près d'être tué ; néanmoins, il insiste pour que grâce soit accordée aux Français des armées protestantes : « Je n'autoriserai pas les Français à massacrer les Français. »

Lui-même, le maréchal de Tavannes et le duc de Guise préféreraient continuer la guerre jusqu'à une victoire décisive qu'ils pensent, non sans raison, pouvoir remporter ; mais Catherine — et c'est son avis qui importe — veut en finir. « Quoiqu'elle soit entrée dans sa cinquante et unième année, écrit Correro, la reine mère est très robuste et d'une bonne santé. Elle marche si lestement que personne de la cour ne saurait la suivre. L'exercice qu'elle fait lui conserve un très bon appétit ; elle mange beaucoup, et de toutes sortes de choses indifféremment ; ce qui, selon les médecins, est la cause des maladies qui la mettent à deux doigts de la mort... Son assiduité aux affaires est un sujet d'étonnement, car rien ne se fait à son insu, pas même la plus petite chose ; elle ne saurait manger ni boire, ni presque dormir, sans en entendre parler. Elle se rend aux armées, sans ménager ni sa santé ni sa vie ; elle fait tout ce que les hommes seraient obligés de faire, et cependant on ne l'aime guère. »

De cette inimitié vis-à-vis de la reine, Correro, qui lui-même est italien et homme d'une grande intelligence, n'ignore pas les raisons profondes : « Comme elle est étrangère, on trouve que, quand même elle donnerait tout le pays, elle ne donnerait rien qui fût à elle. Mais quel prince, ajoute-t-il comme frappé de l'injustice dont on fait preuve vis-à-vis de Catherine, quel prince, si sage et si vaillant qu'il fût, n'aurait pas perdu la tête, en se trouvant au milieu d'une telle guerre, sans pouvoir même distinguer ses amis de ses ennemis, obligé de se servir des gens qui étaient là, qui, cependant, étaient tous intéressés, et quelques-uns peu fidèles ?

« Les huguenots, précise l'ambassadeur vénitien dans un grand souci d'exactitude vis-à-vis de son gouvernement, disent qu'elle leur a distribué des paroles mensongères et des promesses magnifiques, mais qu'elle n'a pas cessé pendant tout ce temps de négocier leur perte avec le roi catholique [Philippe II] : les catholiques de leur côté déclarent que si elle n'avait pas loué et favorisé les huguenots, ces derniers n'auraient pu faire ce qu'ils ont réussi à faire.

« Je me suis souvent étonné, poursuit Correro sans chercher à cacher son admiration, qu'elle ne se soit pas tout à fait troublée et livrée à l'un des deux partis, ce qui aurait été la dernière calamité du royaume. C'est elle qui a conservé dans la cour ce reste de majesté royale qui s'y trouve encore. Voilà pourquoi je l'ai toujours plainte plutôt que blâmée. » Et il revient aux guerres de religion : « Quand elle n'a pu obtenir ce qu'elle voulait, elle a fait des compromis ici et là ; et ce sont ces compromis forcés qui ont suscité des mesures mal appréciées. »

Décidée à faire triompher son désir d'union et de pacification, Catherine cherche de nouveau à négocier une paix ; la poussée des « politiques » l'y aidera beaucoup. Ainsi nomme-t-on le parti réunissant catholiques modérés et protestants réalistes, partisans de la paix civile, dont le sévère vieux maréchal de Tavannes dit avec mépris qu'ils préfèrent « le repos du royaume et leur propre foyer au salut de leur âme ; voir le royaume en paix sans Dieu qu'en guerre avec Dieu ». Les « politiques » sont dirigés par Montmorency, cousin de Coligny et fils de l'ancien connétable, qui a pris avec ses frères une part active dans la formation de ce sage parti.

Rapprochement des « politiques » avec les huguenots ; jalousie violente de Charles IX vis-à-vis de son frère Henri qui s'est emparé de la gloire militaire qu'il convoitait et depuis Jarnac et Montcontour, fait figure de héros populaire ; lassitude extrême du royaume enfin, épuisé par les guerres, ravagé, déchiré... autant de raisons qui, le 8 août 1570, provoquent la paix de Saint-Germain.

En assurant aux protestants la liberté de conscience absolue, les droits de la pratiquer et de la faire respecter, la paix confirme les édits de tolérance antérieurs. Elle contient une clause de garantie supplémentaire : La Rochelle, ainsi que les trois villes de Montauban, Cognac et La Charité, sont accordées pendant deux ans aux calvinistes comme « places de sûreté », en garantie de l'observation de l'édit.

Coligny n'est pas pour autant réconcilié avec la reine mère ; il a quitté les armes, il n'a pas abandonné l'intrigue, et la paix entre eux est un mot bien fragile. Il se retire immédiatement à La Rochelle et refuse d'en sortir pendant dix-huit mois. Il transforme la vieille cité en une petite république sur le modèle de Genève dont il est lui-même le dictateur. Désormais, l'un de ses principaux efforts va tendre à pousser la France dans une alliance avec l'Angleterre, contre l'Espagne, et pour les protestants rebelles des Pays-Bas.

CHAPITRE XII

Affaires de famille

Les rapports de Catherine et de ses enfants connaissent à cette époque une évolution d'une extrême importance pour elle autant que pour l'histoire du royaume. « Je n'ai plus la même autorité, confie-t-elle à l'ambassadeur d'Espagne. Mes fils sont maintenant des hommes, et je n'ai plus comme autrefois le contrôle des affaires. »

Ce n'est pas tout. Les enfants, en outre, se haïssent, probablement depuis la nomination d'Henri d'Anjou à la lieutenance générale du royaume. En 1570, Henri a dix-neuf ans, Margot dix-sept et le jeune François d'Alençon — il a changé son prénom — quinze ans. Ils s'entre-déchirent, et cette inimitié incessante représente pour Catherine un terrain de lutte nouveau, et pour son autorité un danger auquel elle ne s'attendait pas.

Coligny, conscient de ces conflits intérieurs, cherche par tous les moyens à capter l'affection du roi âgé de vingt ans, et à contrebalancer l'influence de sa mère dont il est, auprès de Charles, le principal rival. Dans le cas d'Henri, la concurrence prendra un autre visage : chacun de ses « mignons » sera pour elle un danger que jamais elle n'acceptera. Dans sa passion exclusive pour lui, elle manque totalement de la sagesse dont elle témoigne à l'égard du roi auquel elle ne demande qu'un droit de regard sur la politique et rien sur sa vie privée. Il est vrai que ses violences deviennent redoutables...

Quoi qu'il en soit, lorsque Charles IX tombe amoureux de Marie Touchet, fille d'un magistrat d'Orléans que l'on aperçoit à la cour de temps à autre, loin de retenir son fils, elle l'encourage et donne à la jeune fille le manoir de Belleville, près de Vincennes, où Charles va souvent chasser.

Marie est une jeune personne vive, simple et généreuse, sans ambition, dont Catherine découvre après étude approfondie et enquêtes diverses qu'elle est la seule, dans cette cour soumise à l'inconstance et au mensonge, à porter à son fils

Portrait de Charles IX, gravé par Moncornet.

un amour authentique. Elle n'est pas d'une très grande beauté, mais son petit visage rond, sa bouche charnue et un regard très doux sont pour ce garçon sombre et névrosé une assurance de paix et de compréhension qu'il ne trouve nulle part ailleurs. Quittant le Louvre pour sa petite maison de la rue de La Mortellerie entourée de hauts murs, il passe, dit-il, du purgatoire au paradis.

Physiquement et moralement, Charles a une personnalité confuse : un corps puissant sur des jambes longues et maigres, des bras musclés accrochés à des épaules voûtées. Sensible, il aime la musique et la poésie, mais est sujet à des colères meurtrières qui le mènent au bord de la folie. Ses chasses violentes, épuisantes, où il aime voir jaillir le sang, semblent l'aider à apaiser ses goûts homicides. Lorsqu'il ne chasse pas, il forge des pièces pour son armure jusqu'à ce qu'il s'écroule de fatigue ; alors il prend son luth ou se joint aux chœurs de sa chapelle privée, ou bien compose des poèmes en compagnie de son cher Ronsard auquel il écrit :

> « Tous deux également nous portons des couronnes
> Mais roi, je la reçus ; poète, tu la donnes.
> Ta lyre, qui ravit par de si doux accords,
> Te soumet les esprits dont je n'ai que les corps.
> Elle amollit les cœurs, et soumet la beauté ;
> Je puis donner la mort, toi l'immortalité. »

Charles IX compose pour sa vénerie des fanfares de chasse ; ou bien encore il dicte à son secrétaire M. de Villeroy son traité de *La Chasse royale* qu'il ne terminera pas, mais dédie en termes touchants à un simple lieutenant de sa vénerie : « Je me sentirais trop ingrat et penserais être pris d'outrecuidance si, en ce petit traité que je veux faire de la chasse du cerf, devant que personne commence à le lire, je n'avoue et confessais que j'ai appris de vous ce peu que j'en sais... »

En novembre 1570 Catherine marie Charles à la plus jeune fille de l'empereur d'Autriche, devenue récemment belle-sœur de Philippe II d'Espagne : la douce, la pieuse, l'exquise Elisabeth. « Elle ne me donnera pas mal à la tête », dit le roi lorsqu'il voit son portrait pour la première fois, et Marie Touchet : « Je ne crains pas l'Autrichienne. » Tous deux sont bons avec elle, respectent sa piété et apprécient l'habitude qu'elle a de passer une partie de ses nuits en prière . Le jour de son couronnement qui a lieu à trois heures de l'après-midi à cause d'un retard imprévu, elle refuse l'autorisation de rompre le jeûne avant la communion au risque de se trouver mal au cours de la longue cérémonie. « Elle reçoit le corps du Christ, rapporte le chroniqueur, à six heures du soir, aussi gaie et alerte que s'il était six heures du matin. »

La première visite de Coligny à Blois après la paix de Saint-Germain provoque chez Elisabeth une crise de conscience. « Nous ne cessons de déplorer que le roi autorise un homme aussi dangereux que l'amiral à paraître en sa présence, sans qu'il songe à s'en emparer et à le décapiter, ce qui serait de sa part un acte méritoire et grandement honorable. Mais je ne pense pas qu'il ait le courage ni la résolution d'agir ainsi. » Elle partage cet avis de Philippe d'Espagne, mais par ailleurs elle est reine de France, et son mari lui fait manifestement bon accueil. Tout cela est bien difficile, et consciencieusement elle prie pour tenter d'y voir clair ; mais, lorsque Coligny pour lui rendre hommage sur l'ordre de la reine mère « tombe à ses genoux et veut lui baiser la main, elle devient toute rouge et se recule, raconte Margot qui observe la scène en s'amusant, et ne lui permet pas de seulement la toucher ».

Charles IX et Elisabeth d'Autriche auront une petite fille, Marie-Elisabeth, qui mourra à l'âge de cinq ans et demi. A ce propos, une réflexion de la fillette illustre bien l'orgueil familial que, dès leur jeune âge, Catherine inculque aux membres de sa famille.

Sa gouvernante, tante du célèbre Brantôme, raconte comment « cette petite princesse disait souvent qu'elle descendait des deux plus grandes Maisons de la chrétienté : la France et l'Autriche, et pouvait nommer ses plus lointains ancêtres aussi bien que n'importe lequel des hérauts dans le royaume. Un jour qu'elle était malade, son oncle Henri vint la voir. Elle fit semblant de dormir et resta tournée contre le mur malgré ses appels répétés. Sa gouvernante, l'ayant obligée à se retourner, elle ouvrit à peine la bouche, et après son départ, elle se fit gronder. " Pourquoi le recevrais-je aimablement répondit-elle, alors qu'il n'a pas fait prendre des nouvelles de ma santé, moi qui suis sa nièce, la fille de son frère aîné, et qui ne déshonore pas sa famille ? " »

L'orgueil de sa naissance est aussi très frappant chez le

demi-frère de cette précoce princesse, Charles, fils de Marie Touchet. Devenu duc d'Angoulême, et encore en vie au début du règne de Louis XIV, il frappera monnaie sur ses terres en falsifiant la légende, et par respect pour le sang des Valois, le Roi-Soleil s'abstiendra d'intervenir.

Les rapports de Catherine et de son fils aîné sont simples, et elle ne craint pas de voir diminuer son influence, pour le moins au début de son règne. « La reine mère sachant à quel point elle tient son fils, remarque Tavannes qui les surveille étroitement, se moque royalement de ses opinions, certaine qu'elle est de pouvoir le retourner en un instant. »

Tel n'est pas le cas avec Henri, qui très vite lui donne de graves soucis. Il est plus intelligent que Charles, c'est certain, mais son tempérament soulève des problèmes que Catherine ne semble pas évaluer à leur juste mesure. Elle ne voit pas — comme elle l'aurait fait en plein âge freudien — que son amour maternel abusif et exclusif est la cause fondamentale de l'homosexualité de son fils. Inconsciemment légère à propos d'une situation qui ne l'est pas, soucieuse de la simplifier, elle manque du plus élémentaire bon sens quand elle tente de « soigner » l'aversion de l'adolescent pour les femmes en lui faisant assister à un banquet dont le service n'est assuré que par une armée de filles entièrement nues. Enfin elle se trompe aussi — chose rare dans son cas —, en cherchant à justifier par des prétextes rationnels l'attitude de refus qu'elle oppose au défilé incessant des amants de son fils.

L'Espagnol Lignerolles, l'amoureux du moment sous l'influence duquel Henri est devenu dévot avec trois messes par jour et un jeûne excessif, pousserait Henri à un ascétisme et un « effort tel que son visage est devenu blême, et je préférerais le voir devenir huguenot plutôt que de mettre ainsi sa santé en danger ». Mais devant l'ambassadeur d'Espagne elle se plaint du même Lignerolles comme d'un espion ; auprès d'un courtisan elle met sa colère contre lui sur le compte du fait qu'il a voulu la disqualifier aux yeux du roi, et, devant l'ambassadeur d'Angleterre, blâme le mignon de vouloir s'interférer dans ses projets de mariage entre Elisabeth d'Angleterre et son fils. Toujours est-il que lorsque Lignerolles est assassiné en pleine rue non loin du Louvre, Catherine est partout soupçonnée d'avoir encouragé le meurtre et assuré son auteur de l'impunité. C'est là l'un

Deux machines de guerre imaginées par Agostino Ramelli dans un traité dédicacé à Henri III.

des deux crimes — l'autre étant celui de Coligny — dont ses plus ardents défenseurs n'essaieront même pas de la disculper.

Les relations familiales sont perturbées à cette époque par la brouille de Margot et d'Henri d'Anjou à la suite des amours tumultueuses de la jeune princesse, et par l'entrée sur la scène politique de leur plus jeune frère François.

Margot est tombée follement amoureuse du jeune duc de Guise. Un mignon de Henri les épie — le sieur du Guast, Louis de Béranger — et, une nuit, découvre le rendez-vous des amants dans une chambre abandonnée d'un lointain corridor du Louvre. Aussitôt il conte sa découverte à son maître qui croit de son devoir d'en avertir le roi son frère. Il est cinq heures du matin, Charles ne dort pas et, lorsqu'il est mis au courant, sa réaction est telle que Henri juge prudent de faire retraite aussitôt : pris d'un accès de rage épouvantable, le roi se roule par terre, s'arrache les cheveux, hurle, blasphème, vocifère et jure de tuer le duc pour cette présomption. Une fois passée la crise, il se rend chez sa mère et la réveille en lui demandant si elle est au courant de cette liaison.

Catherine s'en doutait à la suite de certaines allusions de son fils d'Anjou et, devant l'état de Charles, elle pense sagement que jouer la surprise complète ne ferait qu'envenimer la situation. Le roi envoie Retz chercher Margot et, lorsqu'il la ramène, parfaite image de l'innocence, long vêtement blanc flottant sur les épaules et cheveux dans le dos, le roi le poste dans le couloir avec interdiction de laisser entrer qui que ce soit. Puis il fait débarrasser la pièce à tout ce qui n'est pas de la famille, jette sa sœur par terre et avec l'aide de Catherine, la bat jusqu'à la laisser pour morte.

Sa rage épuisée, il quitte la pièce en laissant à sa mère le soin de réparer les dégâts. Il fait maintenant jour, et sous aucun prétexte Margot ne doit être vue dans cet état au lever de sa mère. Pendant une heure Catherine s'applique avec sollicitude à soigner les blessures, arranger les vêtements, refaire sa coiffure et, lorsque au début de la matinée elles affrontent les courtisans, elles sont semblables à elles-mêmes, dignes, sereines, et débordantes de mutuelle affection.

Guise, sur la prière de Margot, s'est enfui par la fenêtre avant l'arrivée de Retz, et précipité chez lui porter à son oncle le cardinal de Lorraine les mauvaises nouvelles. Celui-ci juge la situation fort grave, et aussitôt écrit à la duchesse de Guise :

« Votre fils est ici dans un trouble profond que nous devons partager ensemble. » Puis il conseille au jeune duc de se préparer à un mariage immédiat, solution que chacun approuve.

La mariée choisie est l'une des filleules de Catherine. Catherine de Clèves, princesse de Porcian, est une jeune veuve excentrique dont le livre d'heures est rempli de miniatures représentant chacune l'un de ses amants pendu à un crucifix ! Au banquet de mariage qui a eu lieu à l'hôtel de Guise, autour des magnifiques cristaux et argenteries du cardinal de Lorraine, Henri d'Anjou offre au marié ses compliments les plus chaleureux ; puis il lui murmure à l'oreille : « Si à l'avenir vous jetez sur ma sœur le moindre regard, je vous plante un couteau dans les côtes ! » Quant à Margot, la première occasion lui sera bonne pour faire assassiner du Guast.

Sur ces entrefaites surgit François, duc d'Alençon, et l'entrée en scène de ce « petit voyou vicieux qui se dit catholique mais s'entoure d'athées » — au dire de l'ambassadeur d'Espagne — va tout compliquer.

Il avoue en secret à la reine d'Angleterre son ambition de devenir le chef de tous les protestants. Or, pour cela, il faut d'abord devenir le chef des protestants français, puis remplacer son frère Henri dans la succession au trône.

L'adolescent n'est qu'ambition, ambition à laquelle n'est pas étrangère le peu de gentillesse de ses frères aînés à son égard : physiquement il est trapu, laid, avec un visage grêlé et un énorme nez, et perpétuellement en butte aux moqueries de sa famille. Margot, qui n'est point sotte, comprend vite quel parti elle peut tirer de la situation, et décide de prendre son dernier frère comme un instrument de vengeance idéal contre Henri d'Anjou et sa mère, qui l'ont obligée à mettre une fin à ses amours avec Henri de Guise. Elle lui témoigne un peu de sympathie et de compréhension, lui prodigue en public les marques d'affection autrefois réservées à son autre frère — à la cour on parle déjà d'inceste ! — et aussitôt le voici complètement asservi. Désormais, François d'Alençon ne sera plus que l'agent des desseins de sa sœur.

La tension s'accroît entre Margot et sa mère lorsque cette dernière décide de la marier à Henri de Navarre. Une scène épouvantable éclate entre elles qui met Catherine hors d'elle : pendant des heures, allongée sur un inconfortable coffre à bois, la fille pleure tandis que la mère alternativement tempête, menace et cajole. Puis Margot reste silencieuse des journées entières et refuse de répondre aux questions dont on la presse.

Elle refuse ce mariage pour plusieurs raisons. D'abord elle est encore amoureuse du duc de Guise, et, maintenant qu'il est marié et de retour à la cour, elle a bien l'intention de reprendre, avec plus de prudence, leurs rendez-vous clandestins. Par ailleurs, Henri de Navarre et elle-même se sont suffisamment connus pendant leur enfance pour savoir qu'ils n'ont aucun attrait physique l'un pour l'autre ; et que, sans même aller jusque-là, un tel projet entre eux serait fortement mis en péril à cause de certaines idées qu'ils ne partagent pas à propos de la vie quotidienne. Le bain par exemple : Margot n'envisage pas de ne pas prendre un bain par jour, et Henri d'en prendre plus d'un par an, malgré la savoureuse odeur d'ail qu'il traîne avec lui.

Finalement, Catherine, comme toujours, remporte la victoire et la reine de Navarre vient à Paris au début du printemps 1572 pour organiser le mariage de son fils.

Margot, à cette occasion, déploie toute la diplomatie dont elle est capable, sauf sur un point. Jeanne d'Albret lui ayant demandé si elle comptait changer de religion avant ou après son mariage : « J'ai été élevée dans la foi catholique, répond-elle, et je n'y renoncerai jamais, pas même pour le plus grand monarque du monde. — Ce n'est pas ce qu'on m'a dit, reprend la reine de Navarre, et si j'avais su cela je ne serais pas venue. On m'a trompée », et d'écrire aussitôt à Henri demeuré en Navarre : « Ne bougez pas du Béarn jusqu'à ce que vous receviez une autre lettre de moi. Si vous êtes parti, trouvez quelque excuse et rentrez à la maison. »

Mais elle ne devait jamais revoir son fils. Avant que le contrat soit établi, l'austère et indomptable femme meurt à l'âge de quarante-trois ans. L'examen révèle qu'elle était tuberculeuse à un degré avancé et que l'un de ses poumons ne fonctionnait plus depuis longtemps ; son crâne en outre renferme plusieurs poches d'eau. En fait, elle a été victime d'une attaque soudaine de pleurésie et de phtisie, à laquelle l'air fétide de Paris n'a certainement pas été étranger.

Les huguenots proclament aussitôt qu'elle a été empoisonnée. Des pamphlets nient que le crâne ait été ouvert : l'examen du corps n'est qu'une feinte puisque les effets d'un poison respiré par les narines ne se retrouvent que dans le cerveau.

Très vite, le bruit circule parmi les calvinistes que la reine de Navarre a été empoisonnée à l'aide d'une paire de gants imprégnés par René, parfumeur officiel de Catherine de Médicis, d'un subtil poison italien.

La veille de sa mort, Jeanne a fait mander Coligny à Châtillon-sur-Loing pour lui confier son fils. Dans son testament elle supplie Henri « de vivre tout au long de sa vie conformément à la parole de Dieu, et de ne jamais s'en laisser détourner par l'attrait des plaisirs de ce monde ».

CHAPITRE XIII

Le massacre de la Saint-Barthélemy

Dès son retour à la cour, Coligny déploie toute son habileté à engager le roi dans une guerre contre l'Espagne. Charles est tenté ; il a vingt-deux ans et ce serait pour lui l'occasion rêvée de réaliser la grande ambition de sa vie : trouver la gloire dans une campagne militaire qui effacerait la réputation de génie que son frère s'est acquise à Jarnac et à Montcontour. La meilleure alliée de Coligny dans cette démarche de chaque instant est la jalousie de Charles pour Henri ; il la cache si peu qu'un jour où le poète Dorat lui présente ses compliments, le roi lui arrache le papier des mains en criant : « Ce ne sont que mensonges et flatteries, car jusqu'à maintenant je n'ai rien fait qui mérite louanges. Désormais n'écrivez plus rien pour moi et gardez vos belles paroles — vous et toute la troupe de messieurs les poètes — pour mon frère ! »

Le projet de mariage entre Henri de Navarre et Margot a d'abord rendu nécessaire à Catherine le concours de l'amiral. « Nous sommes tous les deux trop vieux pour nous tromper mutuellement, lui a-t-elle dit lorsqu'il est revenu à Blois pour la première fois. Je sais que vous n'avez pas plus confiance en moi que je n'ai confiance en vous. Vous avez offensé le roi mon fils en prenant les armes contre lui ? Eh bien ! laissons tout cela de côté ! Si vous acceptez de le servir maintenant loyalement, comme un bon sujet et serviteur, je vous assure que vous aurez toutes mes faveurs. »

Mais, maintenant que le mariage est décidé, et morte Jeanne d'Albret, Catherine n'a pas de raison de simuler plus longtemps, et d'ignorer en Coligny l'ennemi qu'il est réellement. Il faut mettre fin à tout prix à ses tentatives de guerre entre la France et l'Espagne. Quelles que soient les sympathies du faible Charles IX pour la dangereuse politique étrangère de l'amiral, la France ne possède aucun moyen de mener une attaque de grande envergure contre Philippe II. Le moindre engagement dans ce sens ne manquerait pas de se terminer par quelque nouvelle défaite de Pavie.

Le maréchal de Tavannes assiste à l'entretien dramatique au cours duquel la reine mère affirme une fois encore son emprise sur son fils. « Le roi partit chasser à Montpipeau, rapporte-t-il, et la reine sa mère se hâta derrière lui. Soudain elle éclata en sanglots : " Après tout le mal que j'ai eu à vous élever et à conserver votre couronne, cette couronne que les huguenots et les catholiques veulent également vous enlever ; après m'être sacrifiée pour vous et avoir couru mille dangers, comment aurais-je pu penser que vous me traiteriez aussi misérablement ? Vous vous arrachez de ces bras qui vous ont empêché de tomber dans ceux qui veulent votre perte. Je sais que vous tenez des conseils secrets avec l'amiral ; je sais que vous voulez nous plonger inconsidérément dans une guerre avec l'Espagne ; je sais que vous allez livrer ainsi votre royaume, vous-même et votre famille à ceux de la religion. Donnez-moi l'autorisation, je vous prie, avant que ce malheur n'ait eu lieu, de me retirer sur la terre de ma naissance. Congédiez aussi votre frère qui peut se considérer comme peu fortuné d'avoir passé sa vie à vous préserver. Donnez-lui au moins le temps d'échapper aux ennemis qu'il s'est faits en vous servant. Les huguenots, tout en bavardant d'une guerre avec l'Espagne, souhaitent une autre guerre, celle de France ; ils veulent aussi la ruine de tous les états, qui les laisserait, eux seuls, dans la prospérité. " »

Charles IX capitule aussitôt devant sa mère. « Il demanda pardon et promit obéissance », et Coligny déçu se retira provisoirement à Châtillon où il se consola quelque temps dans l'étude du Livre de Job.

Il regagne la capitale au commencement du mois de juillet 1572 pour accueillir Henri de Navarre qui monte vers Paris accompagné de huit cents gentilshommes en grand deuil de Jeanne d'Albret. Il est maintenant roi de Navarre, un contrat de mariage nouveau a été hâtivement dressé ; mais aucune date ne peut être fixée pour la cérémonie car le cardinal de Bourbon, oncle du marié, qui devra la célébrer, attend la dispense de Rome, Henri et Margot étant très proches cousins.

Cette même semaine le chef huguenot sieur de Genlis part en direction de Mons et de Valenciennes soutenir les rebelles des Pays-Bas avec quatre mille fantassins et huit cents cavaliers. De nombreux huguenots présents à Paris sous le prétexte du mariage royal l'accompagnent, et le départ de l'expédition suscite parmi ceux qui restent des espoirs et des émotions immenses : la victoire de Genlis justifierait aux yeux de la cour et du conseil la politique téméraire de Coligny, et provoquerait le triomphe du protestantisme en France.

Le 21 juillet on apprend que les Espagnols du duc d'Albe ont écrasé Genlis devant Quiévrain : trois mille huguenots sont morts, d'autres ont été massacrés par les paysans, Genlis en personne fait partie des six cents prisonniers.

« Pauvre Genlis ! », commente seulement Coligny qui déjà relance ses arguments en faveur de l'intervention aux Pays-Bas. Catherine est absente ; elle a dû quitter brusquement Paris pour Châlons-sur-Marne où sa fille Claude, en route pour le mariage de sa sœur, est tombée malade. Et l'amiral en profite : il ne quitte pas le roi, entretient avec une habileté consommée ses rêves de gloire militaire ; son emprise sur lui est de nouveau complète.

« Il est absolument le maître en tout, écrit l'ambassadeur vénitien, et la cour entière marche à sa suite. » De vives discussions éclatent cependant souvent entre les membres du conseil et lui, à propos de cette guerre que certains refusent, et, pour amener le roi à ses vues, il le persuade de réunir un conseil secret. Celui-ci se tient entre onze heures du soir et deux heures du matin, entre son cousin Montmorency, chef des « politiques », un secrétaire d'Etat, le roi et lui-même, mais Henri d'Anjou n'y est pas convoqué.

Le secrétaire d'Etat se trouve être Simon de Sauves, dont la femme, l'intrigante Charlotte, est l'un des membres les plus efficaces et les plus compétents de l'escadron volant de Catherine. Celle-ci est aussitôt prévenue et revient à Paris — où l'on ne l'attendait pas —, le 3 août, dans un état de fureur indescriptible. Charles, comme d'habitude, se rend à ses arguments.

Puis elle demande à l'amiral les raisons exactes pour lesquelles il tient tant à une guerre contre l'Espagne : une guerre étrangère, explique-t-il, éviterait la guerre civile en France. Le moment est propice ; la France a des droits sur le Hainaut, les Flandres et l'Artois où la population, opprimée par l'Espagne, ouvrira ses portes aux Français, qui se joindront à Guillaume d'Orange déjà accueilli en libérateur. Si le roi de France fait cette guerre en ami des Pays-Bas, en ennemi de leurs ennemis, en vengeur de la tyrannie et en sauveur de la liberté, le cœur des Pays-Bas lui sera vite gagné, et la victoire suivra facilement. « La guerre est inévitable, conclut-il, soit maintenant où nous sommes prêts, soit plus tard lorsque l'Espagne sera prête à son tour. »

Sans un regard à l'amiral, Catherine s'adresse alors à Charles : « Mon fils, il n'y a aucune preuve que les sujets du roi Philippe aux Pays-Bas aient quelque désir de se soumettre à vous ; mais il est certain, quels que soient les droits invoqués, que les Flandres et l'Artois sont hostiles à la France. Si vous annexez ces territoires, vous ne pourrez les conserver qu'à un prix tel que vous devrez les imposer plus lourdement encore qu'ils ne le sont actuellement ; alors, seulement, vous pourrez joindre les deux bouts. Quoi qu'il en soit, attaquer l'Espagne, c'est nous lancer dans une guerre longue et cruelle qui nous mènera à la ruine, et que très probablement nous perdrons parce que le roi Philippe est sage, puissant et riche. Guillaume d'Orange a peut-être une armée, mais il n'a pas d'argent, et sans argent une armée ne peut rien. Quant à dire que l'Espagne et nous-même devrons combattre quelque jour, il est impossible de prévoir à cet égard quel sera l'avenir. »

Devant la logique pleine de bon sens et basée sur des réalités concrètes, de la reine mère, le roi déclare qu'en aucun cas il ne saurait appuyer une guerre contre l'Espagne.

« Mais Votre Majesté, je l'espère, reprend Coligny, ne le prendra pas en mal si, ayant promis au prince d'Orange aide et assistance, j'essaie autant que je le peux de tenir cette promesse vis-à-vis de ces amis, parents et serviteurs, et même vis-à-vis de moi ? »

Le roi ne répondant rien, Coligny se tourne vers Catherine : « Madame, le roi renonce à entrer dans une guerre, lance-t-il sans chercher à dissimuler sa colère. Dieu veuille qu'il ne lui en survienne pas une autre, à laquelle sans doute il ne lui en sera pas aussi facile de renoncer. »

A cette menace à peine déguisée d'une nouvelle rébellion protestante, Catherine répond simplement : « Vous avez rempli le pays de vos soldats, mais mon fils est encore capable de gouverner en paix. »

L'orgueil et le fanatisme de Coligny vont alors l'emporter : malgré la défaite de Genlis, malgré les hésitations françaises et malgré le gouvernement royal, il décide de marcher dans cette guerre désastreuse et annonce son arrivée à Guillaume d'Orange, à la tête de douze mille arquebusiers et trois mille chevaux. Trois mille huguenots sont déjà rassemblés sur la frontière depuis le 13 août, où vont les rejoindre ceux qui, dans la capitale, attendent le mariage.

Paris déborde de monde ; il semble aux yeux des Parisiens, ivres de rage et de haine, que tous les huguenots de France s'y soient donné rendez-vous et, avec eux, de nombreux soldats destinés à Coligny et des étudiants qui profitent de l'occasion pour s'instruire sur la cour de France.

Tout ce qui offre un toit est plein à craquer. Une tension insoutenable et l'air, suffoquant en ce milieu d'août, ont fait hâter le mariage, bien que la dispense ne soit toujours pas arrivée. Il a été fixé au 18, avec ou sans l'autorisation du pape.

Mais il se peut que les catholiques de la capitale, qui se raccrochent comme à un fétu de paille à l'espoir que Rome interdira ce mariage honni, fassent une émeute en apprenant la vérité à propos de la dispense. Catherine regrette infiniment sa première idée qui était de célébrer la cérémonie dans la chapelle royale de Blois où il y aurait eu obligatoirement beaucoup moins de monde. Mais Jeanne d'Albret l'avait alors considérée comme injurieuse pour la Maison de Navarre ; maintenant, tout est à redouter.

La seule chose qu'elle puisse faire est d'écrire au gouverneur de Lyon, par où passent tous les messages venant d'Italie : « Monsieur de Mandelot, je vous écris ce bref courrier pour vous dire que si vous aimez servir le roi mon fils, vous êtes autorisé à ne laisser passer aucun courrier venant de Rome, jusqu'à ce que lundi soit passé. Et faites-le aussi secrètement que vous le pouvez, sans donner lieu à aucune rumeur. »

Le 18 août, par une chaleur étouffante, une foule tumultueuse peut assister à la bénédiction donnée, puisqu'il s'agit d'une union mixte — à propos de laquelle depuis des semaines protestent toutes les paroisses de Paris —, sur le parvis de Notre-Dame. Le roi de France et le roi de Navarre, Henri d'Anjou, François d'Alençon et le jeune prince de Condé, en signe d'éternelle amitié, sont tous vêtus d'un même satin rose rehaussé de broderies d'argent, de perles et de pierres précieuses. Seul Henri, toujours soucieux d'originalité, porte sur sa toque trente-deux magnifiques perles.

Margot est en velours pourpre et une cape d'hermine

mouchetée lui couvre le corsage. « Je brillais de tous les joyaux de la Couronne, note-t-elle, et étincelais dans mon grand manteau bleu avec ses huit aunes de traîne. » Catherine, exceptionnellement, a laissé ses vêtements de deuil pour un velours un peu plus sombre que celui de sa fille.

Mais, lorsque le cardinal de Bourbon lui demande si elle accepte de prendre Henri de Navarre pour époux, Margot ne répond pas. Chacun, à cause de sa grande taille, peut voir que Henri de Guise la regarde intensément. Elle le regarde à son tour, toujours silencieuse, jusqu'à ce que le roi s'avance et, furieux de cette hésitation, incline de force la nuque de sa sœur en signe d'assentiment.

Ce soir-là, Coligny écrit à sa femme : « Aujourd'hui a été célébré le mariage de la sœur du roi avec Henri de Navarre. Les trois ou quatre prochains jours vont se passer en plaisirs, banquets, mascarades, ballets et tournois ; après quoi, le roi — ainsi m'en a-t-il assuré — consacrera plusieurs jours à écouter les plaintes qui, de toutes parts, s'élèvent dans le royaume à cause de la violation de l'édit. En cette matière je suis obligé de travailler jusqu'à l'extrême limite de mes forces. Je préférerais de beaucoup être à vos côtés plutôt qu'à la cour, mais nous devons faire passer le bien public avant notre bonheur personnel. Quant au reste, tout ce que j'ai à dire pour le moment est qu'il était quatre heures passées cet après-midi et que la messe nuptiale avait encore lieu ; pendant ce temps, le roi de Navarre et moi, avec certains gentilshommes de notre religion, nous nous promenions dehors. »

Pendant qu'ils « se promènent » ainsi avec ostentation pour bien montrer leur volonté délibérée de ne pas entrer dans la cathédrale pendant la messe, les protestants font semblant de ne pas entendre les vociférations de la foule. Puis ils vont chercher le marié, et Coligny montre à l'envoyé anglais celles des bannières de Jarnac et de Montcontour qui n'ont pas été envoyées à Rome, mais accrochées dans la nef de Notre-Dame : « Dans peu de temps, elles seront arrachées, et remplacées par d'autres plus agréables à regarder ! » L'Anglais, ayant fait remarquer qu'autant qu'il en pouvait juger, les Français n'étaient par arrivés à se mettre d'accord sur une guerre avec l'Espagne : « Celui qui empêche la guerre espagnole n'est pas un bon Français, reprend l'amiral, mais il porte une croix rouge (emblème de l'Espagne) sur la poitrine ! »

« Dans les jours qui ont suivi le mariage de ma sœur, confie Henri d'Anjou à son journal, ma mère et moi avons remarqué trois ou quatre fois que lorsque l'amiral avait un entretien privé avec le roi — ce qui arrivait souvent car ils avaient ensemble de longues conversations — si nous approchions le roi lorsqu'il se retrouvait seul, nous le trouvions étrangement maussade et impatient, rude dans ses manières et encore plus dans ses réponses, ce qu'il n'était pas accoutumé à faire avec ma mère, et qu'il ne lui témoignait pas le même respect qu'à son habitude.

« Ayant comparé nos impressions, nos observations et nos soupçons, et nos souvenirs des incidents passés, nous fûmes presque certains que l'amiral avait donné au roi mon frère certaines mauvaises opinions de nous, et nous décidâmes séance tenante de nous débarrasser de lui et de nous entendre pour cela avec Mme de Nemours, la seule personne à laquelle nous pouvions nous confier en ce projet à cause de la haine qu'elle lui porte. »

La veuve de François de Guise, devenue par son second mariage duchesse de Nemours, habite, pendant les fêtes du mariage, rue des Fossés-Saint-Germain, proche du Louvre, une maison qui a servi autrefois à ses jeunes enfants et à leur précepteur. Cette rue, l'amiral l'emprunte quotidiennement pour aller et venir entre le Louvre et son hôtel de la rue Béthizy.

La duchesse et son fils envisagent depuis longtemps la possibilité d'accomplir enfin leur vengeance : tirer sur Coligny d'une des fenêtres de la maison. Mais, à la question de savoir qui devait manier l'arquebuse, le jeune duc a toujours répondu : « Ma mère, cet honneur vous revient de toute évidence ! » Or, la duchesse refuse, non pour des raisons humanitaires — elle n'est plus la jeune personne sensible que Catherine a dû rappeler à l'ordre il y a douze ans lors des exécutions d'Amboise —, mais simplement parce qu'elle estime ne pas tirer suffisamment bien.

Quant à Henri, et malgré son désir de voir disparaître le meurtrier de son père, s'il accepte de le tuer lui-même en duel ou au cours d'un combat, il refuse de violer les lois de l'honneur en se plaçant au rang des assassins de vile espèce.

Aujourd'hui, la reine mère autorise une vengeance longtemps attendue, qui la débarrassera, ainsi que la France, de l'amiral ; elle permet, officiellement peut-on dire, un geste auquel les Guises n'avaient renoncé que par obéissance pour sa personne. Il faut se précipiter, et tout de suite trouver un tireur.

Le mercredi 20 août, la duchesse gagne l'hôtel de Lorraine, et, le jeudi, son fils installe dans la maison de la rue des Fossés-Saint-Germain — sa double issue facilitera la fuite de l'homme —, le meilleur tireur de sa suite, qu'il a fait venir de Joinville.

Il tire le vendredi 22 — qui marque la fin des fêtes du mariage et, pour le conseil, la reprise du travail. Mais à la seconde où part le coup d'arquebuse, Coligny se baisse pour ajuster son couvre-chausses ; il n'est que très légèrement blessé et capable, avec l'aide de deux gentilshommes, de regagner son hôtel.

Le roi apprend l'assassinat manqué au cours d'une partie de paume avec Henri de Guise et Téligny, gendre de Coligny, un peu après le milieu de la matinée. Il jette sa batte à terre en émettant quelques-uns de ses habituels jurons et hurle : « N'aurai-je donc jamais la paix ? », puis se précipite dans ses appartements privés où il refusera de voir âme qui vive pendant toute la fin de la matinée. Auparavant, il a pris le temps d'envoyer Ambroise Paré à l'amiral, pendant que le duc de Guise se réfugiait à l'hôtel de Lorraine et que Charles de Téligny courait auprès de son beau-père.

Catherine apprend la nouvelle pendant son dîner. Sans un mot ni un signe d'émotion elle se lève, et convoque Henri dans les jardins des Tuileries ; là seulement, elle sait pouvoir être tranquille, et assurée qu'aucune oreille indiscrète ne l'écoute. Car la reine mère a depuis longtemps pris l'habitude de ne parler qu'au grand air des sujets très importants.

Dans ce jardin nouveau, elle a créé en 1570 un étrange et fantaisiste lieu de retraite : une grotte, œuvre de Bernard Palissy, « faite de rochers parmi lesquels étaient mêlés des coquillages de limaces, et herbes telles qu'on les voit au bord des rivières ». La grotte est gardée par des ifs taillés en forme d'Adam et Eve, et des chemins entrelacés de thym, de marjolaine et de romarin y conduisent ; tout autour sur les parterres, des animaux en émail sortis des mains de son cher potier, crapauds, reptiles fabuleux et personnages étranges aussi grands que nature, qu'ensemble ils ont placés dans le paysage. Et c'est là aujourd'hui, 22 août 1572, qu'au cœur de ce jardin « suffisamment éloigné de la foule pour convenir parfaitement à un conseil », Henri d'Anjou, le maréchal de Tavannes et son habituel conseil italien, Nevers, Gondi et Birague se concertent autour d'elle sur les moyens de faire face à la situation : l'amiral blessé, mais pas mort, tout peut arriver. Déjà l'on dit que les huguenots ont résolu de se venger et que Paris est sur le point de se soulever.

Ils sont toujours en quête d'une solution lorsqu'un seigneur calviniste à la solde de Catherine, Bouchavannes, vient les avertir que le roi rendra visite à l'amiral à deux heures trente. Henri suggère que tous l'accompagnent.

Dans les trois heures qui ont suivi l'attentat, l'hôtel de la rue Béthizy — aujourd'hui 144 rue de Rivoli — est devenu le point de rassemblement de la capitale : de tous les quartiers des huguenots se hâtent, l'épée à la main, et forment autour de la maison une garde mystérieuse et presque invisible ; à l'intérieur, plus de deux cents gentilshommes, parmi lesquels Montgomery, qui devra remplacer Coligny à la tête des forces protestantes, dressent à grand bruit des plans de vengeance.

Dès l'arrivée du cortège royal, Charles se rend au chevet de Coligny et, très ému, l'embrasse : « Mon père, vous avez la blessure, moi j'ai la peine. Je renonce à mon propre salut si je ne dois pas vous venger, et qu'on ne l'oublie jamais. » Il a déjà ordonné une enquête, précise-t-il, et deux personnes ont été trouvées dans la maison d'où est parti le coup d'arquebuse, et arrêtées.

« — Je ne soupçonne personne d'autre que M. de Guise, dit Coligny.

« — ... Qui jouait à la paume avec moi lorsque le coup a été tiré.

« — Mais le véritable assassin, reprend Catherine, n'est pas toujours celui qui tire.

« — Qu'importe, M. de Guise sera interrogé.

« — Mon seul regret, dit Coligny, est que ma blessure m'empêche de travailler pour Votre Majesté en un moment pareil. La guerre des Flandres est commencée. Ne la désavouez pas, sire. Ne nous obligez pas à manquer de parole envers le prince d'Orange. Et chaque jour on viole votre édit, c'est une honte !

« — Nous ferons tout pour rétablir les choses, mon père ; j'ai déjà envoyé des commissaires dans les provinces. »

Puis Coligny demande à parler au roi en particulier. « Le

roi nous fit signe de nous retirer, ma mère et moi, rapporte Henri, ce que nous fîmes, et nous restâmes au milieu de la pièce pendant qu'ils échangeaient quelques mots. » Catherine enfin se décide à intervenir : « Il vous faut laisser l'amiral se reposer, mon fils ! »

« Voici la balle que M. Paré a ôtée de son bras », dit Charles. La reine mère la prend, la soupèse. « Je suis fort aise, dit-elle lentement à Coligny, que la balle ne soit point demeurée dans votre corps, car je me souviens que lorsque M. de Guise fut tué près d'Orléans, les médecins me dirent plus d'une fois que si la balle avait pu être enlevée, bien qu'empoisonnée, il n'y aurait eu aucun danger de mort. »

En rentrant au Louvre, inlassablement Catherine interroge : « Que vous a-t-il dit, mon fils ? Que vous a-t-il dit ? »

Aux grilles du palais seulement, elle obtient ce qu'elle désire. La résistance de son fils cède et il hurle : « Mordieu, Madame, puisque vous insistez pour le savoir ! L'amiral a dit que je ne devais pas vous faire confiance ; que, dans vos mains, tout mon pouvoir est parti en pièces, et que tout le mal, pour moi et pour mon royaume, viendra de là ! Voilà ce qu'il m'a dit ! » Et jurant avec frénésie, il la quitte précipitamment et s'enferme de nouveau chez lui.

En chemin il rencontre le duc de Guise venu lui demander l'autorisation de quitter Paris. « Allez où vous le désirez, au diable si vous le voulez ! Je saurai bien vous retrouver si j'ai besoin de vous ! » Guise sort de la capitale, par la porte Saint-Antoine, en direction de Joinville où se trouve sa grand-mère, mais à la tombée de la nuit il fait demi-tour avec un seul de ses gardes et regagne l'hôtel de Lorraine.

Rue de Béthizy, Coligny tient un conseil de guerre ; Bouchavannes est présent, et Gramont, autre calviniste fidèle de Catherine, qui lui feront plus tard un rapport circonstancié. Le plan huguenot — prendre Paris, occuper le Louvre et s'emparer du roi dans un seul et même coup de force — se trouve affermi par l'attentat contre Coligny, et la date du 26 août est arrêtée pour le soulèvement. Téligny préférerait celle du 30 pour laisser à son beau-père l'amiral le temps de récupérer, et aux nouvelles forces celui d'arriver ; mais tous sont unanimes pour développer par tous les moyens l'atmosphère surexcitée de la cité.

Des bandes armées de huguenots déambulent dans les rues

en criant justice et en se bagarrant avec les gens du duc de Guise ; les magasins sont hâtivement fermés et barricadés ; Armand de Pilles et Jean de Pardaillan — qui en octobre 1569 ont tenu Saint-Jean-d'Angély contre les forces royales — font irruption au Louvre en se querellant avec la garde du roi qui tente de les arrêter. Ils veulent être les premiers au coucher du roi pour demander vengeance contre les Lorrains ; s'il ne fait point justice les huguenots la feront eux-mêmes.

Le roi fait de son mieux pour maintenir un ordre que la fièvre générale a déjà fortement compromis. Il place cinquante hommes de sa garde rue de Béthizy, maintenant fermée par des chaînes, et remplit de huguenots les maisons les plus proches de celle de Coligny qui refuse toujours de s'installer au Louvre. Chaque conseiller doit placer à la porte de la cité dont il a la garde dix citoyens « pour voir et savoir qui entre et qui sort, avec quelles armes et avec quelles forces ». Il augmente d'une aide militaire l'autorité civile. Le capitaine des archers et tous ses hommes surveillent l'Hôtel de Ville ; le capitaine de la garde royale avec un important détachement reçoit l'ordre de ne pas quitter la tour du quai Saint-Bernard où l'on entrepose les provisions de poudre de la ville. Un canon est installé place de Grève ; enfin, au cas où ces précautions se révéleraient inutiles et pour avoir quelque idée de l'endroit d'où pourrait partir l'émeute, on fait dresser une liste de toutes les maisons qui abritent des huguenots.

Malgré ces instructions, la fièvre ne baisse pas. A l'aube du samedi 23 août le roi apprend que des hommes armés ont rôdé toute la nuit dans les rues : « Que se passe-t-il ? Les gens sont en effervescence, et armés ! Et mes ordres ? » Puis il prie son frère, puisqu'il est lieutenant général, d'aller faire un tour en carrosse pour prendre la température de la ville.

Catherine cependant a pris sa décision : elle répugne à assassiner, mais réalise que si elle avait suivi les conseils du duc d'Albe à Bayonne et privé les rebelles de leurs chefs, des dizaines de milliers de Français seraient encore en vie et la « guerre des démons » aurait épargné son pauvre royaume. Maintenant, il faut agir très vite et devancer les huguenots qui vont punir les auteurs du complot dès qu'ils les connaîtront. La nécessité politique l'emporte en cet instant sur la valeur éthique du meurtre : si elle veut sauver le trône, le pays, ses sujets et elle-même, elle doit frapper immédiatement, et bien frapper.

Il s'agit, pense-t-elle alors, de n'exécuter qu'une demi-douzaine de rebelles, parmi les plus importants, qu'elle peut éventuellement réduire à trois : Coligny, Montgomery et le vidame de Chartres, puisque Henri de Navarre et le jeune Condé, princes du sang, sont intouchables. Plus tard, Catherine répétera qu'en toute conscience, elle ne pensait qu'à massacrer cinq ou six seigneurs, et priver ainsi les huguenots de leurs chefs.

Mais, avant de fixer les détails d'une telle entreprise, il s'agit de convaincre le roi et de l'amener à accepter l'idée d'une action contraire à ses convictions mais dont lui seul peut avoir l'initiative.

Un peu avant midi, Catherine, accompagnée de Henri, Gondi, Tavannes et Birague, se rend auprès de Charles IX et l'informe du complot huguenot. Le roi refuse de la croire, se met en colère, ne comprend pas : « Seul un fou accepterait de croire qu'un complot huguenot commence par une tentative d'assassinat sur l'amiral ! »

Ce n'est là qu'une coïncidence, explique Tavannes. « Tous nous connaissons la vieille inimitié de M. de Guise pour l'amiral, sire. Le mariage lui a servi d'occasion. » Puis Gondi rapporte l'entretien de la veille : certains huguenots voulant attaquer le Louvre immédiatement avec les troupes présentes dans la capitale, d'autres conseillant à Coligny de retourner prendre des forces à Châtillon pour être prêt à soulever une autre rébellion. Birague à son tour évoque les milliers d'Allemands et de calvinistes suisses recrutés par Coligny, en citant le nombre exact envoyé par chaque commune, et l'origine des sommes destinées à les payer. Henri d'Anjou enfin expose minutieusement les intentions des rebelles : saisir, et peut-être tuer, la famille royale. Tous insistent sur le péril dans lequel ils se trouvent par la faute des huguenots.

Abasourdi par les chiffres qu'il ne peut contredire — Petrucci, collègue florentin de Bouchavannes, les a pris dans les documents de l'amiral —, Charles se jette dans une violente dénégation : « Tout cela est mensonge ! L'amiral m'aime comme si j'étais son fils. Jamais il ne me fera de mal !

« Avez-vous déjà oublié comment il a voulu s'emparer de

nous à Meaux ? Et comment il s'est sauvé pendant la nuit ? Et comme vous avez pleuré devant une telle honte ?

« — Mordieu, Madame, proteste Charles qui apprécie peu ce souvenir, taisez-vous, je vous prie !

« — Comment puis-je me taire, alors que votre vie et votre royaume sont en danger ? Etes-vous aveugle au point de ne rien voir ? Ne comprenez-vous pas pourquoi l'amiral essaie de vous détourner de moi ? »

Sans vouloir l'admettre, Charles, peu à peu, commence à voir clair. L'idée d'une trahison possible de Coligny le bouleverse ; il est au bord des larmes : « Que dois-je faire ?

« — Que faites-vous, sire, lorsqu'un sanglier blessé vous attaque ?

« — Vous le savez aussi bien que moi, maréchal : je me tiens ferme sur mes jambes, je l'attends et je le frappe à la gorge.

« — Sire, vous devez regarder l'amiral comme un sanglier.

« — J'ai juré de le sauver ; je ne veux pas qu'on y touche ! Je ne veux pas ! Je veux que justice soit faite ! Mes troupes garderont la ville et l'enquête continuera jusqu'à ce qu'on trouve l'assassin de l'amiral. »

Catherine alors joue sa dernière carte : « Et lorsque l'enquête aura abouti, qui pensez-vous trouver derrière l'attentat ?

« — Qui ? M. de Guise, bien sûr !

« — Et derrière M. de Guise ?

« — Derrière M. de Guise ?... Nous savons tous que sa Maison...

« — C'est moi, interrompt Catherine, c'est moi qui suis derrière M. de Guise !

« — Vous ? Mais pourquoi ? Pourquoi vous ? bégaie Charles incrédule.

« — J'ai donné à la France un roi incapable qui a plongé son royaume dans la ruine, et je fais maintenant ce que je peux pour le redresser. »

Pendant quelques secondes qui semblent infinies, la mère et le fils se regardent ; puis le roi baisse les yeux : « Je ne veux pas qu'on touche à l'amiral ! Je ne le veux pas ! » murmure-t-il. Brusquement sa voix se casse en un cri hystérique et il hurle comme un fou, un peu d'écume de sang aux lèvres : « Tuez l'amiral si vous le voulez, mais tuez aussi tous les huguenots afin qu'il n'en reste pas un seul pour me le reprocher ! Tuez-les tous ! Tuez-les tous ! »

« Si jusqu'alors, rapporte Henri d'Anjou, il avait été difficile de persuader mon frère, il fallait maintenant le retenir. » Affolé, épuisé, déçu, acculé, le roi veut massacrer tous les huguenots de Paris, là où Catherine ne veut que certains de leurs chefs, et Henri s'assurer seulement qu'après la mort de Coligny — sur laquelle chacun s'accorde — ses troupes pourront contenir l'insurrection.

Gondi, Birague et Tavannes optent pour un massacre général, et tout l'après-midi les discussions se poursuivent. A cinq heures le roi convoque Marcel et Le Charron, l'ancien et le nouveau prévôt des marchands ; il a dans les mains, leur dit-il, la preuve que « ceux de la nouvelle religion veulent se soulever contre lui et l'Etat, et troubler la paix de ses sujets et de la cité ». Pour la sécurité de sa famille et de ses sujets, et pour la « paix, repos et tranquillité, pour le royaume et pour la cité », et pour empêcher cette conspiration d'aboutir, le roi demande à Marcel de rassembler autant de loyaux citoyens catholiques qu'il le peut pour aider les forces militaires. Tout homme en âge de porter les armes doit s'armer et se tenir prêt dans son propre quartier et à tous les carrefours de la ville. Afin de pouvoir se reconnaître en cas de mêlée, chacun doit porter un ruban blanc sur le bras gauche et une croix blanche sur le chapeau.

Le prévôt des marchands en fonction reçoit des instructions spéciales : Charron doit s'emparer des clés de toutes les portes de la ville pour empêcher qui que ce soit d'entrer ou de sortir ; par ailleurs il doit veiller à ce que tous les bateaux soient rassemblés et enchaînés sur la Seine, pour que personne ne puisse gagner la rive gauche et s'échapper par le sud de la ville qui est ouvert sur la campagne. Enfin chaque maison catholique doit mettre une chandelle à la fenêtre.

Un peu avant minuit, Marcel et Le Charron reviennent au Louvre, leur mission accomplie : la cité est en état d'alerte et sous la garde de citoyens fidèles, l'ordre sera maintenu comme il convient.

Charles IX donne alors ses dernières consignes. Sur l'ordre de Coligny, Montgomery doit réunir quatre mille hommes et le mardi suivant, 26 août, les huguenots entreront dans le Louvre par petits groupes pour passer inaperçus. A midi, moment de relâche de la garde, un des leurs présentera de la part de l'amiral un mémoire injurieux destiné à provoquer la colère du roi. « J'y répondrai comme il convient, continue Charles, on me saisira et on me massacrera avec mes frères, ma femme et ma mère, et le reste de la cour, chaque huguenot sachant d'avance lequel d'entre nous il devra tuer. C'est pour prévenir cela que nous devons frapper les premiers. Faites-le savoir à tous les loyaux citoyens, et dites-leur que lorsqu'ils entendront le tocsin de l'aube sonner à l'Hôtel de Ville, mon souhait est qu'ils prennent les mesures qu'ils jugeront convenables. »

Ainsi Charles a consenti à l'idée du massacre ; il congédie les deux prévôts des marchands qui vont porter la nouvelle aux Parisiens et sont accueillis « avec grande joie ».

Au Louvre, cette nuit-là, samedi 23 août, Margot est la seule de la famille à ignorer ce qui se trame : « J'étais au coucher de la reine ma mère, assise sur un coffre avec ma sœur de Lorraine qui était très abattue, lorsque ma mère m'adressa la parole pour m'envoyer coucher. Comme je faisais ma révérence, ma sœur m'attrapa par la manche et me retint. Elle commença à pleurer en disant : " Mon Dieu, ma sœur, vous ne devez pas partir. " Ma mère, voyant cela, appela ma sœur sévèrement, lui interdisant de me rien dire. J'appris par la suite que ma sœur avait dit qu'il était injuste de me renvoyer ainsi pour être sacrifiée parce que, s'ils découvraient quoi que ce soit, ils se vengeraient probablement sur moi.

« Ma mère répondit que, si Dieu le voulait bien, il ne m'arriverait aucun malheur ; mais que dans tous les cas je devais aller, par crainte d'éveiller leurs soupçons. Je les voyais discuter, mais je n'entendais pas les mots. Puis ma mère m'ordonna brusquement de me retirer. Le roi mon mari me fit alors savoir que je pouvais venir me coucher, ce que je fis. Je trouvai son lit entouré de trente ou quarante huguenots qui m'étaient encore inconnus car je n'étais mariée que depuis quelques jours. Toute la nuit ils parlèrent de l'accident survenu à l'amiral, et décidèrent que, dès le lever du jour, ils iraient demander justice au roi contre M. de Guise, et que, si cela leur était refusé, ils s'en chargeraient eux-mêmes. »

Aux environs de minuit la plupart des huguenots quittent le Louvre et regagnent la cité. La Rochefoucauld est dans les derniers ; il a passé presque toute la soirée avec le roi. Au moment où il commence ses adieux, le roi, désireux de sauver son ami, implore : « Ne partez pas, Foucauld. Il est très tard ; bavardons pendant le reste de la nuit !

« — Il faut quelquefois dormir, répond La Rochefoucauld en bâillant.

« — Dans ce cas, restez, et dormez avec mes valets de chambre !

« — Leurs pieds sentent trop mauvais ! Bonsoir, petit maître ! », et La Rochefoucauld se retire, pour rentrer chez lui rue Saint-Honoré après avoir passé une heure chez sa maîtresse, la veuve du prince de Condé.

La nuit passe lentement. En proie à l'insomnie, Charles ne dort pas ; brusquement il se rue chez l'évêque d'Orléans, membre du conseil, mais qui n'a pas assisté aux dernières discussions. Il le réveille pour l'informer du soulèvement huguenot. Epouvanté, l'évêque s'assied, « complètement abasourdi, et incapable de parler, car il n'a plus de souffle ». Charles alors lui parle des exécutions prévues pour le petit matin, et lui demande son avis ; l'évêque d'Orléans soupire et verse des larmes : « Si tout cela est vrai, répond-il, tous les huguenots seront massacrés selon la volonté du roi. »

C'est alors qu'un coup de pistolet éclate dans le silence de la nuit, venu d'où, tiré par qui, on l'ignore. « Et ne saurais dire en quel endroit ni s'il offensa quelqu'un : bien sais-je que le son seulement nous blessa si avant en l'esprit, qu'il offensa nos sens et notre jugement, esprit de terreur et d'appréhension des grands désordres qui s'allaient alors commettre » ; ce sont les paroles d'Henri d'Anjou, qui guette en compagnie de sa mère « en une chambre qui regarde sur la place de la basse-cour, pour voir le commencement de l'exécution... [considérant] les événements et la conséquence d'une si grande entreprise, à laquelle, pour dire vrai, nous n'avions, jusque alors, guère bien pensé. »

Dans la crainte d'un soulèvement huguenot qu'elle s'est donné tant de mal à prévenir, Catherine donne l'ordre qu'on fasse aussitôt sonner les trois cloches d'argent de la tour sud de Saint-Germain l'Auxerrois, la toute proche paroisse du Louvre. Elles devancent de deux heures le tocsin de l'Hôtel de Ville, mais elle n'ose attendre.

Il est alors entre deux heures trente et trois heures du matin, le dimanche 24 août 1572, fête de la Saint-Barthélemy.

Massacre de la Saint-Barthélemy.
A cheval l'amiral Gaspard de Coligny (détail).

Amirall

Au bruit des cloches de l'église, le duc de Guise se dirige vers la rue de Béthizy avec son oncle d'Aumale, quelques hommes de sa suite et la garde suisse aux couleurs du duc d'Anjou, blanc, noir et vert ; la garde royale est là aussi avec son capitaine, non pour protéger Coligny, leur a-t-on précisé au Louvre, mais éventuellement pour agir contre lui.

Aux Suisses du roi de Navarre qui patrouillent dans la cour de l'hôtel Coligny, le duc de Guise annonce qu'il vient rendre visite à l'amiral sur ordre du roi ; un gentilhomme ouvre les portes, il est aussitôt poignardé par le capitaine des gardes du roi qui se rue dans la cour, suivi des hommes qui accompagnent le duc. Mais, devant le danger, les Suisses d'Henri de Navarre ont eu le temps d'entasser au pied de l'escalier coffres et armoires, et lorsque les portes extérieures cèdent, l'escalier est barricadé ; des Suisses protestants le défendent, que les Suisses catholiques d'Henri d'Anjou, patriotes avant tout, refusent d'attaquer. Le capitaine des gardes royales intervient alors et, l'épée au poing, ordonne à ses arquebusiers de tirer sur leurs compatriotes ; l'un d'entre eux tombe, les autres subissent le même sort, au pied de l'escalier l'échafaudage ne résiste pas longtemps et les hommes armés s'élancent au troisième étage, vers la chambre de l'amiral. En tête se trouve Jean Yanowitz, jeune assassin d'origine bohémienne attaché à la personne du duc de Guise.

Dans la grisaille du petit jour qui précède l'aube, Besme (c'est son surnom) distingue mal les traits de Coligny : « N'êtes-vous pas l'amiral ? — Je le suis, répond celui-ci d'un ton serein, mais peut-être pourriez-vous respecter le blessé et le vieillard que je suis... Laissez-moi mourir de la main d'un gentilhomme, et non d'une canaille de votre espèce ! »

Ce sont ses derniers mots ; il tombe contre la cheminée après avoir reçu sept coups de poignard.

En bas, dans la cour, le duc de Guise et d'Aumale, à cheval, entendent le bruit de la chute : « Besme ! As-tu fini ? — C'est fait ! » et Besme jette par la fenêtre le cadavre éventré de l'amiral qui tombe aux pieds de son maître. Le visage est en sang, et pour le reconnaître le duc doit descendre de cheval et l'essuyer : « Ma foi ! C'est bien lui ! »

A cet instant la grosse cloche de l'Hôtel de Ville se met en branle, conviant la cité au massacre, et d'un seul coup, dans

Massacre de la Saint-Barthélemy le 24 août 1572 (détail).

l'aube naissante, les rues s'éveillent à la vie. Il est entre cinq heures et six heures du matin.

« A Montgomery maintenant ! » crie le duc de Guise, et il entraîne ses hommes.

Le corps de l'amiral est jeté dans les écuries pendant qu'à l'intérieur de la maison, Petrucci, qui connaît les lieux, s'empare de tous les documents possibles. Ceux-ci révéleront que le complot était mieux organisé et plus dangereux encore que ne l'avaient laissé entendre Bouchavannes et Gramont, puisqu'il prévoyait l'instauration d'une république à l'intérieur du royaume, dirigée par l'amiral de Coligny qui prenait la place d'Henri de Navarre, assassiné avec toute la famille royale.

Au Louvre, Charles IX doit régler le cas des princes du sang, Henri de Navarre et Henri de Condé ; il leur propose de choisir entre la mort et la conversion à « la foi catholique dans laquelle ils ont été baptisés ». La réponse des deux cousins à cette alternative témoigne bien du sang qui coule dans leurs veines. Plein de charme et de complaisance comme l'était son père Antoine, le roi de Navarre se fait « doux comme un agneau » pour capituler ; mais Henri de Condé, qui à seize ans possède le sens de l'honneur du petit bossu Louis, répond au roi : « Je m'étonne, sire, que Votre Majesté se permette de rompre la promesse que vous avez si solennellement donnée dans les édits. La religion ne se commande pas. Ma vie et mes biens sont entre vos mains, vous pouvez en faire ce que vous voulez, mais la crainte de la mort ne changera rien à ma foi. »

La Rochefoucauld est tué chez lui par le frère de Chicot, bouffon du roi, et Téligny, alors qu'il essaie de s'échapper par le toit de sa maison, proche de celle de l'amiral ; mais Montgomery et soixante chefs huguenots, parmi lesquels le vidame de Chartres, qui habitent tous sur la rive gauche, arrivent à s'enfuir dans la campagne. Guise et ses hommes se jettent derrière eux dans une poursuite vertigineuse et en massacrent beaucoup, mais Montgomery, sur sa jument espagnole particulièrement rapide, est bientôt hors de vue, et le duc de Guise abandonne la course à la hauteur de Montfort-l'Amaury.

En ce même début de matinée, rue de Béthizy, la foule parisienne, maintenant bien éveillée, s'empare dans l'écurie du corps de l'amiral, le bourre de coups de pied, lui crache dessus, l'émascule, le décapite, lui arrache le sein et le bras droits, et traîne à travers les rues ce qui reste de Coligny, attaché à une corde. Ainsi va-t-on jusqu'au gibet de Montfaucon ; là il est pendu, ou plutôt attaché, enchaîné, la queue d'un cheval fixée à la place de la tête. Parmi ceux qui insultent le cadavre figurent femmes, enfants, misérables de toutes sortes, au moins trois cents — les hommes ont autre chose à faire...

Le massacre, la chasse à l'homme, règnent maintenant en maîtres dans la capitale où peu à peu le carnage s'installe sans que rien ne puisse plus le retenir. Voleurs et égorgeurs professionnels, habituellement cachés dans les taudis des rues étroites et enchevêtrées, sortent dans l'espoir de quelque butin inespéré. Le seul mot de « huguenot » justifie toutes les tueries : vieilles inimitiés, rancunes personnelles, procès, querelles d'argent, rivalités amoureuses, haines de toutes sortes... Autant de bonnes raisons de massacrer à cœur joie : pour les débiteurs de dénicher leurs créditeurs, les marchands ruinés leurs concurrents, les écrivains ratés leurs rivaux, et de les égorger. Catholiques et protestants s'entre-tuent sans distinction.

Un célèbre maître de grec à l'université de Paris est tué par un autre maître jaloux de sa chaire, et son corps livré aux étudiants qui le traitent de façon telle qu'à seulement regarder l'ouvrage, on défaille d'horreur. Les étudiants, bien sûr, sont les pires éléments de cette foule déchaînée, et l'une de leurs distractions favorites consiste à tuer une femme enceinte, à l'éventrer et à battre le fœtus jusqu'à le réduire en bouillie. Mais il y en a d'autres, parmi les plus âgés, tel cet orfèvre qui « montre son bras nu en clamant que ce bras a tranché quatre cents gorges ce matin », ou bien cet imprimeur qui a décidé de faire mourir les marchands de livres et les relieurs en les suspendant au-dessus du bûcher où brûlent leurs livres, puis lorsqu'ils sont à moitié morts, les décroche et les jette à la Seine.

Pillages, noyades, tueries, horreurs classiques d'une ville abandonnée à la haine et à la vengeance : deux mille victimes au cours de cette première matinée. « Pas la plus petite ruelle à Paris où l'on n'ait assassiné quelqu'un », écrira Tavannes ; dans les rues étroites qui descendent vers la Seine « coulent des torrents de sang, comme s'il avait beaucoup plu ». « Le sang et la mort envahissent les rues de façon tellement horrible que Sa Majesté, dans le Louvre, a fort à faire pour se garder de la peur ! »

A dix heures trente, Marcel et Le Charron viennent protester auprès de Charles IX et obtiennent audience : les mesures défensives prises la veille au soir pour prévenir le soulèvement huguenot ne doivent pas être appliquées plus longtemps ; le peuple de Paris est déchaîné, toute la cité semble être prise dans cette situation inextricable qui maintenant échappe complètement à leur contrôle. Ils ne peuvent plus retenir une foule ainsi livrée à ses pires instincts : « On tue n'importe qui, conclut Marcel, on déshabille les morts, on les traîne dans les rues, on pille les maisons et on n'épargne même pas les enfants. »

Charles fait donner l'ordre partout de déposer immédiatement les armes, et que des soldats patrouillent dans les rues pour tenter d'y ramener la paix. Mais citoyens et soldats sont maintenant indistinctement pillards et assassins ; l'ordre du roi est sans effet, et il commence à redouter les forces démoniaques qu'il a libérées.

Seule Catherine garde la tête froide. « Elle semble rajeunie de dix ans, écrit à son maître l'envoyé du duc de Savoie qui l'a vue au milieu de la journée, et fait l'effet d'une personne qui sortirait d'une grave maladie, ou aurait échappé à un grand danger. » Elle est la première à le reconnaître : « Jamais auparavant je ne me suis trouvée dans une situation où j'avais tant de raisons d'être terrifiée, et à laquelle j'ai échappé avec plus de reconnaissance. »

L'ambassadeur ayant suggéré que le prix qu'elle avait dû payer était peut-être quelque peu excessif : « Il valait mieux que tout cela tombe sur eux que sur nous, répond-elle. Ce qui a été fait n'est rien moins que nécessaire. »

Le lundi 25, le ciel semble donner son approbation à Catherine : au cimetière des Saints-Innocents, au pied d'une statue de la Vierge, une aubépine stérile depuis quatre ans a brusquement refleuri. La foule s'attroupe, crie au miracle, et il faut bientôt faire garder le cimetière. Les cloches de l'église sonnent à toute volée, dans les rues de la cité des cortèges enthousiastes s'organisent où l'on bat le tambour. « La religion catholique et le royaume vont fleurir à nouveau, nous retrouverons l'ancienne splendeur... »

Un Italien raconte le lendemain, dans une lettre, comment il a vu l'aubépine « couverte de fleurs », ajoutant : « Je l'ai pieusement touchée avec mon chapelet. » Plus tard, le roi vient voir l'« épine des Saints-Innocents », accompagné de sa mère, de ses frères et sœurs et de plusieurs gentilshommes, « chacun faisant son devoir et offrant ses dévotions à l'image de Notre-Dame ». Bientôt, on y dit trois messes par jour, de nombreux malades viennent toucher l'épine, parmi lesquels beaucoup sont guéris, comme cela est attesté.

Ce même lundi 25 août, et bien qu'on continue à s'entretuer à droite et à gauche, le roi demande aux gouverneurs de province de rendre compte des massacres et, pour éviter d'autres semblables émeutes « dont il aurait très grand regret », leur ordonne expressément de respecter l'édit et de veiller « à ce que personne ne prenne les armes, mais que chacun reste tranquillement chez soi ».

La plus grande partie de la France lui obéit. En Champagne et en Bourgogne où règne la loi sévère du duc de Guise et de son oncle d'Aumale, il n'y a pas un seul meurtre. A Paris, le duc lui-même, après sa vaine poursuite derrière Montgomery, a sauvé plus d'une centaine de huguenots en leur offrant refuge à l'hôtel de Lorraine. La basse Normandie est restée calme sous l'autorité de Matignon en qui Catherine a toute confiance. Mais à Meaux, terre de la reine mère, Troyes, Orléans, Bourges, Angers, Lyon, Rouen, Toulouse, Bordeaux et d'autres villes où les passions religieuses sont vives, le carnage, de proche en proche, continue de se propager, quelquefois trois ou quatre semaines après le jour de la Saint-Barthélemy : comme l'a dit Michelet, dans son *Histoire de France,* « il ne faut pas s'y tromper, la Saint-Barthélemy n'est pas une journée ; c'est une saison. On tua par-ci, par-là, dans les mois de septembre et d'octobre ». Dans le Dauphiné, en Provence et en Auvergne, il n'y a rien, ou presque, certains gouverneurs exigeant des ordres écrits pour agir.

Il est difficile de préciser le nombre exact des victimes. Au dire de lord Acton, le chiffre de huit mille, assez élevé, n'est pas évident. Les huguenots, dans leur intérêt, en annoncent onze mille, et sans doute est-il sage de s'en tenir à sept mille pour l'ensemble de la France, dont deux mille cinq ou trois mille pour Paris seul. Les noms figurant sur les listes sont pour l'ensemble parmi les plus humbles : commerçants, fabricants, petits boutiquiers.

A l'étranger, la nouvelle de la Saint-Barthélemy est accueillie différemment selon les convictions religieuses. Philippe d'Espagne se réjouit, applaudit, comme le fait Bruxelles ; ce fut, dit-on, la seule fois de sa vie où il daigna rire. A Rome, le pape Grégoire XIII entonne un *Te Deum* « pour remercier Dieu d'un si heureux succès » ; il fait peindre par Giorgio Vasari, ami de Catherine qui a fait son portrait avant qu'elle quitte Florence pour la France, des scènes destinées au Vatican en souvenir de la délivrance de l'Eglise d'un si affreux péril ; enfin il frappe une médaille du « massacre des huguenots ».

A Genève, Théodore de Bèze ne cache pas son indignation devant cet « horrible et exécrable massacre, d'une cruauté tellement barbare et inhumaine que, tant que le monde sera le monde, et après que le monde aura péri, les auteurs de cette entreprise seront tenus en perpétuelle exécration ». Quant à Elisabeth d'Angleterre, soucieuse de garder aux yeux de l'Europe une sage et diplomatique neutralité, elle émet prudemment l'avis qu'il ne s'agit là que de « quelque étrange incident ».

Avec une grande dignité, devant l'ambassadeur vénitien, Catherine pour sa part émet ce qui est à la fois la vérité objective, et sa propre justification :

« Je désire vous aviser que je n'ai rien fait, rien conseillé ni rien permis que n'aient commandé l'honneur de Dieu, mon devoir et l'amour que j'ai de mes enfants, depuis que l'amiral, dès la mort du roi Henri II mon mari, a commencé de montrer par ses actions qu'il recherchait le renversement de l'Etat. Le roi mon fils a fait ce que demandait sa dignité et, l'amiral étant si fort et tout-puissant dans ce royaume, il ne pouvait être puni de sa rébellion par aucun autre moyen que celui que nous avons été contraints de prendre contre lui personnellement, et contre ceux qui étaient de ses partisans. Et nous regrettons profondément que, dans la confusion, d'autres personnes de cette religion aient été tuées par les catholiques, qui souffraient des innombrables afflictions, pillages, meurtres et autres maux qui leur avaient été infligés. »

CHAPITRE XIV

Nouvelle régence

Les conséquences du massacre de la Saint-Barthélemy ne se font pas attendre et la quatrième guerre de religion éclate aussitôt. Elle part de La Rochelle, grosse cité commerçante et maritime, et possédant ses propres troupes régulières, excellentes conditions pour servir de centre de résistance aux calvinistes. Pour la première fois ils défient la Couronne de France en faisant appel à Elisabeth d'Angleterre : contre sa protection, ils la reconnaîtront comme leur « souveraine et princesse naturelle ». Ne sont-ils pas le peuple de cette Guyenne qui lui appartient de toute éternité ?... La suggestion est de Montgomery qui, de Paris, a trouvé refuge en Angleterre et s'apprête à gagner La Rochelle avec une petite flotte.

Diplomate avant tout, Catherine n'hésite pas à confier à La Noue — surnommé pour sa grande intégrité le « Bayard protestant » — le gouvernement de La Rochelle et le commandement de ses troupes. Elle-même, dans l'espoir de neutraliser l'Angleterre, entame des négociations en vue du mariage entre la reine vierge et son fils le duc d'Alençon, qui a quelque vingt ans de moins qu'elle.

Les Rochelais refusent de traiter avec La Noue qui, demeuré royaliste, est considéré comme un traître ; ils refusent tout autant de discuter avec le roi — qui leur offre cependant l'entière liberté du culte à l'intérieur de leur cité —, sous le prétexte qu'il est « impie de s'entendre avec des assassins ». Charles et sa mère décident alors de ne rien négliger pour détruire ce dernier puissant bastion de l'hérésie : au début du mois de février 1573, ils envoient sous le commandement du duc d'Anjou une importante armée pour assiéger la place.

A ses côtés, se trouvent Henri de Navarre et le prince de Condé, devenus catholiques pratiquants, et François d'Alençon. Son ambition et sa haine pour ses frères aînés ne connaissent plus de limites ; il est bien déterminé à prendre la place vacante de Coligny à la tête des huguenots et, pour l'immédiat, à assurer la victoire des Rochelais.

Dans ce sens il essaie de convaincre ses cousins Navarre et Condé de se joindre à lui pour organiser un soulèvement avec les quelque quatre cents anciens huguenots de la campagne, et ensemble rejoindre le camp des assiégés. Ceux-ci, ayant refusé de rallier un plan, aussi fragile que peu judicieux, François d'Alençon n'hésite pas : il revient à Paris et demande à sa mère de lui faire confier par le roi le commandement de la flotte qui bloque le port de La Rochelle ; ainsi pense-t-il pouvoir rejoindre Montgomery et, une fois le siège levé, faire voile vers l'Angleterre.

Loin de soupçonner — mais est-ce certain ? — d'aussi traîtres intentions, Catherine s'étonne de cette idée, lui demande qui la lui a mise en tête, allègue son jeune âge, et refuse. Il est las, se plaint François d'Alençon, d'être si peu considéré en regard de son frère d'Anjou. « Votre précieux Henri n'était pas plus âgé que moi lorsque vous-même et mon frère le roi l'avez nommé lieutenant général du royaume » ; puis il commence à pleurnicher — il est vraiment le seul de la famille, avec Henri de Navarre, à verser aussi facilement des larmes à tout propos ! — et va comme d'habitude chercher consolation auprès de Margot, qui est l'instigatrice de ses dangereuses prétentions.

Margot, qui n'aime vivre que dans les intrigues, s'efforce de réunir en un mouvement cohérent des éléments fondamentalement différents : son mari, ses sujets de Navarre, les quatre frères Montgomery, chefs du parti des « politiques », Louis de Nassau, frère de Guillaume d'Orange dont les terres allemandes jouxtent la frontière est de la France, Montgomery, et les Rochelais. Elle a à son service deux gentilshommes, tous deux aventuriers dangereux et favoris du duc d'Alençon : le comte Boniface de Lérac de la Mole, cadet de Provence et débauché notoire de quarante-quatre ans, dont elle a fait son amant par souci d'efficacité, et le comte Annibal de Coconnas, espion d'origine piémontaise à la solde de l'Espagne, dont la cruauté au cours des derniers massacres, gratuite autant qu'inhumaine, lui a valu le mépris de Catherine et la haine des huguenots.

L'intention de Margot, qui est de donner à son frère d'Alençon la place d'Henri d'Anjou dans la succession royale, peut parfaitement se réaliser, étant donné la toute dernière évolution de la propagande protestante en France.

Il est devenu utile pour les huguenots de se rapprocher des « politiques », dans une démarche qui tend à mettre l'accent, non plus sur le religieux — les « politiques », bien que modérés, sont tout de même des catholiques —, mais uniquement sur le côté diplomatique de cette alliance. La religion, sauf à de rares exceptions, n'a jamais fait que servir de paravent aux révolutions profanes, mais, dans ce cas particulier, cette justification elle-même est maintenant abandonnée.

Par ailleurs, François Hotman, professeur de droit romain en exil à Genève, vient de prouver dans son traité *Franco-Gallia* que la couronne française est élective, non héréditaire, et que les états généraux ont le double pouvoir de choisir et de déposer le roi. Principe aussitôt adopté par la politique protestante française, et auquel les circonstances sont des plus propices : le duc d'Anjou vient d'obtenir la couronne élective de Pologne, la santé du roi Charles IX décline rapidement malgré sa jeunesse, il est probable qu'il ne vivra pas longtemps, et pour peu qu'Henri soit en Pologne lors de sa mort — donc incapable d'agir —, ils auront tout le temps, autour de Margot, de donner la couronne de France au duc d'Alençon avant le retour de son frère Henri.

La candidature du prince français à la couronne élective de Pologne remonte à 1571, et l'idée en revient à l'un des compagnons favoris de la vie quotidienne de Catherine, son spirituel et intelligent nain Krassowski. Il connaît, comme chacun, les ambitions maternelles de sa maîtresse, et lorsqu'il apprend par son père, gardien de l'un des châteaux royaux polonais, que le roi Sigismond est mortellement malade, il fait insidieusement remarquer à la reine mère : « Il y aura bientôt là, Madame, une couronne pour les Valois. »

Après un examen pratique approfondi de la situation, celle-ci envoie à Cracovie son plus fin diplomate, Jean de Monluc, évêque de Valence, pour solliciter les électeurs polonais. Monluc a déjà conduit devant le Vatican seize ambassades célèbres au cours desquelles il est passé maître dans l'art très nuancé de la chicane ecclésiastique, et Catherine est bien placée pour savoir qu'elle vient de déposer son nouveau rêve politique dans les mains les plus souples qui soient. Monluc emporte avec lui, pour des raisons faciles à imaginer, autant d'argent qu'elle a pu en trouver, auquel elle a joint quelques bijoux personnels, n'ignorant pas que son envoyé saurait les utiliser au mieux de ses intérêts. Monluc quitte Paris le 17 août 1572, veille du mariage de Margot, arrive en Pologne à l'automne, et se donne tant de mal, jusqu'à la Diète de printemps, malgré des moyens relativement limités, que grâce à son éloquence et à sa force de persuasion, Henri de Valois duc d'Anjou est proclamé roi de Pologne à Varsovie, le 11 mai 1573, dans une indescriptible atmosphère de violence et de confusion.

Lorsque Catherine reçoit l'heureuse nouvelle par les soins de l'évêque de Valence, elle est au courant depuis déjà trois heures. Son nain Krassowski l'a lui-même apprise d'un messager polonais, et l'a aussitôt félicitée en ces termes : « Je viens saluer la mère de notre roi de Pologne... » Et Catherine a versé des larmes de joie.

Charles IX, dont le plus cher désir est de voir son frère partir rapidement pour son nouveau royaume, ne manque pas de le féliciter amicalement : « Mon frère, par la grâce de Dieu, vous avez été élu roi de Pologne. Je suis si heureux que je ne sais quoi dire. Pardonnez-moi, mais ma très grande joie m'empêche d'écrire plus longuement. » Margot et François d'Alençon ont de leur côté leurs raisons personnelles de se réjouir du prochain départ de ce frère gênant ; seul le nouveau monarque ne montre aucun enthousiasme à l'idée de régner sur « un désert qui ne vaut rien et peuplé de brutes », et il décide de retarder aussi longtemps que possible cet « exil » menaçant. « La trop grande autorité prise dans le royaume par Monsieur, plus obéi que le roi lui-même, est un véritable danger pour le repos de la France. Son départ serait une grande garantie de sécurité », rapporte l'ambassadeur de Toscane.

La raison essentielle qui retient en France Henri d'Anjou a pour nom Marie de Clèves. C'est la plus jeune fille du duc de Nevers, tué à Dreux, sœur de la duchesse de Guise, et femme du jeune prince Henri de Condé qu'elle a épousé une quinzaine de jours avant la Saint-Barthélemy. Elle est d'une merveilleuse beauté, lui est un avorton sans grâce qui a fait l'objet d'un commentaire caustique de Jeanne d'Albret lors des négociations de mariage de son fils avec Margot : « Si vous ne pouvez faire l'amour mieux que votre cousin Condé, a-t-elle écrit à Henri de Navarre, mieux vaut pour vous y renoncer complètement ! »

Mais les rapports de Marie de Clèves avec son malhabile

époux ne présentent ici que peu d'intérêt. Ce qui importe, c'est qu'elle est la seule et unique femme à avoir été passionnément aimée par Henri d'Anjou, dont toute l'existence à partir de maintenant va tourner autour de ce visage.

Henri s'entoure d'un nombre grandissant d'amants, dont du Guast est encore le maître en titre — si l'on peut s'exprimer ainsi —, et le dernier arrivé, qu'il ne quitte jamais, le jeune Jacques de Lévis, comte de Quélus, âgé de dix-sept ans. Henri a vingt et un ans ; c'est un être plein de contradictions qui ne s'est pas encore résigné à son tempérament ambigu. Avec une sorte de désespoir, il poursuit Marie de ses assiduités, persuadé que, grâce à elle, il sera délivré de ses tourments, et la supplie de devenir sa maîtresse. Il lui envoie des lettres passionnées qu'il signe de son sang, appelle à son secours la sœur aînée de sa bien-aimée : « Si vous êtes mon amie, je vous supplie de m'aider. Je suis fou d'amour pour elle. Je vous jure que mes yeux sont restés pleins de larmes pendant deux heures... » Il songe même à demander l'aide du duc de Guise, beau-frère de Marie ; pour toute réponse, celle-ci vient au camp rendre visite à son époux, et Henri a la consolation d'être quelques instants auprès d'elle. Quélus n'en est pas troublé, bien qu'il ait eu l'honneur de prêter à son royal ami un sang indispensable à la signature d'aussi nombreux messages.

Préoccupée par l'alliance anglaise, Catherine envoie une députation à Elisabeth : le duc d'Alençon viendra sous peu la solliciter ; elle-même, sa mère, est fière de devenir la belle-mère de « la reine la plus grande, la plus intrépide que des yeux humains aient jamais contemplée ». Puis ignorant l'exacte vérité sur la légendaire vanité de cette redoutable souveraine — on ne la flatte jamais assez, lui ont rapporté ses envoyés, elle ajoute un détail susceptible de plaire à une femme : pendant qu'il servait à La Rochelle, Alençon a grandi et s'est fait pousser la barbe, « ce qui arrange beaucoup ses imperfections ».

En réponse, Elisabeth précise que la levée du siège de La Rochelle est un indispensable prélude à tout projet d'alliance officielle entre la France et l'Angleterre.

Catherine sait qu'il y a déjà eu beaucoup de morts dans la lutte contre la cité protestante : vingt-deux mille parmi lesquels le maréchal de Tavannes et le duc d'Aumale. Mais, surtout, il faut ménager la Pologne dans la perspective de ses nouvelles relations avec la France : il serait désastreux qu'à son arrivée, l'ambassade polonaise trouve son roi engagé dans une guerre contre les hugenots et incapable, après six mois de siège, d'avoir réduit la cité. Ce roi qui a été choisi pour son esprit de conciliation vis-à-vis des catholiques et des protestants de Pologne, et pour la réputation militaire qu'il s'est faite à Jarnac et à Moncontour...

Le 24 juin 1573, est signé en toute hâte le traité de La Rochelle qui met fin à la quatrième guerre de religion. Les termes en sont très favorables aux huguenots et vont bientôt leur permettre de former, au sein du royaume, une véritable union nationale. L'entière liberté du culte entre autres est accordée à La Rochelle, Nîmes et Montauban ; une seule marque de soumission est demandée aux magistrats de La Rochelle : prier le nouveau roi de Pologne de faire dans leur cité une entrée officielle, prière que Sa Majesté polonaise, bien sûr, refusera.

Le 19 août, les ambassadeurs polonais font à Paris une arrivée triomphale : grande allure, équipages somptueux, longues barbes, toques couvertes de pierres précieuses, cimeterres, arcs et carquois remplis de flèches, larges bottes cloutées, nuques rasées... autant de sujets d'émerveillement pour les Parisiens prompts à s'enflammer.

Sur les portes et les ponts de la capitale, des peintures représentent les trois princes français : Charles portant la couronne de France, Henri la couronne de Pologne, et François sur le point de recevoir des mains d'un ange celle d'Angleterre.

Sur une estrade dans le grand vestibule du Louvre, deux trônes ont été dressés, surmontés, l'un des lis de France, l'autre de l'aigle polonais. Sous la conduite du duc de Guise, grand chambellan, les envoyés déposent aux pieds de Charles IX une caissette en vermeil renfermant le décret d'élection, et lui demandent l'autorisation de le présenter à son frère. Henri le reçoit et s'assied sur le trône de Pologne au son des trompettes et des tambours. Le soir, Catherine donne une grande réception dans le nouveau palais des Tuileries, ivre de bonheur et de fierté de ce triomphe qui est le sien : son empire politique vient de s'agrandir d'une nouvelle couronne.

Le couronnement aura lieu à Cracovie le 3 octobre ; mais, en septembre, le nouveau roi n'a toujours pas quitté Paris, et ne manifeste aucune intention de partir en exil. Il faut l'une des furieuses colères du roi son frère, qui lui promet de le faire

Henri de Valois, duc d'Anjou, futur Henri III, à son départ pour la Pologne où il a été élu roi.

Schweÿtzer
Archier

conduire à la frontière sous escorte militaire, pour que, désespéré, Henri fixe au 29 septembre, jour de la Saint-Michel, la date de son départ. Puis Charles et Catherine partent à Villers-Cotterêts recevoir une députation protestante qui demande une révision du traité de La Rochelle.

Encouragés par leur nouvelle alliance avec les " politiques ", les huguenots présentent des revendications d'une exigence telle que Catherine se met dans une colère terrible : « Si le prince de Condé vivant avait tenu Paris avec soixante-dix mille hommes », il n'aurait pas osé exprimer la moitié de ces prétentions ! « Ce que ces misérables ont l'insolence de nous proposer ! », écrira-t-elle par ailleurs. Puis son calme retrouvé, elle demande si les chefs des « politiques » ont autorisé une pareille démarche : non, ils ne sont même pas au courant. « Quand vous aurez leur opinion, conclut la reine mère, revenez m'en parler ! »

Dès son retour à Paris, le nouveau roi de Pologne, accompagné du roi son frère, de la reine sa mère, du duc d'Alençon, de Margot, d'Henri de Navarre et de cinq cents gentilshommes français et polonais, se met enfin en route pour son nouveau royaume. Mais à Vitry-le-François, le roi est pris d'un accès de petite vérole qui l'empêche d'aller plus loin. Le reste du cortège continue vers Nancy où l'on baptise la dernière fille de Claude de Lorraine, Christine, dont Catherine et la duchesse douairière sont les marraines.

C'est là, à la fin de la cérémonie, qu'Henri d'Anjou remarque une jeune fille blonde de dix-neuf ans, Louise de Vaudémont, cousine du duc de Lorraine. A la grande surprise des Français, des Polonais et des Lorrains qui s'interrogent en vain sur la portée politique de ce surprenant coup de foudre, Louise et Henri ne se quittent pas pendant les trois jours que dure la visite royale. Personne apparemment, pas même Catherine, ne remarque à quel point Louise ressemble à Marie.

A la fin du mois de novembre à Blamont, dernière ville française avant la frontière allemande, ont lieu les adieux : « La reine mère disent les chroniques, conversa longuement et gravement avec son fils bien-aimé et, avec des larmes et des sanglots sans fin, le laissa enfin partir. »

A peine a-t-il franchi la frontière que le prince d'Alençon et le roi de Navarre confient à Margot qu'en un certain endroit du chemin de retour sur la capitale, ils ont l'intention de partir vers le sud où ils prendront la tête d'un soulèvement huguenot. Affolée par la perspective du tort que ne manquera pas de faire à ses propres plans ce projet imbécile, Margot s'abstient de tout commentaire, mais court instruire sa mère des détails de la conjuration — par loyauté pour son frère d'Anjou ne manque-t-elle de préciser.

Surprise de cette inhabituelle franchise, heureuse de constater que sa fille a toujours à cœur les intérêts de son frère, Catherine entoure Navarre et Alençon de toutes les précautions voulues pour qu'ils ne puissent quitter le train royal. Aussitôt à Paris elle consulte le duc de Guise qui en son absence est resté vigilant : il a découvert quelques ramifications du vaste complot huguenot, il n'en connaît pas tout, mais suffisamment pour confirmer les craintes et les soupçons de Catherine, et la mettre sur ses gardes.

L'agitation protestante s'étend dans la France entière, la conspiration enveloppe tout le pays et n'attend que le départ d'Henri pour éclater. D'Angleterre, Montgomery doit débarquer sur la côte normande pendant que des Pays-Bas, Louis de Nassau envahit la France et que La Noue investit les forteresses du Poitou. Le gouverneur du Languedoc, un « politique », a promis la neutralité de sa province ; le duc de Bouillon ouvrira les portes de Sedan où Alençon, nouveau sauveur du royaume, sera reconnu comme le chef du parti huguenot et Navarre en Béarn, complice selon ses habitudes, soulèvera le sud du pays.

Telle est la trame de la nouvelle conspiration qui, au dernier moment, voit le début des plans modifiés puisque les deux princes ne peuvent rejoindre les rebelles comme convenu. Le sieur de Guitry se trouve alors chargé d'une attaque surprise au château de Saint-Germain où se trouve la cour depuis le mois de décembre 1573.

Mais, par une de ces étranges surprises que réserve parfois l'histoire — comme celle qui, quatorze ans auparavant, a fait échouer le complot de La Renaudie à Blois —, une erreur d'horaire va encore une fois trahir les huguenots : Guitry se manifeste dix jours trop tôt. La nuit du Mardi gras, 22 février 1574, la garde royale le découvre près du château et donne l'alarme. Ce n'est pas tout ; il a aussi mal calculé ses troupes : trop minces pour forcer les portes, trop nombreuses pour se replier en cas d'échec.

Catherine est persuadée que c'est là l'avant-garde de l'armée rebelle, et qu'elle va soit s'emparer du roi, soit l'assassiner. Elle pousse violemment son fils à quitter Saint-Germain pendant qu'il est temps ; épuisé il y consent : « C'est trop cruel ! Ils auraient pu attendre que je sois mort ! Ce sera si vite fait ! »

Consterné par la maladresse de Guitry, épouvanté de savoir que sa mère est maintenant au courant de son rôle dans cette histoire, le duc d'Alençon est paralysé par la peur : il larmoie, s'égare dans ses explications, proteste de sa loyauté, s'effondre terrorisé par les questions de Catherine et, soudain bavard, avoue tout et livre tout le monde. Sans hésiter, celle-ci le fait jeter dans son carrosse avec Henri de Navarre et conduire tout droit au donjon du château de Vincennes sous bonne garde. Elle-même suit le même chemin ; deux jours après, Charles IX la rejoint, ayant quitté Saint-Germain pour Paris en litière, entouré de ses gardes suisse et écossaise, puis passé quelques heures dans la capitale pour se montrer aux Parisiens. Maintenant il gagne Vincennes, car il veut mourir au cœur de ses chères forêts.

Catherine s'attache avec plus d'énergie que jamais à écraser la rébellion qui prend le nom de « complot des jours gras ». Trois divisions en armes sont envoyées en Normandie, Guyenne et Languedoc, mais à l'intérieur de sa famille elle change de tactique. Sous une apparence d'étroite surveillance, elle laisse aux princes de Navarre et d'Alençon une certaine liberté ; en même temps elle affecte de croire en l'innocence de Margot. Ce qu'elle attend ne manque pas de se produire : avec l'aide de La Mole et de Coconnas, les deux beaux-frères tentent de s'enfuir au cours d'une partie de chasse dans l'intention de rejoindre La Noue, le mercredi de la semaine de Pâques. Mais Charlotte de Sauves, maîtresse de l'un et l'autre princes, a découvert le projet d'évasion ; Catherine et sa Maison les entourent de si près que toute fuite devient impossible. Penauds, ils rentrent à Vincennes avec le ferme espoir de se lancer dans une autre tentative.

Mais Catherine ne leur laisse aucune chance. Le 10 avril, La Mole et Coconnas sont arrêtés, ainsi que quelques membres de la Maison de François d'Alençon, et lui-même avec Navarre jeté en prison sous bonne surveillance. Encore une fois, il a tout avoué.

Interrogés, La Mole et Coconnas conviennent qu'une partie du plan huguenot prévoyait de mettre le feu à Paris pendant la messe de Pâques mais qu'on avait dû abandonner le projet à cause de l'extrême vigilance des citoyens.

Plus que par ces aveux, Catherine est beaucoup plus intéressée par ce que l'on a découvert chez La Mole : la statuette de cire d'un personnage royal, une aiguille piquée dans le cœur. Elle est, apprend-elle, l'œuvre de Cosme Ruggieri qui est aussitôt arrêté. La Mole se défend : ce n'est pas la statuette de Charles IX, mais de Margot, et il s'agit là d'un charme pour se faire aimer d'elle. Sachant que la liaison de sa fille avec ce dangereux personnage est connue de toute la cour, la reine mère ne se fait aucune illusion sur la nécessité d'un tel recours, mais de plus en plus sensible à tout ce qui relève de la magie, elle veut être fixée, par crainte d'un complot dirigé contre la vie du roi.

« A onze heures du soir le 29 avril 1574 », elle demande expressément à l'avocat du Gouvernement que toute pression soit exercée sur Ruggieri, afin de découvrir la vérité sur la maladie du roi, « et qu'on le lui fasse défaire au cas où il aurait jeté quelque enchantement au roi pour lui nuire ».

Le lendemain, La Mole et Coconnas sont décollés en place de Grève, malgré les supplications du duc d'Alençon qui désirerait leur épargner une fin aussi indigne qu'une exécution publique. Pendant plus de huit jours, considérant cet acte comme une offense personnelle, il refuse d'adresser la parole à son frère et à sa mère.

Le 29 mai après quelques succès en Normandie, Montgomery est capturé au cours du siège de Saint-Lô. Sur les ordres de Catherine, il est amené sous bonne escorte et enfermé à la Conciergerie en attendant de comparaître devant le Parlement pour trahison. Elle apporte la bonne nouvelle au roi qui, de plus en plus malade et épuisé par le sang qu'il perd en abondance, se contente de dire : « Je suis si près de la mort que toutes choses me sont également indifférentes. Punissez-le comme vous l'entendez. » Montgomery est jugé et décapité en place de Grève ; derrière une fenêtre voilée, la reine mère assiste au supplice du meurtrier de son mari.

Le 30 mai, jour de la Pentecôte, à huit heures du matin, le roi demande son confesseur. Il se confesse, longuement, scrupuleusement, de tous ses péchés, mais sans faire aucune mention de la Saint-Barthélemy : il suffisait qu'il eût voulu sauver son royaume de l'hérésie. Plus tard, les huguenots racontèrent qu'il était mort en hurlant de terreur et de remords, accroché à sa nourrice protestante.

Puis il reçoit l'absolution, murmure : « Puisse Jésus mon sauveur me compter parmi ses rachetés ! » et demande à l'évêque d'Auxerre de dire une messe pour lui sur l'autel placé au pied de son lit. Il meurt dans l'après-midi, pendant son sommeil, en tenant la main de sa mère. Il n'a pas vingt-quatre ans.

Catherine aussitôt écrit une longue lettre en Pologne :

« Mon fils, je vous envoie un messager pour vous apporter la piteuse nouvelle que j'ai vu mourir un autre de mes enfants. Je prie Dieu qu'il m'envoie la mort avant que je n'en voie plus. J'ai pensé devenir désespérée en regardant votre frère mourir, et en voyant l'amitié qu'il m'a montrée à la fin. Il ne pouvait me laisser aller, il me priait de vous envoyer quérir en toute diligence, et cependant que vous fussiez arrivé, il me demandait de prendre l'administration du royaume, et il me requérait pour que je fisse bonne justice des prisonniers qu'il savait être cause de tous les maux qui affligent le royaume...

« Jamais personne ne mourut avec plus d'entendement... Il parla de votre bonté, et dit qu'il était sûr que vous l'aimiez parce que vous lui aviez toujours obéi et fait de grands services. Il reçut le Corps de Notre-Seigneur le matin, et sur les quatre heures il mourut, le meilleur chrétien qui fut jamais, ayant reçu tous les sacrements, et la dernière parole qu'il dit ce fut : " Ma mère ! "

« Ne trouve autre consolation que de vous voir bientôt ici, et penser que Dieu vous ôte de là où vous désiriez être hors... Mais puisqu'il Lui plaît que je sois de Lui éprouvée et de telle façon visitée si souvent, je Le loue et Le prie de me donner patience, et cette consolation de vous voir bientôt en bonne santé, car si je venais à vous perdre, je me ferais enterrer avec vous tout en vie. Car vous savez combien je vous aime, et la pensée que nous ne serons jamais plus séparés me donne la patience et la force de tout supporter...

« Quant à votre départ de Pologne, vous ne le devez retarder en nulle façon, mais peut-être il serait sage de laisser quelqu'un derrière, qui pourrait conduire les affaires de ce royaume, de façon que la couronne puisse rester en votre possession. Quant à ce royaume-ci, avec la grâce de Dieu, je me mettrai en peine, si je le puis, de vous le remettre tout entier et en repos, afin que vous n'ayez à faire que ce que vous connaîtrez pour votre grandeur, et vous donner un peu de plaisir après tant d'ennuis et de peines... »

Pour Margot, si elle veut que son plan réussisse — faire monter François d'Alençon sur le trône de France — elle doit se dépêcher d'organiser son évasion de Vincennes, ainsi que celle d'Henri de Navarre ; c'est une question d'heures. En désespoir de cause, elle suggère que l'un d'eux prenne les vêtements de l'une de ses femmes et, ainsi vêtu, l'accompagne en carrosse. Les deux beaux-frères se disputent avec animation pour savoir lequel des deux partira, lorsque Catherine fait irruption dans la pièce, ayant tout entendu, et leur intime l'ordre de monter immédiatement dans son propre carrosse en direction de Paris.

Une fois encore elle prend contre leur fuite éventuelle les précautions les plus strictes : aucun des deux n'a le droit de quitter le Louvre sans un laisser-passer signé de sa main — qu'elle ne leur accordera jamais —, toutes les portes sont fermées à l'exception de l'entrée principale gardée par une compagnie très sûre d'archers et de Suisses, les fenêtres donnant sur la Seine sont bouchées ; enfin, Catherine se promène avec un passe-partout qui lui permet d'entrer dans leurs appartements à toute heure du jour et de la nuit, ce qu'elle fait.

Henri, qui s'est enfui de Pologne dans la nuit du 18 au 19 juin 1574, dès la nouvelle de la mort de son frère, n'arrive pas à Paris avant le 5 septembre ; douze semaines exactement après avoir reçu la lettre de sa mère, et non sans avoir, en toute sérénité, goûté au passage des voluptés autrichiennes, italiennes et savoyardes. L'incroyable frivolité de ce prince se devait de faire passer ses plaisirs avant les soucis de son royaume.

Sur les bords français de la petite rivière qui sépare la France de la Savoie, il est accueilli par Henri de Navarre et François d'Alençon détachés par la reine mère, le protocole exigeant qu'un souverain de retour dans ses Etats y soit accueilli par les princes du sang. Elle leur a sévèrement recommandé de reconnaître leurs fautes et de demander pardon.

Obéissant, François d'Alençon baise les mains de son frère et s'exclame : « Le roi de Navarre et moi avions toutes raisons d'être mécontents de notre dernier roi qui nous maltraitait honteusement. A notre très grand regret nous avons comploté certains projets contre lui, qu'avec sa mort nous avons abandonnés. Nous n'avons maintenant d'autres désirs que de vivre et de mourir en fidèles sujets. »

« Mes frères, dit Henri en les embrassant, le passé est oublié, je vous rends votre liberté. » Puis il pose la question qui lui brûle les lèvres depuis le début : « Où est notre mère ? »

Elle l'attend à Lyon expliquent-ils ; elle n'est pas partie aussi loin sans quelque difficulté, son conseil la suppliant de ne pas quitter la capitale à une époque aussi troublée. « La reine notre mère, ajoute François, a donné des ordres pour que des salves de canon annoncent à travers la France votre heureuse arrivée. Vous venez d'entendre la première, à cette heure la chaîne d'échos va l'atteindre à Lyon, et elle saura qu'elle n'a plus longtemps à vous attendre.

« J'aurais préféré, reprend Henri, que vous attendiez pour vous présenter que je l'aie embrassée ! »

A Lyon Catherine tente de cacher son impatience : elle inspecte les troupes, consulte les pères de la Cité, s'efforce d'obtenir des banquiers un prêt raisonnable, visite l'atelier de Corneille de Lyon où elle remarque un portrait d'elle « habillée à la mode française avec un petit bonnet tressé de grosses perles et une robe à larges manches d'argent garnie de lynx », peint plus de vingt ans auparavant.

Devenue lourde, âgée, veuve, elle contemple en silence ce souvenir d'elle-même, et dans l'atelier, on se divertit du spectacle. « C'est là, Madame, un bien bon portrait », tente le duc de Nemours pour interrompre le cours nostalgique de ses pensées. « Je sais mon cousin, que vous n'avez rien oublié de ce temps, ni de cet âge ni de cette allure, et que vous pouvez mieux que quiconque ici juger qu'autrefois, c'est bien ainsi que j'étais. »

Lorsque dans la cité lyonnaise, on entend le canon annonçant l'arrivée de son fils, Catherine ne peut plus attendre et se précipite au-devant de lui. Ils se retrouvent à Bourgoin ; tous deux sont en larmes et au dire de l'ambassadeur d'Espagne, le resteront pendant presque une heure. Avant de s'agenouiller et de lui baiser les mains, Henri s'est jeté dans les bras de sa mère, et assez fort pour que tout le monde l'entende : « Madame, ma très chère mère, à qui je dois ma vie, je vous dois maintenant aussi bien ma liberté, et ma couronne. »

Puis il demande où est Marie ; à Paris lui apprend Catherine, elle attend son accouchement à une ou deux semaines de là et un voyage en ce moment ne lui est pas recommandé.

Le lendemain le cortège royal fait à Lyon son entrée solen

nelle : Catherine assise près du roi Henri III dans un coche ouvert tendu de velours noir, François d'Alençon en face d'eux, le roi et la reine de Navarre à cheval de chaque côté.

Le lendemain matin dès son réveil Catherine a avec son fils un entretien secret de deux heures où elle lui rend compte de sa régence et renouvelle ses conseils : « Avant tout et tout de suite, vous devez montrer que vous êtes le maître. » Il s'agit de savoir si l'on cède aux huguenots ou si l'on continue à réprimer la rébellion. Autant pour Catherine et Charles le choix pouvait encore se poser, autant il devenait maintenant difficile d'affronter la réalité. « Le roi ne peut faire la paix parce que les exigences des rebelles sont trop importantes, et il ne peut faire la guerre parce qu'il n'a plus un sou » ; ainsi se présente, résumée par l'ambassadeur d'Espagne, la situation. Ils décident donc de poursuivre contre les huguenots une campagne encore plus énergique.

Catherine est maintenant déterminée à obtenir de son fils une participation régulière aux affaires de l'Etat. Elle espère ainsi lutter contre la fabuleuse futilité qui le caractérise, et le fera surnommer le « roi de la pédérastie et de la bouffonnerie ». Tous les matins, une partie de son temps est désormais consacrée aux affaires en cours.

Un matin d'octobre 1574, Henri remarque que Catherine, après avoir parcouru l'une des lettres et au lieu de la lui donner, la jette sur la table dans la pile de celles qui ont déjà été ouvertes. Cela arrive souvent dans le cas des documents de peu d'importance, mais quelque chose dans le visage de sa mère intrigue le roi. Il lit le message, reste quelques secondes sans mouvement, se lève dans un silence mortel, fait un pas et tombe évanoui.

Marie de Condé est morte en couches.

CHAPITRE XV

Les mignons, la Ligue et le roi de Paris

Après une période de prostration et de deuil extravagant où il vêt toute sa cour de noir et brode ses pourpoints noirs de petites têtes de mort blanches, Henri tourne ses pensées vers la jolie et douce Louise de Lorraine et annonce à sa mère ses intentions matrimoniales.

Catherine, au même moment, lui cherchait une épouse en Suède et ne cache pas sa déception : Louise de Vaudémont ne présente pour elle aucun intérêt. Elle est une Guise, donc dangereuse, comme l'a été Marie d'Ecosse, à cause du réseau d'influences au centre duquel elle se trouvera prise ; elle est de la branche cadette de la Maison de Lorraine, donc inapte à porter la couronne de France. Enfin, il est peu probable qu'elle ait la santé et la constitution voulues pour « donner très vite un fils à Sa Majesté, événement bien nécessaire cependant au renforcement de l'autorité royale ».

Henri assure à sa mère qu'il n'a d'autres objectifs que les siens ; mais, qu'elle le veuille ou non, il épousera Louise de Lorraine, « princesse de mon pays, belle, agréable, que je saurai aimer et en qui j'aurai toute confiance ».

La mort du cardinal de Lorraine, le 26 décembre, qui ne manque pas d'affaiblir sa Maison, vient à bout de la résistance de Catherine. Charles de Lorraine meurt d'avoir pris froid en suivant pendant trois heures une procession à Avignon, dans le vent et la neige, sandales aux pieds et crucifix à la main. « Nous avons perdu l'un des plus grands hommes et l'une des intelligences les plus glorieuses que la France ait jamais vues », commente Catherine.

Les années ont adouci sa haine des Lorrains et, maintenant que disparaît, à quarante-neuf ans, le dernier de ceux avec qui elle a travaillé aux affaires de l'Etat depuis bientôt trente ans qu'elle est reine de France, elle se sent terriblement seule. Le soir de la mort du cardinal, elle est à table lorsqu'on la voit fixer avec appréhension un coin reculé de la pièce. Elle demande du vin, frissonne, laisse tomber son verre et murmure : « Monsieur le cardinal est là-bas, il me regarde. Il est mort. Il vient de passer devant moi en gagnant, je l'espère, le paradis. »

Dorénavant, Catherine change d'attitude vis-à-vis des Guises ; une alliance en résultera, qui sera importante dans les années à venir. Quant à sa belle-fille de Lorraine, elle aura son amitié, sa tendresse et sa confiance.

Le 22 février 1575, deux jours après avoir été couronné à Reims par le cardinal de Guise, jeune frère du cardinal de Lorraine, Henri III est uni à Louise de Vaudémont par le cardinal de Bourbon. Les fêtes en l'honneur de ce double événement sont brusquement interrompues, la sœur du roi, Claude, étant tombée dangereusement malade à Nancy. Les médecins de la cour se précipitent, mais en vain : Claude de Lorraine meurt quinze jours après, à vingt-six ans. Elle était l'aînée des enfants de Catherine encore en vie.

Celle-ci est beaucoup plus atteinte qu'on pouvait le penser autour d'elle, mais à la lettre de condoléances de Philippe d'Espagne elle répond : « Je suis tenue de penser que Dieu ne veut pas que je sois ruinée par les honneurs et la grandeur de ce monde, dont j'ai cependant profité sans tristesse et sans malice, mais qui peut-être pourraient me faire oublier de L'honorer comme je le dois. »

C'est en allant se faire couronner à Reims qu'Henri découvre que son frère complotait de nouveau contre lui. Héritier présomptif, jaloux de son nouveau titre de « Monsieur » qui lui donne quelque poids, François d'Alençon, dont la vanité n'a d'égale que l'absence d'intelligence, tente de capturer le roi lorsqu'il traverse la Bourgogne occupée par les huguenots, en direction du lieu du sacre.

Malheureusement pour lui, son plan, comme tous ses plans, échoue parce qu'Henri de Navarre, prince du sang et à ce titre responsable de la sécurité du nouveau roi, refuse sa collaboration. A partir de là et dès leur retour à Paris, l'inimitié entre les deux frères prend de telles proportions — faisant assaut d'imagination pour se nuire l'un à l'autre — que Catherine juge de son devoir de les réconcilier de toute urgence.

Elle part du principe, faux, que tous deux s'aiment profondément et qu'il ne leur manque que d'être plus souvent ensemble pour le reconnaître ; c'est oublier que la plus parfaite image existant de deux frères, est, hélas, celle de Caïn et Abel. Mais désireuse avant tout d'éviter un scandale familial dont la France entière serait trop heureuse de se nourrir, elle se plaît à ne voir dans cette haine entre ses fils, qui cependant gêne profondément sa politique, que des querelles enfantines qu'une compréhension amicale mutuelle suffira à calmer.

Elle est complètement en dehors de la réalité. Dans son inconscience, et contre l'avis formel de du Guast et du roi, elle obtient de ce dernier qu'il relâche sa surveillance vis-à-vis de Monsieur. Le résultat ne se fait pas attendre : aidé de Margot, plus ingénieuse et intrigante que jamais, François d'Alençon s'enfuit du Louvre, emportant avec lui la chemise ensanglantée portée par La Mole sur l'échafaud, et qu'il a juré de brandir comme un étendard sitôt qu'il aurait l'occasion de mener une armée contre le roi. Voici donc le frère unique du roi à la tête des rebelles ; il gagne sa ville héréditaire de Dreux où il se fait proclamer « gouverneur général pour le roi et défenseur des libertés de la France ».

Henri, aussitôt, envoie un détachement « pour arrêter Monsieur qui est parti porter la guerre dans le royaume, et ainsi tâcher de le ramener à la raison ou de l'apaiser ». Puis il reproche violemment à sa mère d'avoir négligé les sages conseils de du Guast et d'avoir trop cherché à se concilier son dernier fils.

Témoin du chagrin de Catherine à la mort de sa fille Claude, l'ambassadeur toscan affirme que, devant le comportement du jeune prince, sa peine est plus grande encore, et que jamais il ne l'a vue aussi affligée : son visage est défiguré par l'émotion, elle parle en bégayant et semble sur le point de s'effondrer. Puis, sans chercher d'excuse à son comportement : « J'irai moi-même, dit-elle à Henri, et je ramènerai ce misérable enfant, où qu'il soit. »

Elle ressent fortement son erreur de jugement, et la justesse de celui de du Guast la touche plus encore ; c'est un échec cuisant vis-à-vis des favoris, dont l'influence sur le roi est, pour la sienne, une menace permanente qui ne cesse de lui peser sur l'esprit. Elle a tenté d'y mettre fin en faisant assassiner Lignerolles, mais ne peut recommencer malgré le désir de Margot de supprimer du Guast, ce qui serait la pire des choses. Par ailleurs, Henri, déçu de ne pas voir s'annoncer l'héritier attendu malgré les efforts de Louise, abandonne toute discrétion et se livre sans aucune retenue à ses penchants.

Seul parmi les « mignons », Villequier, nommé par Henri III gouverneur de Paris, doit garder quelque dignité. Mais les autres, derrière le beau Quélus trop heureux d'« épater les bourgeois », s'exposent sans vergogne dans les rues de la capitale, traînant à leur suite les dernières conquêtes du roi : d'O, Saint-Luc, Saint-Mégrin, La Valette, d'Arques, Gramont et autres.

« Ces charmants mignons, note un chroniqueur, avec leur visage peint, portent les cheveux longs, soigneusement frisés et refrisés artificiellement, et tout droits au-dessus de leur petite toque de velours, comme les prostituées dans les bordels. Leur collerette plissée a un demi-pied de large et, lorsque vous voyez leur tête émerger des plis, vous croiriez voir la tête de saint Jean Baptiste sur le plat de Salomé. Ils s'habillent tous de la même façon, avec de nombreuses couleurs, et s'aspergent de poudre de violette et autres senteurs odoriférantes, qui aromatisent les rues, places et maisons où ils fréquentent. »

Les Parisiens ne sont pas dupes du manque de sérieux de l'entourage du roi ; ils appellent ses proches compagnons les « princes de Sodome ». Moqueries, sifflements, « piou-piou » répétés accompagnent leurs passages ; les étudiants les imitent avec les collerettes en papier qui servent pour les têtes de veau aux devantures des bouchers, les femmes leur lancent des injures pleines de sous-entendus évocateurs. Une littérature passablement injurieuse leur est consacrée, parmi laquelle le célèbre pamphlet de *L'Ile des hermaphrodites,* publié un peu plus tard, où le libelliste compare le lit du roi à l'autel d'Antinoüs.

Henri III choisit ses favoris d'après trois critères : leur beauté, leur témérité et leur habileté à l'épée. Chaque jour, chacun des membres de cette confrérie est prêt à tirer l'épée pour un rien, à combattre, « toujours à outrance », à mourir pour lui. Vaillants, spirituels, ces gardes du corps d'Henri — qui, à l'origine, n'avaient de but que politique mais sont peu à peu devenus ses compagnons de plaisir —, aiment passionnément leur prince, et pour lui font complètement abstraction de leur propre vie. Un seul parmi eux survivra, La Valette, duc d'Epernon, car de ce perpétuel rendez-vous avec la mort ils paient leurs extravagances, leur bravoure devant la vie et leurs débauches, qui ne se comptent plus.

Image des mœurs relâchées de cette cour qu'un historien contemporain a comparées à celles de la décadence romaine, le célèbre et féroce « duel des Mignons » qui a lieu le 27 avril 1578 à cinq heures du matin, au marché aux Chevaux près de la Bastille, entre Quélus, Livarot et Maugiron, amis du roi, et trois gentilshommes du duc de Guise. Combat terrible qui fait suite à des bravades et laisse deux morts sur la place le jour même et un le lendemain ; un troisième, « Quélus, auteur et agresseur de la noise, de dix-neuf coups qu'il y reçut, languit trente-trois jours, et mourut le jeudi 29 mai ». C'est bien le favori qui, malgré l'intervention d'Ambroise Paré, meurt dans les bras du roi, « ayant toujours en la bouche ces mots, même entre ses derniers soupirs, qu'il jetait avec grande force et grand regret : " Ah ! mon roy ! mon roy ! ", sans parler autrement de Dieu ni de sa mère ».

Le chagrin d'Henri, qui ne l'a pas quitté une seconde depuis le duel, est immense ; il coupe une mèche de ses cheveux et la porte dans un reliquaire d'or et de diamant, commande un tombeau magnifique pour son ami, et la cour en grand deuil assiste à ses funérailles conduites par Catherine et Louise.

Les autres mignons veulent venger leur camarade. Le plus jeune, Paul de Caussade, comte de Saint-Mégrin, devient l'amant de la duchesse de Guise. Son mari semble n'y point voir offense et devient la fable de la cour, mais son jeune frère, le duc de Mayenne, fait égorger l'amant de sa belle-sœur par une trentaine de ruffians, un soir, rue du Louvre. Chacun fait semblant de croire que les assassins de Saint-Mégrin sont des inconnus, mais pour Henri, le duc de Guise qui a provoqué le fameux duel est le véritable meurtrier, comme il était le meurtrier de Quélus ; il décide de le tuer, et leurs relations en seront marquées jusqu'à l'assassinat du duc par Henri, dix ans plus tard. Mœurs de brigands de grand chemin qui jettent le discrédit sur le roi, favorisent les partis d'opposition et les ligues, renforcent les rancunes de Monsieur qui a ses propres mignons, lesquels ne s'entendent pas avec ceux de son frère, gaspillent les forces d'un royaume en miettes et ébranlent chaque jour un peu plus ce qui lui reste d'unité.

La mort de Quélus, la grave maladie qui a suivi — le roi souffre de la même otite qui, jadis, a tué son frère François II — et son vingt-huitième anniversaire forment un concours de circonstances à la suite desquelles l'attitude de Henri III va connaître une évolution certaine.

Physiquement d'abord, c'est déjà un vieil homme ; presque chauve, il n'enlève plus jamais sa coiffe de velours, même à la messe. Il a perdu beaucoup de dents et n'a pratiquement plus de désir sexuel. En public, un maquillage soigné laisse croire qu'il n'a apparemment pas changé, mais le seul fait qu'il ait abandonné son immense fraise tuyautée pour un simple col de toile blanche est significatif d'une sorte d'austérité ; il devient d'ailleurs très dévot. Peut-être, charnellement, ne demande-t-il plus rien à ses favoris, mais il exige d'eux que toutes leurs capacités intellectuelles, toutes leurs facultés soient mises au service de sa politique.

Deux d'entre eux, par le sang dont ils descendent, lui semblent posséder les qualités voulues pour le soutenir dans son gouvernement. Il leur confie de hautes charges, leur donne un rang privilégié et une pension non moins privilégiée en cette période de disette, et comble leurs familles d'honneurs. Ce sont Bernard de La Valette, créé duc d'Epernon, et Anne, baron d'Arques, qu'il nommera duc de Joyeuse en l'alliant à la famille royale par son mariage avec la jeune sœur de Louise, au cours d'une cérémonie splendide : douze cent mille écus, dont la dette sera longue à éteindre.

Outrée par ces excentricités — Henri parle de ses chers ducs comme de ses « fils aînés » —, et par le peu de cas qu'il fait de ses conseils, Catherine sermonne violemment son fils, mais pleure de s'entendre répondre : « Morbleu, Madame ! Je les mettrai si haut que, si je meurs, vous-même n'arriverez pas à les abaisser ! »

Epernon est dur, orgueilleux, beaucoup moins séduisant que Joyeuse ; Catherine le déteste, comme rarement elle a détesté un favori de son fils, à l'exception de Lignerolles. Elle voit en lui le Gascon cupide et arrogant qu'il est mais, plus encore, le symbole des misères de la France, car, par haine du duc de Guise, il a empêché l'alliance, pourtant essentielle à ses yeux, entre le roi et la nouvelle ligue catholique. Politiquement c'est un nouveau Lignerolles, mais ce qu'elle a fait une fois, elle ne peut le recommencer.

« Vous dites qu'Epernon est un obstacle à la réconciliation de M. de Guise et du roi. Mais, Madame, vous savez que, si Epernon mourait, un autre, puis encore un autre Epernon prendraient sa place. » Catherine sait que l'expérience ne confirme que trop la sage réflexion de Cavriana, son médecin florentin.

La fondation de la Ligue, en mai 1576, vient comme une conséquence directe, bien qu'assez lointaine, de la fuite de François d'Alençon.

Malgré ses efforts, Catherine ne peut ramener le « misérable enfant » dans le droit chemin, pas plus qu'elle n'arrive à lui faire prendre conscience de ses responsabilités vis-à-vis de la Couronne. Avec Condé, il prend la tête d'une armée de quatorze mille huguenots et cinq mille reîtres allemands conduits par le luthérien Jean-Casimir, fils de l'Electeur Palatin, tandis qu'Henri de Navarre réussit à s'évader de la cour et se retire dans ses terres.

Malgré la victoire du duc de Guise à Dormans, le 10 octobre 1575, un mois après que François s'est enfui à Dreux, Catherine comprend que seule la paix délivrera la France des mercenaires allemands, dont toujours les horribles souvenirs la hantent. A cette victoire contre eux, Henri de Guise a gagné, d'une part une blessure au visage qui, comme son père, le fait surnommer le « Balafré », d'autre part, de faire désormais figure de héros catholique.

« La seule chose qui intéresse ma mère, note Margot, est de se débarrasser des Allemands et de détacher mon frère des huguenots. » Elle persuade le roi de signer une paix lamentable, que confirme le 7 mai 1576 l'édit de Beaulieu, près de Loches, et dont son dernier fils reçoit tant d'avantages que l'opinion publique la nomme la « paix de Monsieur ». C'est une capitulation du roi devant son frère et devant les « politiques » unis aux huguenots ; mais c'est un moindre mal en regard de la guerre.

Le prince d'Alençon reçoit les trois riches provinces d'Anjou, de Touraine et de Berry et une importante pension annuelle ; le gouvernement de Picardie, avec Péronne pour capitale, est accordé au prince de Condé, celui de Guyenne au roi de Navarre ; le chef des « politiques » du Languedoc, Jean-Casimir, reçoit le duché d'Etampes, la principauté de Château-Thierry, neuf seigneuries en Bourgogne et une énorme indemnité pour solder les reîtres qu'il a levés contre la Couronne. En outre, huit nouvelles places de sûreté sont données aux huguenots, l'entière liberté du culte leur est garantie partout, excepté à Paris ;

enfin Coligny, le vieux prince de Condé, Montgomery, La Mole et Coconnas sont entièrement réhabilités.

Le duc de Guise déconseille au roi de signer un traité exigé par ses « parents rebelles », mais Catherine, obsédée par la paix, insiste : « Acceptez, mon fils ! Acceptez ! Ces articles que je vous demande de confirmer se détruiront d'eux-mêmes ; la France se soulèvera contre les prétentions de ces hérétiques. La guerre recommencera, mais cette fois votre frère ne sera pas avec eux, et nous dicterons les termes d'une véritable paix. »

Donner à Condé la ville de Péronne en Picardie, l'une des cités les plus catholiques qui soient, est une folie monumentale probablement voulue par Catherine, délibérément, pour susciter la réaction attendue : lorsque le prince veut entrer dans sa nouvelle ville, le gouverneur d'Humières, marquis d'Ancre, fervent catholique et commandant des troupes royales, installe une garnison, ferme les portes et en interdit l'entrée à Condé. Puis, avec la noblesse picarde, les bourgeois et le clergé, il forme en secret une ligue catholique.

Elle se nomme la « Sainte Union », est dédiée à la Sainte Trinité, et se présente comme une sorte de synthèse de toutes les ligues catholiques qui, depuis une dizaine d'années, prolifèrent dans le royaume. Elle s'inspire de l'ancien triumvirat et de la confrérie du Saint-Esprit de Tavannes pour l'ensemble de ses principes, et va rapidement s'étendre aux catholiques fervents, déçus par la paix de Beaulieu et ce qu'ils considèrent comme la trahison du gouvernement à l'égard de la France.

Son tout premier but est de restaurer et de maintenir la suprématie de l'Eglise catholique, apostolique et romaine contre l'hérésie. Dans le deuxième article, les ligueurs s'engagent à soutenir le roi, à le protéger contre les conspirations et à lui obéir dans les limites définies par les états généraux. Chaque membre se fait un devoir sacré de sacrifier sa vie et ses biens à l'accomplissement des buts de la Ligue, définie comme un corps combattant sous le commandement d'un chef auquel chacun doit fidélité et obéissance, dont le pouvoir est absolu, et dont les ordres doivent être exécutés indépendamment de toute autre autorité. C'est bien sûr le jeune prince lorrain, à la tête du parti des guisards, qui est considéré comme l'âme de cette union catholique.

Le premier effet de la Ligue est immédiat : les rebelles,

lors de la paix de Monsieur, ont exigé la réunion des états généraux, dans l'espoir de les dominer et de s'imposer à la Couronne. Or, six mois se sont écoulés depuis le traité de Beaulieu, la Ligue a accompli son œuvre silencieuse, et les députés réunis à Blois, le 17 novembre 1576, sont presque exclusivement des ligueurs. L'assemblée, originellement prévue pour obtenir d'autres concessions en faveur du calvinisme, demande en fait sa suppression et la reconnaissance du catholicisme comme la seule religion autorisée en France.

Le maintien d'une politique de tolérance, seul parti possible pour la Couronne si elle veut conserver sa liberté vis-à-vis des huguenots et des Guises, incombe maintenant à Catherine seule : au cours d'un conseil, Henri s'est déclaré ligueur, et prêt à conduire la croisade contre l'hérésie.

Rien encore n'a pu ébranler la volonté de paix religieuse de la reine mère, toujours partisan des « plus doux moyens ». Elle intervient dans ce sens : « Je suis catholique et j'ai aussi bonne conscience que nul autre. J'ai beaucoup hasardé ma personne contre les huguenots au temps de mon fils Charles IX et je ne les crains point encore. A cinquante-huit ans je suis prête à mourir et j'espère bien aller en Paradis. Mais je ne veux pas m'autoriser parmi les catholiques pour détruire ce royaume. S'il y en a d'autres qui ne se soucient pas de la perte de l'Etat, pourvu qu'ils puissent dire : j'ai bien maintenu la religion catholique, ou qui espèrent faire leur profit par sa ruine, je n'ai rien à dire, mais je ne veux leur ressembler. »

La majorité de l'assemblée se prononce pour la suppression de la « prétendue religion réformée », et la guerre reprend.

La « sixième guerre de religion » ne dure que six mois, et atteint un double but : Monsieur est détaché de ses anciens alliés et placé à la tête des troupes royales. Ainsi, est-il discrédité auprès des huguenots, d'autant plus discrédité que, consciencieux au-delà de toute espérance, il se livre à d'abominables massacres à La Charité et à Issoire, où il est entré d'assaut en promettant sa grâce aux citoyens.

Enfin, le roi obtient de modifier le traité de Beaulieu et d'y substituer, comme l'avait prévu Catherine, des conditions moins favorables aux huguenots : le 17 septembre 1577 il signe le traité de Bergerac : « ma paix » dit-il ; « la paix du roi » dit-on pour lui faire plaisir. C'est en fait l'ancienne paix de Monsieur d'où l'on a exclu ce qui était contraire à l'unité nationale et à la souveraineté de l'Etat. Elle est conforme à la « politique de pitié » de Catherine qui est victorieuse du fanatisme des deux clans.

Cette même année 1577, l'ambassadeur de Venise, Jérôme Lippomano, laisse de la reine mère un très vivant portrait : « Quoique fort âgée, elle conserve encore une certaine fraîcheur ; elle n'a presque aucune ride sur son visage qui est rond et plein ; elle a la lèvre inférieure pendante, comme tous ses enfants. Elle garde toujours ses habits de deuil, et elle porte un voile noir qui lui tombe sur les épaules, mais ne descend pas sur le front. [...] Les Français ne voulaient pas reconnaître d'abord son esprit, sa prudence ; mais, à présent, on la regarde comme quelque chose de surhumain. Dans les derniers troubles elle imposa toujours sa médiation.

« [...] N'ayant désormais aucun motif pour irriter les partis, elle tâche de les apaiser, pour qu'on reconnaisse sa dextérité et sa prudence [...]. Cette grande princesse a l'esprit aussi robuste que le corps. En s'habillant, en mangeant, je dirai presque en dormant, elle donne audience. Elle écoute tout le monde toujours d'un air gai [...]. Femme libérale, magnanime et forte, elle a l'air de vouloir vivre encore de longues années, ce qui serait à souhaiter pour le bien de la France et de toutes les nations chrétiennes. »

L'année suivante, elle entreprend un voyage de pacification dans le Sud du royaume toujours très agité, en emmenant Margot avec elle pour la ramener à son époux. Partie le 2 août 1578, en principe pour trois mois, elle restera seize mois absente, visitant la Guyenne et le Languedoc, la Provence, le Dauphiné et la Navarre, dans l'espoir de calmer les haines et de ramener à la Couronne ces provinces divergentes.

En chemin, elle trouve fermées maintes portes de cités et levés contre elle plus d'un pont-levis de château ; mais sans se troubler elle s'arrête sous le premier toit venu, installe le portrait du roi, convoque les notables, discute, interroge, écoute.

Hostilité, méfiance, routes défoncées, brigandage, épidémies, rien ne l'arrête, ni sa santé, ni son embonpoint, ni ses soixante ans. Infatigablement elle va ; les huguenots, malgré eux, sont impressionnés et n'osent attaquer ni insulter cette force de la nature dont l'heureux caractère résiste aux pires manques de confort. Une seule ombre au tableau : l'absence de son fils Henri, dont jamais elle n'est restée si longtemps séparée.

Inlassablement, auprès de chacun, elle poursuit son œuvre de réconciliation, rude à la tâche, oublieuse d'elle-même, toujours disponible à son entourage, quel qu'il soit. « Je plaindrai infiniment ma peine d'être venue ici et de m'en retourner comme un navire désemparé, et, si Dieu me fait la grâce de faire ce que je désire, j'espère que ce royaume se sentira de mon travail, et que le repos y durera », écrit-elle à Paris ; et à la duchesse d'Uzès : « Je suis si tourmentée des questions de Provence que je n'ai plus de cervelle qu'à me courroucer. Et Dieu qui m'aide toujours m'a tant favorisée que je suis venue à but aussi bien qu'en Guyenne ; et il n'y a pas ici faute d'oiseaux nuisants ; je ne sais si en Dauphiné ils seront meilleurs, mais j'ai toujours mon espérance en Dieu. »

« C'est à ce coup que vous me verrez dans un mois, ma commère, écrit-elle encore de Béziers à la duchesse d'Uzès, saine et sauve s'il plaît à Dieu, encore que j'aie à passer en la peste, ou la mer, ou les Cévennes, que je crains bien autant que les deux premières ; car sont oiseaux de rapine... »

Catherine ne voyage pas sans se passionner pour l'architecture ; en cours de route, elle tombe amoureuse de manoirs, de gentilhommières, et les achète. On retrouve en elle le goût de ses ancêtres et, plus proche, l'enseignement de François Ier. « On reconnaît en elle l'esprit de sa famille : elle aime à laisser des monuments de son nom dans les édifices publics, dans les bibliothèques et dans les musées. »

De tous les arts, l'architecture reste son préféré : de Rome, elle fait venir en France le jeune fils de son premier architecte, Bullant, « pour qu'il puisse améliorer son art au contact des belles choses qui sont ici ».

Bâtisseuse, en compagnie de son architecte préféré, Philibert Delorme, elle ajoute au Louvre une aile et une grande galerie, et commence les Tuileries ; non loin, elle fait construire un véritable palais, son propre hôtel particulier — plus tard l'hôtel de Soissons. A Chenonceaux, elle redessine les jardins et les potagers, élève les châteaux de Montceaux, de Chaillot et de Saint-Maur, proche de la capitale, où elle vit « le plus simplement du monde ». A Blois elle imagine son célèbre cabinet secret, dissimulé derrière des panneaux décorés qu'elle seule sait faire glisser, sous les dorures et les arabesques, pour en dévoiler l'entrée.

Le Louvre, disait-elle à Philibert Delorme, « est dédié aux

Muses » : sa bibliothèque contient des livres admirables, dont neuf cents manuscrits grecs, latins, hébreux, de théologie, philosophie, droit canon et droit civil. Vingt-deux, sur des sujets dont elle est particulièrement curieuse, ont été reliés pour elle en velours et vélin de maroquin du Levant noir ou vert ; ce sont des traités d'histoire, de divination, d'échecs, de topographie et de généalogie. Mais beaucoup d'autres sujets, des plus divers, se partagent les quatre mille cinq cent cinquante volumes avec lesquels elle vit.

La musique aussi a toutes ses tendresses : le gouverneur du Piémont lui a envoyé ses propres violonistes dont le premier, le « roi des violons », a composé pendant quinze ans la musique des ballets de la cour. Compétente dans le domaine de la peinture, elle acquiert quatre cent soixante œuvres — sujets religieux, paysages, scènes historiques et, plus particulièrement, trois cent soixante-cinq portraits, dont un grand nombre sont l'œuvre de son cher Clouet.

Certes, elle aime tout cela ; mais ce qu'elle aime par-dessus tout, c'est l'âme humaine, et l'art de la gouverner. Or, cet art se fait difficile ; nombreuses sont ses inquiétudes, et rares ses alliés : « La reine mère fait confiance à très peu de gens, car dans le passé elle a été trop souvent trompée. »

Après dix-huit mois d'absence elle revient à Paris, et le même ambassadeur de Venise souligne : « C'est une princesse infatigable, née à point pour travailler et gouverner les Français, qui sont si remuants ; lesquels commencent à reconnaître sa valeur. »

Aussitôt les soucis l'assaillent, dont le moindre n'est pas celui de la succession.

Monsieur, las des hésitations d'Elisabeth d'Angleterre qui l'appelle sa « grenouille » mais ne se décide pas à aller contre ses ministres, s'est fait nommer duc de Brabant après avoir pris Cambrai aux Espagnols, puis Cateau-Cambrésis. Quelque temps il a joué au roi, à Anvers, mais sa maladresse et ses inconséquences l'ont vite rendu impopulaire et, après avoir vainement tenté de prendre les armes contre ses propres sujets, il est revenu en France furieux contre son frère. Malade de surcroît — atteint de tuberculose à un fort degré —, son état de santé s'aggrave ; il se réfugie à Château-Thierry où son mal empire rapidement, et il meurt le 10 juin 1584 à trente ans.

« Vous pouvez penser tel qu'il peut être de me voir si

malheureuse de tant vivre, que je voie tout mourir devant moi : encore que je sache bien qu'il se faille conformer à la volonté de Dieu, et que tout est à lui, et qu'il ne fait que nous prêter, pour tant qu'il lui plaira, les enfants qu'il nous donne... Et moi, ce me semble, en ai plus d'occasion de me plaindre de mon malheur, me voyant privée de tous, hormis d'un seul qui me reste, encore qu'il soit, Dieu merci, très sain, si est-ce que, si je lui voyais des enfants comme j'espère en Dieu qu'il aura, ce me serait une grande consolation, et pour tout ce royaume... »

Partout le soulagement est grand, mais la mort de François d'Alençon pose un grave problème de politique intérieure, aussi inquiétant que tous ceux qu'il a posés de son vivant : celui de la succession.

Henri reste le dernier Valois, il est toujours sans enfant et ses chances de postérité sont de plus en plus minces. La loi salique, que Catherine espère abroger au profit des enfants de sa fille Claude, prévoit alors de confier la couronne à la branche aînée des Bourbons, c'est-à-dire à Henri de Navarre. Or, il est huguenot, et jamais les Français n'accepteront un hérétique sur le trône de Saint Louis.

La Ligue, dans un effort désespéré d'unité nationale, a placé le cardinal de Bourbon, l'aîné des princes du sang, à sa tête : une fois libéré de ses vœux, il deviendra l'héritier du trône. Puis elle s'arme, et obtient la signature du traité de Nemours en juillet 1585, qui interdit la religion réformée et va de nouveau plonger la France dans la révolution : la royauté a capitulé devant la Ligue catholique. « Il n'y a point, comme j'estime, moyen de voir jamais le repos bien assuré en ce royaume, que ledit roi de Navarre ne se fasse catholique », écrit alors Catherine.

Réduits au désespoir, Henri de Navarre et les huguenots prennent les armes, font appel aux Allemands, et la guerre recommence. La Ligue soutient le roi qui entre lui-même en campagne avec les ducs de Joyeuse et d'Epernon.

Catherine est régente encore une fois, avec pour premier conseiller le cardinal de Bourbon. Elle organise la défense avec sa compétence habituelle et, forte de son expérience, reprend à son compte le procédé que son mari, dauphin, avait autrefois appris du vieux connétable : partout où doivent passer les reîtres allemands, les moissons sont faites et entassées dans les cités les mieux défendues, les roues des moulins jetées à la rivière, les forges mises en pièces, les moulins à vent détruits. Elle redoute particulièrement les rebelles normands, qu'elle connaît bien puisqu'en personne elle les a combattus ; contre eux elle envoie des troupes avec interdiction de rejoindre le roi au sud.

Le 20 octobre 1587, à Coutras en Guyenne, l'armée de l'amiral de Joyeuse tente de couper la route au roi de Navarre. En vain : ce dernier balaie tout ; Joyeuse est tué et d'autres favoris avec lui. Mais, peu après, le duc de Guise termine brillamment la campagne : à Vimory et à Auneau en Champagne, il bat l'armée allemande qui a déjà pillé la Lorraine. Catherine y voit la main de Dieu : « Un miracle, la défaite d'une armée de trente mille hommes avec si peu de pertes. »

La Ligue triomphe, et Henri de Guise revient à Paris en conquérant, malgré le duc d'Epernon qui essaie par tous les moyens de lui faire du tort, entre autres en provoquant la fuite de plusieurs reîtres. Un libelle circule : « Faits de guerre du duc d'Epernon contre les hérétiques » : les pages en sont blanches, à l'exception du mot « rien » inscrit sur chacune d'elles.

La haine entre le duc de Guise et Epernon, qui ne s'est pas relâchée une seconde depuis le « duel des Mignons », n'a jamais été aussi vive ; Catherine perçoit clairement que l'influence du favori sur le roi est telle qu'elle l'empêche de regarder la Ligue pour ce qu'elle est maintenant : l'unique défenseur de la France catholique. Henri de Guise, heureusement, est son allié, qu'elle appelle « son bâton de vieillesse ». Mais elle sait aussi que, chef des catholiques zélés, le prince lorrain est aux yeux des Ligueurs le seul actuellement susceptible de remplacer Henri III sur le trône. En cela il est très dangereux.

L'influence d'Epernon aussi devient menaçante ; les Parisiens, férocement ligueurs, sont perpétuellement au bord de l'insurrection à cause des insultes que le roi ne cesse de dispenser en public au duc de Guise qui est maintenant leur héros.

En cachette de ce dernier, et contre sa volonté, ils forment un complot : le Louvre sera saisi, Epernon traîné en jugement et le roi fait prisonnier, tandis que la reine mère sera de nouveau régente et Guise nommé à Paris lieutenant général du royaume. Dénoncé au roi, le projet échoue, et le duc de Guise se voit interdire l'accès de la capitale. Mais il passe outre et, le 9 mai 1588 à midi, entre dans Paris sans escorte. Il est aussitôt reconnu, entouré et acclamé par la foule qui a retrouvé son idole : « Voici Guise, nous sommes sauvés ! » L'enthousiasme grandit, devient du délire, et l'on n'entend plus qu'un grand cri : « Vive Guise ! » Agenouillés autour de lui comme s'il se fût agi d'un saint, hommes et femmes lui tendent leurs chapelets et lui jettent des fleurs.

« Messieurs ! C'est assez ! C'est trop ! Criez plutôt : vive le roi ! » Mais personne ne lui obéit.

Il ne se rend pas à l'hôtel de Guise, mais chez la reine mère qui bavarde avec sa filleule, la duchesse de Montpensier. Elle est la sœur du duc de Guise, catholique fanatique, et une paire de ciseaux en or à la ceinture, se tient prête à tonsurer le roi au cas où il déciderait de se faire moine.

A la fenêtre, l'un des nains de Catherine s'amuse au spectacle de la rue et, lorsqu'il annonce que M. de Guise met pied à terre devant l'hôtel, sa maîtresse croit à l'une de ses bonnes plaisanteries ; mais le duc entre, s'incline, et elle doit se rendre à l'évidence : « Je vous salue de tout mon cœur, mais ma joie aurait été dix fois plus grande si vous n'étiez pas venu du tout et n'aviez pas désobéi aux ordres du roi. »

Au Louvre, Henri III apprend rapidement l'arrivée de son ennemi ; « Par Dieu ! Il en mourra ! » dit-il seulement, et il appelle six des « Quarante-cinq » molosses préposés à sa protection depuis quatre ans, et auxquels un meurtre ne fait pas peur. Ils se cacheront dans un petit cabinet, utilisé pour les audiences privées, proche de la pièce où il recevra le duc de Guise ; la porte ne sera pas fermée et aux mots : « Vous êtes un homme mort, monsieur de Guise ! » ils se précipiteront et le tueront.

Un messager de la reine mère arrive sur ces entrefaites et demande au roi d'accepter une entrevue avec le prince lorrain à son hôtel. Furieux, Henri III s'étonne d'une proposition aussi insultante pour sa dignité. Voici trois semaines, explique l'homme, que la reine est couchée, ses souffrances l'empêchent de quitter ses appartements, et peut-être Sa Majesté voudra-t-elle bien lui éviter la fatigue d'un trajet, même court, entre son hôtel et le Louvre. Sa mère, répond Henri, n'a aucun besoin d'accompagner le duc qui saura bien trouver son chemin tout seul ; lui-même, le roi, attache beaucoup d'importance à ce qu'il vienne au Louvre.

Catherine ignore tout des plans de son fils, mais elle devine que la vie du duc de Guise est en danger. Elle monte dans sa chaise, lui marchant tête nue à ses côtés, et se dirige vers le palais autour duquel déambulent Suisses, Ecossais et archers en nombre impressionnant. Elle est maintenant sûre qu'on a tendu un piège au prince et lui conseille de s'en aller aussitôt qu'il aura salué le roi.

Celui-ci demande au duc pourquoi il est venu à Paris malgré son interdiction : « On m'a dit que sur les conseils d'Epernon vous vous apprêtiez à massacrer tous les catholiques de Paris et, ma foi m'étant plus chère que ma vie, je suis venu mourir avec eux. »

C'est bien ce que préconise Epernon : une sorte de contre-Saint-Barthélemy, mais le roi nie avoir jamais envisagé pareille action et reproche au duc ses vues ambitieuses et déloyales sur la Couronne. Dans sa colère, il va prononcer les mots fatidiques qu'attendent ses hommes derrière la porte, mais Catherine intervient, l'entraîne à une fenêtre et lui parle à voix basse. Elle craint pour la raison de son fils... Au contraire, répond celui-ci, j'ai tout mon bon sens mais Guise, lui, est fou d'être venu au Louvre sans le moindre garde du corps.

« Si vous n'avez pas perdu l'esprit, répond Catherine en lui montrant sous la fenêtre la foule massée et réclamant son héros, vous comprendrez que ses gardes du corps, ils sont là ; regardez-les, ce sont tous les Parisiens. Mon fils, insiste-t-elle, je ne connais pas vos projets, mais je puis vous dire que si M. de Guise ne ressort pas d'ici sain et sauf, votre vie ni la mienne ne valent plus quoi que ce soit. »

Henri soupçonne sa mère de savoir certaines choses grâce à ses dons de seconde vue ; il congédie le prince après lui avoir demandé un second entretien pour le lendemain dans le jardin des Tuileries. Lorsqu'il entend les folles acclamations qui, dehors, accueillent son apparition, il murmure à sa mère : « Comment puis-je rester roi de France, aussi longtemps qu'il sera roi de Paris ? — Je suis convaincue, répond-elle, qu'il ne désire qu'une chose, qui est de vous servir, vous et votre royaume. »

Néanmoins, contre l'avis de Catherine et sans lui en rien dire, il introduit dans la capitale, à l'aube du 12 mai, six mille hommes des gardes française et suisse conduits par le gouverneur de la Guyenne, partisan du roi de Navarre ; en agissant ainsi, il viole le vieux privilège qu'ont les Parisiens de pourvoir eux-mêmes à leur propre défense.

En vain, il interdit les armes, en vain, il tente de calmer une population ivre de rage et de fanatisme et déjà prête au combat, « espérant que la temporisation, douceur et belles paroles désarmeraient peu à peu ce sot peuple » : le 13 mai 1588 — un vendredi —, au soir de la violente journée des barricades, Henri III doit s'enfuir de sa capitale pour n'y plus revenir.

Son départ laisse le duc de Guise dans une situation difficile. Il risque maintenant de passer pour ce que le roi lui reprochait d'être : un sujet rebelle qui a pris les armes contre la Couronne. Aussitôt il publie un manifeste déplorant « qu'il n'ait pas plu au roi d'accepter plus longtemps le respect et la filiale obéissance » dont il a toujours fait preuve. Et il annonce plus loin : « J'ai pris la Bastille, l'Arsenal et autres places importantes ; j'ai scellé les coffres du Trésor pour pouvoir les remettre aux mains de Sa Majesté lorsqu'elle sera d'humeur pacifique, ce que nous espérons pouvoir lui donner grâce à nos prières à Dieu, à l'intercession de Sa Sainteté le Pape et de tous les princes chrétiens. »

Courageusement — elle a bientôt soixante-dix ans, elle est malade, elle est seule —, Catherine reste à Paris pour y maintenir l'Etat. Henri III a gagné Chartres, sa belle-fille Louise est avec elle ; en tant que représentante du roi, elle continue de traiter avec le duc de Guise et reçoit son vieil ami le cardinal de Bourbon qui, revêtu d'habits laïques, s'est installé à Paris en héritier du trône. « Jamais je ne me vis en tel ennui, ni si peu de clarté pour en bien sortir... »

Comme toujours grâce à sa diplomatie, Catherine arrive à ses fins : le 1er juillet à Chartres, Henri III signe un pacte d'union élaboré par la reine mère et le duc de Guise. Il reconnaît la Ligue, lui accorde tout ce que réclame le Balafré et qui l'autorise à renforcer l'édit de pacification. Un *Te Deum* est chanté à Notre-Dame, auquel le roi refuse d'assister : il ne veut pas revenir au Louvre, il ne veut pas qu'on puisse croire qu'il a oublié la « journée des barricades ».

CHAPITRE XVI

La mort de Catherine

Signé le 1er juillet 1588, l'édit d'union est le dernier geste politique de Catherine. Elle est vieille et malade, et tente de trouver un compromis qui tienne compte de la situation et des nombreuses réalités qu'il faut y ménager, et remette Henri III à sa place de roi catholique de France. Les états généraux se réuniront à Blois en octobre, le duc de Guise devient lieutenant général et continue la guerre contre l'hérésie avec Metz, Boulogne et Angoulême comme places de sûreté, Henri de Navarre est exclu de la succession, le duc d'Epernon disgracié, et Paris se voit pardonner la journée des barricades.

Henri signe ; mais à cette signature sont liées les deux graves décisions qu'il prend secrètement vis-à-vis de lui-même : mettre fin une fois pour toutes à l'influence de sa mère à l'intérieur de sa politique, et profiter de la première occasion pour supprimer le duc de Guise.

Il met la première à exécution le 8 septembre en renvoyant du conseil royal, brutalement et sans explication, huit de ses meilleurs ministres et secrétaires d'Etat, favorables à la reine mère et qui la soutenaient ; il les remplace par des hommes peu connus, qui n'ont jamais fait partie de ses conseils et qui lui devront tout, entièrement prêts à lui obéir.

Catherine est à la fois blessée et attristée. « Elle ressent profondément ce geste, note l'ambassadeur vénitien, parce que la plupart de ceux qui ont été renvoyés avaient été nommés par elle au cours de ses régences ; et qu'un acte de cette importance ait été réalisé sans que rien ne lui en ait été dit, la met hors d'elle-même. »

A la cour, le mécontentement de la reine n'échappe à personne, ni le fait qu'aucun des nouveaux ministres ne fait partie de son entourage. Au légat Morosini qui s'étonne de ce bouleversement intérieur, le roi répond qu'il a maintenant trente-sept ans et veut gouverner son royaume « afin de voir si, en le dirigeant moi-même, à mon gré, je pourrai arriver à un meilleur résultat ». Cependant, partagé entre la prudence et le respect filial, il rend à sa mère, lors de l'ouverture des états généraux, le 16 octobre 1588 à Blois, une sorte d'hommage délibérément rempli de déférence.

« Je ne peux passer sous silence, déclare-t-il, la peine infinie que la reine ma mère a prise pour faire face aux maux qui affligent le royaume, et je pense qu'à l'occasion de cette illustre assemblée, il est bon, en mon nom et au nom de la nation, de lui en rendre grâces publiquement. Si j'ai quelque expérience, si j'ai reçu de bons principes, ce que je possède de piété et, par-dessus tout, le zèle avec lequel je désire le maintien de la foi catholique et la réforme du royaume — tout cela je le lui dois.

« Que n'a-t-elle entrepris pour apaiser les troubles et pour établir partout le véritable culte de Dieu et la paix publique ! Son âge avancé l'a-t-il incitée à se ménager ? N'a-t-elle pas, à cet effet, sacrifié sa santé ? C'est grâce à son exemple et à ses enseignements que j'ai appris à me consacrer aux soucis liés à tout gouvernement. J'ai convoqué ces états généraux comme le plus sûr et le plus salutaire remède aux maux qui affligent mon peuple, et ma mère m'a confirmé dans cette décision. »

Assise à sa droite, Catherine écoute, apparemment sans émotion, et se contente de sourire aux fleurs que lui jette son fils. L'auditoire est attentif à ce long discours où Henri, en termes non déguisés, exprime sa volonté de gouverner en maître et où il s'engage à respecter l'édit d'union. Il n'y a pas de plus beau ni plus superbe monument que celui qui s'élève sur les ruines de l'hérésie, déclare-t-il ; puis, en termes vigoureux, il se dit déterminé à châtier « toutes les ligues, associations, pratiques, projets ou intelligences visant à réunir hommes ou argent autrement que sous mon autorité ; et je déclare, dès à présent pour l'avenir, atteints et convaincus de crime de lèse-majesté ceux qui s'en départiront ou y tremperont sans mon aveu. »

Les menaces sont évidemment dirigées contre les princes lorrains et, dès la fin de la séance, le duc de Guise se précipite chez le cardinal de Bourbon, souffrant, pour lui demander conseil sur l'attitude à adopter. Le vieil homme qui n'a pas très bien suivi le sens des derniers événements lui répond comme d'habitude de consulter la reine mère.

Catherine n'a rien à suggérer : « Vous savez, monsieur de Guise, que je suis loin de posséder l'influence que mon fils m'a prêtée dans son discours. De même qu'il a trompé ses ministres à cet égard, peut-être a-t-il fait semblablement pour vous.

« — N'avez-vous rien d'autre à dire, Madame ? »

Catherine lui rend un de ces demi-sourires qu'il sait si bien interpréter, puis : « Le discours est-il déjà imprimé ? » demande-t-elle...

Lorsque, quelques jours plus tard, Henri apprend que les imprimeurs refusent de composer le texte du discours, il retrouve tout naturellement ses anciennes habitudes et va demander conseil à sa mère. « La décision, mon fils, a été prise pour vous. Si les imprimeurs refusent d'imprimer, la cause est entendue. Ne vaudrait-il pas mieux supprimer ce qui les offense, et ainsi obtenir que le reste puisse paraître ? » Puis elle ajoute ironiquement : « Je serais tellement désolée que votre témoignage à mon égard soit perdu pour la postérité ! »

L'atmosphère pesante de Blois se trouve alors quelque peu détendue par le grand événement de la saison de Noël : le mariage par procuration, dans la chapelle du château, de la petite-fille préférée de Catherine, Christine de Lorraine, avec le jeune Ferdinand de Médicis, grand-duc de Toscane. C'est elle qui, après la mort de sa fille Claude, a élevé l'enfant et elle l'aime, après son mari, plus que tout au monde.

Le contrat a été signé en sa présence, à Blois, le 24 octobre 1588 : elle lui fait don de toutes ses propriétés de Florence, y compris le palais de la via Larga, et de deux cent mille écus d'or. « Comme vous avez de la chance, dit-elle tristement à sa petite-fille, de partir vers un pays en paix ; si vous restiez ici, vous verriez la ruine de mon pauvre royaume. »

Les fêtes qui célèbrent l'événement sont magnifiques — ce sont probablement les dernières de la cour des Valois —, et Catherine insiste pour se joindre aux danses. Il gèle dehors et dans cette atmosphère surchauffée elle attrape un rhume qui, joint à sa goutte et à son obésité, vient à bout de sa résistance : toux, fièvre, « et par-dessus tout cela soixante-dix années », fait sagement remarquer le nonce du pape, l'obligent à se coucher, dix jours avant Noël, avec une congestion pulmonaire.

Fatiguée, seule et découragée, Catherine veut, avant de

mourir, réconcilier le roi et Henri de Guise. A l'autel, sur une hostie, selon un chroniqueur qui aurait assisté aux événements de cette époque, Henri III jure « réconciliation et amitié parfaite avec le duc, et oubli de toutes leurs querelles passées. En outre, il déclare qu'il est résolu à abandonner les rênes du gouvernement au duc de Guise et à la reine sa mère, pour ne plus se préoccuper lui-même que de prier ». Afin de donner quelque vraisemblance à cette incroyable affirmation, il fait construire sur le toit du château quelques cellules, prétendument destinées aux frères capucins, mais en réalité vouées à servir de repaires aux membres des « Quarante-cinq » qui vont devoir assassiner le duc de Guise.

Les rumeurs, qui circulent vite, parviennent jusqu'à la sœur du duc, la duchesse de Montpensier ; elle le supplie de se sauver : « Que puis-je faire, répond le prince, étant qui je suis, et où je me trouve ? Si je vois la mort entrer par la porte, vous savez que je n'essaierai pas de me sauver par la fenêtre ! » Et à quelqu'un qui le met en garde contre le roi : « Je n'ai pas peur de celui-là, je le connais bien, il est trop poltron. » La duchesse de Montpensier, cependant, insiste auprès de sa marraine pour l'aider à sauver son frère : « Aussi longtemps que je serai là, Catherine, répond la reine, vous n'avez rien à craindre pour votre frère. »

La congestion pulmonaire de sa mère arrange considérablement le roi qui veille soigneusement à ce qu'elle ne puisse être mise au courant de son projet d'assassinat. Pour tuer le duc de Guise il a l'intention d'utiliser les mêmes hommes et la même méthode qui avait échoué au Louvre au mois de mai ; la reine mère est maintenant obligée de rester couchée et il n'y a aucune chance pour qu'elle rende à ses appartements une visite indésirable et se mette une fois encore en travers de ses plans.

Le jeudi 22 décembre, le roi et duc de Guise se retrouvent dans la chambre de Catherine, bavardent gracieusement, échangent des friandises et font des projets pour la saison de Noël : « Le roi fit audit prince grandissimes démonstrations de bienveillance et privautés, par petits discours de gaieté, et lui présentant de la dragée qu'il avait dans une boîte, et réciproquement mangeant de celle que le prince avait », lira-t-on l'année suivante dans une relation de l'assassinat du duc. Bref, la plus grande amitié semble régner entre eux bien que, la veille, une dizaine de lettres anonymes aient prévenu le duc de Guise que le roi complote contre lui. Charlotte de Sauves dîne en sa compagnie ce soir-là, et promet d'obtenir de la reine mère de plus amples informations à propos de cette rumeur.

A six heures trente, le lendemain matin, Henri de Guise est convoqué à un conseil extraordinaire dans les appartements du roi. Sans plus réfléchir, il quitte, accompagné de son seul page, l'aile du château qu'il occupe. Il doit rejoindre le roi dans son cabinet privé, ou « cabinet vieux », et c'est à l'entrée du sombre passage qui y conduit qu'il est assailli par les fidèles tueurs du roi : un lui saisit la jambe et le déséquilibre, un autre jette son manteau sur son épée, d'autres le poignardent à la poitrine, à la gorge, dans le dos ; le capitaine des « Quarante-cinq » enfin lui enfonce soigneusement l'épée dans l'aine. Malgré des blessures nombreuses d'où coule le sang et la faiblesse qui l'envahit en même temps que la vie s'en va, le Balafré a suffisamment de force et de volonté pour se débattre comme un enragé : il rend autant de coups qu'il le peut, et casse le nez de l'un de ses agresseurs avec son drageoir, puis il arrive à franchir en se traînant la porte de la chambre du roi.

Les bras étendus, le regard aveuglé par le sang, il avance en titubant, mais le capitaine des « Quarante-cinq » tend son fourreau en riant et le fait trébucher. Le duc tombe au pied du lit du roi, balbutie faiblement : « Mon Dieu ! Ayez pitié de moi ! », puis « *Miserere mei Deus !* », et il meurt.

Henri III contemple son rival : « Je ne savais pas qu'il était aussi grand !... » Avec un soin tout spécial il revêt ses plus beaux habits pour aller entendre la messe. En chemin, il s'arrête chez sa mère, dont les appartements se trouvent sous les siens, et qui s'étonne des raisons d'un tel tumulte.

Catherine souffre des bronches et elle trouve difficilement son souffle. L'évêque de Paris lui lit son bréviaire et, lorsque Henri demande de ses nouvelles, elle dit se sentir moins bien que la veille.

« Vous serez heureuse, reprend-il, de savoir que pour ma part, je ne me suis jamais senti mieux. Je suis enfin roi de France. Je viens de tuer M. de Guise. Dieu m'a conseillé et m'y a aidé, et je vais solennellement le remercier dans son église. » Et comme elle ne semble pas comprendre : « J'ai tué le roi de Paris, répète-t-il, et je suis enfin roi de France.

« — Dieu veuille qu'il en soit comme vous l'espérez, dit enfin Catherine après un long silence, et que vous ne vous soyez pas nommé vous-même roi de Rien. » Puis, rapporte le médecin italien, Cavriana, « le roi s'en alla, ne paraissant nullement troublé, ni de visage ni d'esprit, ce qui, à moi qui étais présent, parut vraiment merveilleux. Et je m'en fus tout songeur, réfléchissant à la douceur que doit avoir la vengeance qui peut ainsi ranimer un esprit et éclairer un visage ».

Le jeune frère du duc, le cardinal de Guise, est tué aussi, un peu plus tard dans la journée, par six soldats, à coups de hallebarde. Lorsque la nouvelle des meurtres commence à circuler dans Paris, des processions catholiques s'organisent, d'hommes, de femmes et d'enfants, pieds nus malgré le froid et chantant des *Miserere*. Ils portent cierges et torches allumés qu'ils jettent par terre et foulent aux pieds sur le parvis de Notre-Dame en hurlant : « Ainsi s'éteindra la race des Valois ! »

Malgré le choc qu'a été pour elle ce double assassinat, la santé de Catherine s'améliore légèrement la semaine suivante et son médecin peut écrire : « En dépit du grand trouble dans lequel elle se trouve et de son incapacité à affronter les dangers présents, la reine mère est convalescente et nous espérons que dans une semaine, elle pourra reprendre sa vie ordinaire. » Mais, le lendemain 2 janvier, elle veut absolument quitter sa chambre pour aller entendre la messe dans la chapelle du château, puis rendre visite au cardinal de Bourbon, dans une autre aile, pour lui redonner sa liberté.

A sa vue, l'émotion du cardinal est telle qu'il se jette à genoux et lui embrasse les mains en pleurant. Elle tente de son mieux de réconforter le vieil homme, mais peu à peu le cardinal change de ton, se met en colère et l'accuse d'avoir trompé le duc de Guise, lui-même et tout le monde : « Voici bien de vos tours, Madame ! Vous nous avez amenés ici avec de belles paroles, et les promesses de mille fausses sûretés, et vous nous avez tous trompés. »

Anéantie, Catherine ne répond rien, mais comme il continue à divaguer : « Ecoutez-moi, Monseigneur, dit-elle avec fermeté, tout cela n'a rien à faire avec moi. Je ne connaissais rien des intentions de mon fils et, si j'en avais su quelque chose, j'aurais tout fait pour l'en empêcher. » Le cardinal n'entend pas et persiste dans ses reproches : « Vous nous avez tous trompés ! Vous nous avez tués ! — Mon Dieu, c'en est trop, je n'ai plus de courage, partons ! » dit-elle à ses porteurs. Et, brisée, anéantie par ces accusations injustes, elle regagne ses appartements.

Le lendemain, elle fait son testament : elle déshérite Margot et laisse tous ses biens français — elle tient de nombreuses terres de sa mère — à Charles de Valois, fils de Marie Touchet et de Charles IX. Puis elle demande un prêtre car son propre chapelain, comme beaucoup d'autres, s'est précipitamment enfui de Blois après le meurtre des princes lorrains. L'abbé de Charlieu, Julien de Saint-Germain, entend sa confession, lui donne l'absolution et l'aide de son mieux jusqu'à ce que, ne le connaissant pas, elle lui demande son nom. En l'entendant elle murmure d'un ton très calme : « Alors, je suis perdue ! » Il y a un an Ruggieri lui a prédit qu'elle mourrait « près de Saint-Germain », lui conseillant de ne séjourner auprès d'aucune paroisse portant ce nom. Voilà pourquoi elle ne retournait plus à Saint-Germain et avait abandonné ses appartements du Louvre, proche de l'église Saint-Germain-l'Auxerrois, pour sa demeure parisienne personnelle.

Le mercredi 4 janvier, la vie semble la quitter. « Elle a une très grande fièvre, écrit ce jour-là le légat pontifical Morosini. Les médecins l'appellent une fièvre de rhume sans danger ; toutefois l'âge avancé de la malade et sa rechute inspirent de grandes craintes. » Dans la nuit, ses douleurs la reprennent, elle étouffe et, bien que toujours lucide, elle ne peut plus parler. Elle meurt dans les bras de son fils aux environs de midi, le jeudi 5 janvier 1589, veille de l'Epiphanie. Dans le long cortège des Rois Mages ses ancêtres elle prend place à son tour, pour avoir porté l'or de la royauté, l'encens de la prière et la myrrhe des larmes.

L'autopsie révèle que la mort est due à une péri-pneumonie qui a provoqué une apoplexie ; elle révèle aussi que l'ensemble de ses organes sont dans un état de santé tel que, n'eût été cette pleurésie, elle aurait pu vivre encore de nombreuses années.

Le froid, l'humidité des couloirs du château de Blois en ce mois de janvier glacial ont précipité sa maladie. Sa visite au cardinal, leur conversation déchirante l'ont tuée à tous les sens du terme, en brisant en elle toute la volonté de vivre et de lutter contre le nouvel assaut du mal. Dans le même temps, elle a pris conscience de son échec : son fils, en qui elle a mis toute sa tendresse et tous ses rêves de gloire, pour qui elle n'a cessé de vivre, a détruit tout ce qu'elle avait construit, rejeté tout ce qu'elle avait tenté de lui enseigner. Alors que l'unité religieuse de la France, pour la première fois, pouvait enfin se réaliser, il s'y était délibérément opposé en choisissant de faire passer, avant la paix du royaume, ses propres intérêts et son inimitié pour le seul grand homme qu'aient connu ces temps troublés.

En soutenant le duc de Guise, Catherine de Médicis donnait à la monarchie des Valois sa dernière chance de survie ; en assassinant le duc de Guise, son fils Henri III se conduisait selon les pires accusations de ses ennemis, et se révélait être ce qu'elle avait si clairement et désespérément entrevu : le roi de Rien. Eût-elle été plus forte, elle ne pouvait rien faire pour empêcher la ruine du royaume, face à ces interminables guerres civiles : mieux valait mourir.

Dès que sa mère est morte, Henri passe autour de son propre cou le célèbre talisman qui ne l'a jamais quittée, et dont on disait qu'il lui donnait le don de seconde vue : il est fait de métaux fondus ensemble selon certaines combinaisons astrologiques basées sur sa date de naissance, et mélangés avec son propre sang et celui d'un animal à cornes. Il est couvert de signes, de figures et de formules magiques en latin, français et hébreu. Quelques jours plus tard, le roi le casse en morceaux.

Paris est aux mains de la Ligue qui, malgré la popularité de la reine mère, accuse le cardinal de Bourbon de s'être trompé sur son rôle dans la mort du duc de Guise. Saint-Denis est inaccessible, où elle « veut et ordonne son corps être inhumé », et il est hors de question, dans l'état actuel de la capitale, de l'emmener là-bas, auprès de son mari, dans l'admirable tombeau que Germain Pilon a édifié pour eux dans la chapelle des Valois. Royales — Henri III le veut ainsi —, les funérailles ont donc lieu le 4 février 1589 en l'église Saint-Sauveur de Blois, et sa dépouille est provisoirement placée dans un caveau près de l'autel.

Le soir de sa mort, le Dr Cavriana écrit très justement : « Elle est morte avec un grand repentir de ses péchés envers Dieu. Nous demeurons tous privés de lumière, de conseils et de consolation et, pour dire la vérité, avec elle est mort ce qui nous gardait vivants. Le roi souffrira plus qu'on ne l'imagine sans son soutien le plus important et le plus indispensable. Que Dieu lui vienne en aide ! »

A Paris, l'un des prédicateurs de la Ligue prononce une homélie plus désinvolte : « La reine mère est morte. Elle a fait dans sa vie beaucoup de bien et beaucoup de mal, et on croit qu'elle en a encore plus fait du dernier que du premier. Je n'en doute point. Toute la question est de savoir si l'Eglise catholique priera pour elle, car elle a bien souvent été du parti de l'hérésie, mais à la fin on disait qu'elle soutenait notre Sainte Ligue et qu'elle n'avait pas consenti à la mort de notre bon duc. Sur quoi je vais vous dire : si vous lui voulez donner quelque *Pater* ou quelque *Ave* par charité, vous pouvez le faire, il lui servira de ce qu'il pourra ; sinon, cela n'est pas d'une grande importance, et je vous le laisse à votre liberté. »

Belle entre toutes est l'oraison funèbre prononcée aux obsèques de Catherine par le patriarche et archevêque de Bourges, primat d'Aquitaine, Regnault de Beaune : « Il est mort la plus grande reine en toutes sortes de vertus, qui oncques apparut en France... Elle a toujours exposé et sa personne et ses moyens et tout son entendement pour composer et pacifier les affaires, fait plusieurs voyages lointains par ce royaume au péril de sa vie. Encore en ce grand trouble, naguère advenu en ce royaume, elle s'y est employée, de sorte qu'il n'a pas tenu à elle que toutes les affaires n'aient été conduites à bonne fin. » Enfin, du grand orateur sacré de la fin du XVIe siècle, cette louange : « Elle a surpassé en patience cette Sara, car sa vie a été un continuel exercice de patience... »

Le duc de Guise et son frère sont bientôt vengés : le 1er août 1589 Henri III est assassiné par le jeune dominicain Jacques Clément.

Il campe à Saint-Cloud en compagnie du roi de Navarre, avec lequel il vient de se réconcilier, de vingt mille reîtres allemands, douze mille Suisses et trois mille mercenaires conduits par le duc d'Epernon, avec lesquels il s'apprête à assiéger Paris et écraser les Ligueurs. Charles de Mayenne, seul survivant des Guises et nouveau chef de la Ligue, aidé de dix mille Français, plus brigands que soldats, assure seul la défense de la capitale.

La veille au soir, dernier jour de juillet, les deux beaux-frères ont regardé ensemble la cité endormie à leurs pieds et condamnée : « C'est presque un crime, dit Henri de Valois, de ruiner et perdre une aussi belle ville. Néanmoins il n'y a rien d'autre à faire. Ainsi seulement la Ligue apprendra à obéir. »

Henri de Navarre médite sur l'ironie du sort : ce qui autrefois était considéré comme la pire des énormités — Coligny demandant contre Paris le secours des reîtres allemands —, est aujourd'hui politique courante de la Couronne de France. « Je vous assure, mon frère, ne peut-il s'empêcher de dire, que nos reîtres vont donner aux Parisiens une leçon qu'ils n'oublieront pas. »

Mais le destin en décide autrement : le lendemain matin, prévu pour l'assaut final, Henri de Valois est poignardé par le jeune dominicain illuminé qui a pu obtenir une audience sous le prétexte de lui présenter des lettres. Après son geste, il reste pétrifié, sans un mouvement, les bras en croix, et immédiatement il est saisi et tué.

Henri III a le temps de reconnaître Henri de Navarre comme son héritier, et de lui demander de retourner à la foi catholique — « Paris vaut bien une messe » —, puis il meurt au milieu de la nuit, entouré du duc d'Epernon et de son neveu Charles de Valois. Les reîtres et l'armée étrangère reçoivent l'ordre de quitter la capitale : Paris est miraculeusement sauvé.

Pendant quatre ans, le duc de Mayenne et l'armée des ligueurs empêchent Henri de Navarre de prendre la couronne. Enfin, puisque c'est pour lui le seul moyen de pénétrer dans sa capitale, il abjure la foi calviniste et, le 25 juillet 1593, il entend une messe à Notre-Dame. Il deviendra catholique non seulement pratiquant, mais fervent. Le cardinal de Bourbon meurt en 1590, ne laissant derrière lui que quelques pièces de monnaie à l'effigie de « Charles X », et des actes signés de sa main.

Lorsque la France sera de nouveau paisible et unifiée, et Henri IV devenu le roi indiscuté, il fera transporter le corps de sa belle-mère, Catherine de Médicis, de Blois à Saint-Denis-en-France, auprès de son mari le roi Henri II. Tous deux y figurent en orants de bronze et costumes de cour, lui, la main gauche légèrement tendue, la droite sur la poitrine ; Catherine, elle, a les deux mains jointes, et sur le visage comme une sorte de recueillement.

Le roi de Navarre accompagne le corps de Henri III de Saint-Cloud à Poissy le 2 août 1589.

LE ROY DE NAVARE
S CLOV
LES BOIS DE POISCY
EPERNON
LE GAS
IARCHAN
LE CORPS D
HENRY DE VALO

Iconographie : gravures d'époque (Bibliothèque nationale, Musée du Protestantisme français).

INDEX
DES NOMS CITES

PRINCIPALES SOURCES BIBLIOGRAPHIQUES

Lettres de Catherine de Médicis, 10 tomes, publiées par Hector de Le Ferrière et Gustave Baguenault de Puchesse, Paris, 1880-1909.

Mémoires et Lettres de Marguerite de Valois, 1 volume, publiés par F. Guessard, Paris, 1842.

Lettres de Charles IX à M. de Fourquevaux, ambassadeur d'Espagne, 1565-1572, éd. Douais, Montpellier, 1897.

Lettres de Henri III.

Lettres de Jeanne d'Albret à son fils Henri de Navarre, 1572, *in Bulletin de la Société d'histoire de France,* t. II, Paris, 1835.

Calendars of Letters and State Papers, foreign serier 1558-1588 ; Venice 1558-1588, édité par M. A.S. Hume, Londres, 1892, 1894, 1899.

Pierre de L'ESTOILE, *Mémoires-Journaux,* 12 tomes, vol. I à III, Paris, 1885-1896.

Commentaires et Lettres de Blaise de Monluc, maréchal de France, publiés par A. de Ruble, 5 tomes, Paris, 1864-1872.

Mémoires du duc de Nevers, Paris, 1665.

Gaspard de SAULX, SEIGNEUR DE TAVANNES, *Mémoires,* Collection Petitot, vol. XXIII-XXV, Paris, 1822.

Pierre de BOURDEILLES, ABBÉ ET SEIGNEUR DE BRANTÔME, *Œuvres complètes,* Paris, 1864-1868.

PRINCE DE CONDÉ, *Mémoires,* Paris, 1746.

Michel de L'HOSPITAL, *Œuvres complètes,* 5 tomes, Paris, 1826.

La Vie et le Testament de Michel Nostradamus, Paris, 1784.

René de BOUILLÉ, *Histoire des ducs de Guise,* 4 tomes, Paris, 1849-1850.

J.J. GUILLEMIN, *Le Cardinal de Lorraine,* Paris, 1847.

Comte Jules DELABORDE, *Gaspard de Coligny,* 3 volumes, Paris, 1874.

Jean H. MARIÉJOL, *Catherine de Médicis,* 1519-1589, Paris, 1920.

Paul VAN DYKE, *Catherine de Médicis,* 2 volumes, New York, 1922.

Edith SICHEL, *Catherine de Médicis et la Réforme en France,* Londres, 1905.

Edith SICHEL, *Les Dernières Années de Catherine de Médicis,* Londres, 1908.

Ralph ROEDER, *Catherine de Médicis et la Révolution manquée,* New York, 1939.

Milton WALDANN, *Biographie d'une famille : Catherine de Médicis et ses enfants,* Londres, 1937.

T.A. TROLLOPE, *L'Enfance de Catherine de Médicis,* Londres, 1808.

Sir John NEALE, *Le Siècle de Catherine de Médicis,* Londres, 1943.

Lucien ROMIER, *Le Royaume de Catherine de Médicis. La France à la veille des guerres de religion,* 2 tomes, Paris, 1922.

Edward ARMSTRONG, *Les Guerres de religion en France,* Londres, 1892.

A.W. WHITEHEAD, *Gaspard de Coligny, amiral de France,* Londres, 1904.

Maurice WILKINSON, *Histoire de la ligue de Sainte Union,* Glasgow, 1929.

Sylvia LENNIE, *Le Massacre de la Saint-Barthélemy,* Londres, 1938.

Honoré de BALZAC, *sur Catherine de Médicis,* Paris, 1843.

Jules MICHELET, *Histoire de France,* 1833-1844.

Jean HÉRITIER, *Catherine de Médicis,* Paris, 1940.

TABLE

CHEZ LE MEME EDITEUR

Dans la même collection

FOUCQUET
COUPABLE OU VICTIME ?
par Georges Bordonove

•

SUFFREN
« L'AMIRAL SATAN »
par Frédéric Hulot

LE MARÉCHAL DE SAXE
par Frédéric Hulot

LA BASTILLE ET L'ÉNIGME DU MASQUE DE FER
par Jean Markale

IL ÉTAIT UNE FOIS VERSAILLES
par Jean Prasteau
Le roman vrai de Versailles,
de sa création à nos jours, comme il n'avait jamais été conté.

IL ÉTAIT UNE FOIS LE LOUVRE
par Jean Prasteau

LAVOISIER
par Jean-Pierre Poirier

SALADIN
par Geneviève Chauvel

LOUIS-PHILIPPE ET LA RÉVOLUTION
par Marguerite Castillon du Péron

ABD EL-KADER
par Louis Lataillade

HÉRAULT DE SÉCHELLES
par Jean-Jacques Locherer

TEMPLIERS, FRANCS-MAÇONS ET SOCIÉTÉS SECRÈTES
par Peter Partner

Achevé d'imprimer en octobre 1994
sur presse CAMERON,
dans les ateliers de la S.E.P.C.
à Saint-Amand-Montrond (Cher)

— N° d'édit. : 457. — N° d'imp. : 2493. —
Dépôt légal : octobre 1994.
Imprimé en France